Marine Le Pen
prise aux mots

Cécile Alduy
Stéphane Wahnich

Marine Le Pen prise aux mots

Décryptage du nouveau discours frontiste

ÉDITIONS DU SEUIL
*25, bd Romain-Rolland, Paris XIVe*

ISBN 978-2-02-117210-2

www.seuil.com

À Manuel, chroniqueur politique

C. Alduy

À Élodie, qui sait à quoi tout cela mène
À mes enfants, qui ont la force de ceux qui savent où ils vont

S. Wahnich

Note au lecteur

Ce livre est le fruit d'une collaboration entre deux spécialistes de disciplines complémentaires. Pour plus de transparence pour le lecteur et par respect du travail de chacun, nous indiquons ici qui est l'auteur des différentes sections.

Cécile Alduy a rédigé l'introduction, la première partie (« Les mots »), la deuxième partie (« Mythologies »), la conclusion, les annexes I et II et l'index.

Stéphane Wahnich a rédigé la troisième partie (« Les conditions d'une réception favorable »), ainsi que les pages « Démocratie et républicanisme », « Le naturalisme », « La morale chrétienne », « Le grand dépoussiérage historiographique » et « Un nationalisme généralisé ? » dans la première partie. Les sections « De nouveaux thèmes » et « Le mariage pour tous » de la première partie ont été écrites à quatre mains.

Introduction

Il aura suffi d'un mot. Un mot de trop. Un mot de plus dans la longue histoire des dérapages de Jean-Marie Le Pen. Un mot qui cette fois menace de briser net sa relation avec sa fille cadette et de le mener au bord de l'exclusion du parti qu'il a lui-même fondé. Un mot censé révéler l'abîme qui sépare Marine Le Pen de son père.

Ce 6 juin 2014, pour son « Journal de bord n° 366 » diffusé sur le site du Front national, Jean-Marie Le Pen, cravate rose pâle et pochette assortie, est de bonne humeur : le Front national vient de finir premier avec un score historique de 25 % aux élections européennes du 25 mai. Quelques mois plus tôt, le parti qu'il a créé en 1972 a remporté onze mairies, dont Hénin-Beaumont et le 7e arrondissement de Marseille, là encore une première. Très en verve dans sa vidéo hebdomadaire, il moque les artistes qui ont déclaré leur opposition au Front national : Yannick Noah, Madonna, Guy Bedos… « Monsieur Bruel aussi ? » relance son interlocutrice. Jean-Marie Le Pen prend la balle au bond : « Ah oui… On fera une fournée la prochaine fois. »

« Fournée ». Le mot est lâché, et la polémique ne se fait pas attendre. Depuis sa sortie sur les chambres à gaz, « point de détail de l'histoire de la Seconde Guerre mondiale », en 1987, la carrière politique de Jean-Marie Le Pen a été ponctuée de jeux de mots douteux et d'allusions racistes ou antisémites[1] : invariablement, ils suscitent un tollé et lui assurent une surexposition médiatique le temps de la polémique. Ce qui change en 2014, c'est que son propre parti comme sa propre fille le condamnent.

Marine Le Pen vient de voir sa stratégie de dédiabolisation porter ses fruits : depuis son élection à la présidence du parti en janvier 2011, elle a imposé une tolérance zéro parmi ses cadres et militants pour tout propos, signe ou geste qui pourrait rappeler l'héritage antisémite encombrant du Front national[2]. Elle apporte du sang neuf, de jeunes cadres qui parlent bien, un discours franc mais respectueux, un sens de l'humour qui met les auditeurs de son côté. Déjà, elle a l'œil sur la présidentielle 2017. Et il n'est pas question que ce long et patient travail de normalisation soit saboté par un mot de trop.

Dans le concert de condamnations qui pleut sur l'ancien leader du Front national, Marine Le Pen regrette « une faute

1. « Durafour crématoire » en 1988, « Yaka Miam-Miam » pour Kofi Yamgnane, secrétaire d'État chargé de l'Intégration en 1991, etc. Au 1er janvier 2014, Jean-Marie Le Pen avait été condamné dix-neuf fois par la justice pour ses propos, notamment pour « apologie de crime de guerre » (1971), « provocation à la haine, la discrimination et la violence raciale » (1987, 1990), « diffamation » (1992), « injure publique » (1993), « banalisation de crimes contre l'humanité, consentement à l'horrible », etc.

2. Ainsi de l'expulsion en avril 2011 d'Alexandre Gabriac, photographié en train de faire un salut nazi, ou en décembre 2013 de trois candidats Front national, dont Anne-Sophie Leclère, pour ses propos et montages graphiques racistes à l'encontre de la garde des Sceaux Christiane Taubira. Voir Romain Rosso, *La Face cachée de Marine Le Pen*, Paris, Flammarion, 2011 ; Valérie Igounet, *Le Front national de 1972 à nos jours. Le parti, les hommes, les idées*, Paris, éd. du Seuil, 2014 ; « Ces candidats que le FN écarte pour se dédiaboliser », *Le Monde*, 28 novembre 2013.

politique » et entend « rappeler que le Front national condamne de la manière la plus ferme toute forme d'antisémitisme, de quelque nature que ce soit[3] ». Le blog de Jean-Marie Le Pen est exfiltré du site du Front national ; on s'interroge sur la survie politique du père au sein des instances dirigeantes du parti. La brouille dure et fait les choux gras de la presse pipole.

Ce mot de trop résume tout ce qui oppose les discours de Jean-Marie et de Marine Le Pen : s'y lisent deux conceptions radicalement différentes de la stratégie du parti, de la communication politique et du rapport au passé. D'un côté, une parole brutale qui s'impose en sabordant ses chances de progression électorale ; de l'autre, une communication serrée, attentive à choisir les mots qui touchent, mais aussi à éviter ceux qui fâchent sans livrer aucun bénéfice politique. D'un côté, une parole tournée vers le passé et les pages noires de l'Histoire ; de l'autre, un discours rassembleur qui mise sur l'avenir et entend faire oublier le passif du Front national. Entre le briseur de tabous, qui assume l'antisémitisme et le racisme comme fondements idéologiques du Front national, et sa fille, fine communicante politique qui veut définitivement effacer la tache antisémite qui a longtemps spolié le parti dont elle hérite, il y a, semble-t-il, une rupture générationnelle, un tournant stratégique, voire, sur certains points, idéologique. Il y a aussi des objectifs et des opportunités historiques radicalement différents : d'un côté, un trublion de la scène politique qui se satisfait de son rôle d'agitateur et de tribun populaire et contre lequel un « front républicain » s'est dressé et a, dans l'ensemble, tenu[4], et, de l'autre, l'ambition affichée d'une femme déterminée qui

3. Déclarations de Marine Le Pen, *Le Figaro,* 8 juin 2014.

4. Avec toutefois des alliances aux élections locales dans les années 1980 et 1990.

vise explicitement la conquête et l'exercice du pouvoir, dans un contexte sociopolitique de droitisation de l'offre politique et de banalisation de certaines thématiques du Front national. Et pour autant, sur le fond, l'abîme entre les deux est-il si grand qu'il y paraît ?

L'ancien et le nouveau

C'est qu'il faut souligner d'emblée que l'histoire du Front national est aussi, fondamentalement, une histoire de mots : de mots dits et repris, de néologismes nauséeux et de slogans chocs, et, depuis l'arrivée de Marine Le Pen à la tête du parti, comme nous allons le voir, de silences et de non-dits, d'euphémismes stratégiques et de piratage lexical. C'est le tout dernier chapitre de cette histoire des discours du Front national que nous voudrions écrire ici.

La « dédiabolisation » peut en effet s'interpréter comme une entreprise de modernisation du « signe » Front national : de son contenu, de son image, de son histoire officielle, de ses connotations et de son extension. Dépoussiérage lexical, OPA sémantiques sur un vocabulaire républicain voire de gauche, reformulation des anciens concepts paternels dans une langue policée et dynamique, mise en sourdine des thèmes clivants, renouvellement des figures qui représentent le parti : Marine Le Pen a entrepris un formidable travail de réécriture du code frontiste[5].

5. Elle a d'ailleurs réussi à échapper à la malédiction du « mot de trop » dont bien des hommes politiques ont été victimes, de Nicolas Sarkozy et son « casse-toi, pauv' con » à François Hollande et l'apocryphe « sans-dents » ou Jacques Chirac et « le bruit et l'odeur ».

Si la bataille des mots est au cœur de la stratégie de « dédiabolisation » engagée par la nouvelle présidente du Front national depuis 2011, est-ce pour autant que le *sens* et le *contenu* de l'offre politique du Front national ont changé ? Au-delà du toilettage lexical, le discours de la fille est-il si différent de celui du père ? Et doit-on parler d'*aggiornamento* idéologique ou de changements purement cosmétiques ? Il n'est pas certain en effet qu'il suffise d'adopter le lexique de la République pour en porter véritablement les valeurs. Réciproquement, il ne suffit pas d'éviter les mots « races » ou « Arabe » pour échapper à une logique xénophobe.

Jean-Marie Le Pen livrait un discours transparent, brut de décoffrage. Marine Le Pen, à force de lisser le discours officiel de son parti sans changer de fondamentaux, de louvoyer entre positions radicales et modération de ton, à force aussi de jouer de la triangulation pour attirer dans son escarcelle de nouveaux électorats, reste pour une part un signe opaque. En novembre 2014, Nicolas Sarkozy assure qu'elle est « d'extrême gauche[6] » en raison de son programme économique. Jean-Luc Mélenchon l'a qualifiée de « fasciste[7] ». La plupart des journalistes politiques la situent à l'extrême droite, ce dont elle se défend, quitte à menacer d'attaquer en justice quiconque le fera. De fait, Marine Le Pen s'est forgé un nouveau code, un extrémisme euphémisé et démocratique qui brouille les repères[8]. Il faut dès lors faire

6. Nicolas Sarkozy, meeting de Nancy, 3 novembre 2014. Voir Abel Mestre, « Quand Marine braconne à gauche », *Le Monde*, 6 novembre 2014.

7. « Mélenchon relaxé après avoir traité Marine Le Pen de "fasciste" », *Le Monde*, 10 avril 2014.

8. Voir Michel Wieviorka, *Le Front national, entre extrémisme, populisme et démocratie*, Paris, éd. de la Maison des sciences de l'homme, 2013.

un réel travail d'interprétation et de décryptage du discours de Marine Le Pen pour discerner de quoi elle est réellement le signe[9].

L'épisode de la « fournée » en fournit un exemple : loin d'illustrer de manière univoque l'abîme qui séparerait le père et la fille, il montre les limites de la « normalisation » du discours de la nouvelle présidente du Front national. Les premiers commentaires de Marine Le Pen baignent dans l'ambiguïté. D'un côté, elle condamne solennellement l'antisémitisme comme système de pensée ; de l'autre, elle absout son père[10]. Elle ne reconnaît les connotations antisémites du terme « fournée » que pour les récuser aussitôt. L'accusé plaide-t-il la remarque anodine et déclare avoir été intentionnellement mal compris ? Elle abonde dans son sens et fait peser la charge sur les récepteurs du maladroit message paternel : « Je suis convaincue que le sens donné à ses propos relève d'une interprétation malveillante[11]. » Dénégation, victimisation et persécution : voilà des postures historiques de Jean-Marie Le Pen, accompagnées ici du lieu commun récurrent de la malveillance des médias. Avec une désinvolture surprenante, Marine Le Pen ne reproche à son père qu'une erreur de communication qui risque de réactiver

9. Alain Badiou posait la question *De quoi Sarkozy est-il le nom ?* dans un ouvrage du même titre (Paris, Nouvelles Éditions Lignes, 2007). Si Sarkozy est un signe changeant, évolutif, on pourrait dire que Marine Le Pen est un signe équivoque.

10. De même Gilbert Collard, député Rassemblement Bleu Marine, dit ne pas croire au « fond antisémite » de Jean-Marie Le Pen, mais juge pourtant que « la forme, elle, est intolérable » et se déclare « peiné » pour ses « amis juifs », signe qu'il entend la boutade comme une allusion antisémite. Cette dissociation entre « fond » et « forme » suggère qu'un mot pourrait n'être antisémite que dans la forme.

11. *Ibid.*

l'image d'un Front national antisémite, balayant d'un revers de la main la question de l'antisémitisme réel, ou non, de son président d'honneur.

Elle condamne une « faute politique », non une faute morale : ce n'est pas l'indécence de la remarque qui la choque, mais le manque de discernement de son auteur : « [...] avec la très longue expérience qui est celle de Jean-Marie Le Pen, ne pas avoir anticipé l'interprétation qui serait faite de cette formulation est une faute politique dont le Front national subit les conséquences [12]. » Le sens littéral de la remarque de Jean-Marie Le Pen et ses sous-entendus idéologiques sont péremptoirement déclarés hors de cause. Seules l'interprétation qui en est faite dans les médias et l'anticipation de cette interprétation dévoyée posent problème. Pour quelqu'un qui, comme Marine Le Pen, se pique de parler du « réel », cette indifférence au contenu effectif des propos paternels ne laisse pas de surprendre. Celle qui fustige les « coups de com' » de Nicolas Sarkozy et de François Hollande [13] ne s'intéresse qu'à l'erreur médiatique, non au fond. C'est qu'elle lit le mot comme un signe communicationnel en direction du public, et non comme un signifiant qui porte en lui-même un sens et une histoire. Elle est attentive aux connotations des mots, aux réverbérations en retour sur l'*ethos* [14] de celui qui les prononce et sur l'image du parti,

12. *Ibid.*

13. « Le président normal a bien appris de son prédécesseur et il n'a fallu que quelques semaines pour retomber dans le travers de l'exercice permanent de communication. La communication, la communication à toutes les sauces, et pire, la manipulation de l'opinion, voici à quoi se résume la vie politique française désormais ! » (Marine Le Pen, « Discours de la Baule », 26 septembre 2012).

14. Voir Ruth Amossy et Jean-Michel Adam, *Images de soi dans le discours : la construction de l'« ethos »*, Lausanne, Delachaux et Niestlé,

moins, ici du moins, au sens profond. Marine et Jean-Marie Le Pen ne se disputent d'ailleurs que sur les mots, jamais sur les idées, ni sur le programme. Les grandes brouilles[15] ne sont pas des différends idéologiques, mais des contentieux stratégiques qui touchent aux questions de communication politique.

Adepte du double discours, Marine Le Pen est ainsi capable de superposer des énoncés qui, à l'analyse, ne sont pas sur le même plan, voire divergent : dans cet épisode, elle aura réussi la gageure de paraître inattaquable sur l'antisémitisme (gages démocratiques) tout en l'acceptant de la part du président d'honneur du parti (gage à la base du Front national). Aussi faut-il réellement la prendre au mot – décortiquer mot par mot ce qu'elle dit, comment, où et à qui – pour cerner au plus près la logique sous-jacente, parfois retorse, de son discours.

Le discours de Jean-Marie Le Pen était limpide et portait une vision du monde d'une extrême cohérence : le condamner ou l'approuver ne requérait pas d'exégèse. Avec Marine Le Pen, le décodage s'impose.

1999 : « L'*ethos* est l'image que l'orateur construit de lui-même dans son discours afin de se rendre crédible. Fondé sur ce qu'il montre de sa personne à travers les modalités de son énonciation, il doit assurer l'efficacité de sa parole et sa capacité à emporter l'adhésion du public. Dans ce cadre, l'*ethos* fait partie d'une entreprise de persuasion délibérée dans laquelle il est mobilisé au même titre que le *logos* et le *pathos*. Fruit d'un savoir-faire, il renvoie nécessairement à un sujet intentionnel qui programme sa présentation de soi en fonction de ses objectifs propres » (p. 27).

15. On notera d'ailleurs que le premier froid remonte à 2006, après la sortie de Jean-Marie Le Pen sur l'« occupation allemande » qui n'aurait pas été « particulièrement inhumaine ». Voir Christiane Chombeau, *Le Pen, fille & père,* Paris, Panama, 2007, p. 301-305 ; Romain Rosso, *La Face cachée de Marine Le Pen*, *op. cit*., p. 19-28.

La bataille des mots

La « bataille des mots » a une longue histoire au Front national. En 1982, Yvan Blot, président du Club de l'Horloge[16] et futur député européen du Front national, organise une conférence-débat intitulée : « La bataille des mots : quel langage pour l'opposition[17] ? » S'inspirant de la théorie gramscienne de l'hégémonie culturelle, selon laquelle le pouvoir ne s'acquiert et ne se maintient qu'à condition de gagner préalablement la bataille des idées, il pose les bases de ce que sera l'offensive sémantique lancée par Bruno Mégret au Front national dans les années 1990 : « La "bataille des mots" devient prioritaire [...], les mots sont une arme essentielle dans le combat politique. » Suit une série de recommandations lexicales, destinées à contrer l'hégémonie marxiste dans le débat d'idées des années 1970 et à moderniser le langage de la droite conservatrice. Ainsi, par exemple, il ne faudra plus dire « nationalisation » mais « étatisation » pour démonétiser le programme des gauches, ou bien choisir « un langage

16. Cellule de réflexion politique de la droite « libérale et nationale » fondée en 1974, le Club de l'Horloge prône très tôt une alliance entre droite et extrême droite. Voir Pierre-André Taguieff, *Sur la Nouvelle Droite : jalons d'une analyse critique*, Paris, Descartes & Cie, 1994.

17. Source : site du Club de l'Horloge (http://www.clubdelhorloge.fr). Repris dans Yvan Blot et Michel Leroy, *La Bataille des mots. Pour un nouveau langage politique de l'opposition*, Lettre d'information, quatrième trimestre, 1982. Sur cet épisode passionnant, voir Nicolas Lebourg et Joseph Beauregard, *Dans l'ombre des Le Pen. Une histoire des numéros 2 du Front national,* Paris, Nouveau Monde, 2012, p. 152-154.

enraciné dans la tradition républicaine» car les Français y sont profondément attachés[18].

Si Jean-Marie Le Pen est toujours réticent à adopter le vocabulaire de l'adversaire, il est lui aussi convaincu que le combat se situe au niveau du langage autant que dans les urnes, et va jusqu'à citer presque mot pour mot les propos d'Yvan Blot. «La sémantique n'est pas neutre», écrit-il en 1984 dans *Les Français d'abord*, et certaines expressions, telles que l'appellation «extrême droite», peuvent être fatales en politique: «On s'en sert comme d'une arme dans un combat où les mots tuent parfois plus sûrement que les balles[19].» Il cite Gramsci à plusieurs reprises, d'abord, dans les années 1980-1990, pour fustiger l'hégémonie culturelle du marxisme[20], puis pour se féliciter à partir de 2007 de sa propre emprise idéologique sur la vie politique française. Au soir du premier tour des élections présidentielles de 2007, il peut affirmer, peut-être à raison: «Ce soir, nous avons gagné la bataille des idées. La nation et le patriotisme, l'immigration et l'insécurité ont été mis au cœur de cette campagne par mes adversaires qui, hier encore, écartaient ces notions avec une moue dégoûtée. Cette victoire idéologique est un acquis irréversible du Front national, dont je me félicite[21].»

18. Cités dans Nicolas Lebourg et Joseph Beauregard, *ibid.*

19. Jean-Marie Le Pen, *Les Français d'abord*, Paris, Carrère-Michel Lafon, 1984, p. 181.

20. Ainsi en 1998: «Mai 68 a vu se concrétiser la pertinence des analyses de Gramsci. Le pouvoir prétendument "culturel" a triomphé d'une pseudo-droite sans idées, sans audace, sans conviction, sans repères, sans racines, ayant honte d'elle-même. Nous vivons encore sous ce diktat marxiste», Jean-Marie Le Pen, *Français d'abord!*, nº 279, 1998.

21. Jean-Marie Le Pen, France 3, 22 avril 2007.

Il récidive une semaine plus tard lors de la fête du 1er Mai 2007 : « C'est l'écrivain communiste italien Gramsci qui a écrit : "les victoires idéologiques précèdent les victoires électorales." [...] En réalité, notre insuccès arithmétique masque une victoire idéologique évidente puisque tous les candidats ont peu ou prou, Sarkozy avec le culot d'un joueur de bonneteau, basé leur campagne sur les valeurs qu'à contre-courant nous défendons depuis des décennies : la Nation, la Patrie, l'Ordre, la Sécurité, le Travail, la Famille, l'avenir de la France et des Français, et même Jeanne d'Arc [...]. »

La stratégie de Jean-Marie Le Pen dans cette bataille des mots a été de « libérer la parole », de faire tomber les « tabous », de « dire tout haut ce que les Français pensent tout bas » selon la formule qu'il affectionne, c'est-à-dire d'imposer sans relâche ses problématiques. Son numéro deux Bruno Mégret, issu du RPR, essaie quant à lui d'appliquer systématiquement les leçons du Club de l'Horloge. En 1990, il lance une véritable offensive sémantique et médiatique destinée à rénover l'image du parti et à reprendre le terrain idéologique dans le débat public[22]. Fort d'une cellule de propagande et de l'image nouvellement créée, il engage une opération mûrement réfléchie de rénovation lexicale. Edwy Plenel cite dans *Le Monde* des passages de la note interne que Mégret rédige à l'intention des militants : « Deux types de mots sont à proscrire : les mots appartenant à l'idéologie marxiste, les mots appartenant à l'idéologie des droits de l'homme. [...] Aux mots confisqués par l'adversaire et qui sont devenus autant de symboles, soit du bien ("les travailleurs"), soit du mal ("les patrons"), il faut substituer un

22. Voir Nicolas Lebourg et Joseph Beauregard, *Dans l'ombre des Le Pen. Une histoire des numéros 2 du Front national*, *op. cit.*, p. 168-170.

autre vocabulaire[23].» Le journaliste dresse alors la liste des substitutions lexicales recommandées : « [...] un militant ou un dirigeant du Front national ne dira pas “les masses” mais “les peuples”, pas “les classes” mais “les catégories socioprofessionnelles, les Français actifs, qui travaillent”, pas “les luttes” mais “le combat”, pas “le sens de l'Histoire” mais “les aléas de l'Histoire”, pas “les patrons” mais “les employeurs”, pas “les possédants” mais “les propriétaires” [...]». Surtout, il s'agit d'imposer par le langage une vision du monde : « À l'individu cet “homme dépersonnalisé, déshumanisé”, le Front national oppose “l'homme enraciné, héritier d'un lignage et d'une culture”. De même l'“universalisme” sera-t-il remplacé par le “cosmopolitisme” ou le “mondialisme”, l'“égalitarisme” par le “nivellement”, l'“administration” par la “bureaucratie”, “les droits de l'homme” par “les droits et les devoirs du citoyen”, et la “société” par la “communauté”[24].»

Il fallait citer en entier cette longue liste de vocables proscrits et prescrits car ils jettent encore aujourd'hui leur ombre sur le discours de Marine Le Pen, et permettront de mesurer l'évolution du langage frontiste depuis les années 1990. Elle hérite en partie de ce vocabulaire codé : « mondialisme » et « nivellement » du côté des mots accusateurs, ou « enracinement » et « peuples » parmi les termes valorisés continuent d'ancrer ses discours dans le lexique et la cosmologie de l'extrême droite. Mais si elle a, elle aussi, consciemment placé son combat sur le terrain de la bataille des mots[25], elle semble

23. Voir Edwy Plenel, « Le Front national veut créer son propre vocabulaire : “Les mots sont des armes” », *Le Monde*, 10 mai 1990.

24. *Ibid.*

25. Et notamment en combattant cette « arme » que reconnaissait déjà son père, l'appellation « extrême droite » pour désigner le Front

avoir adopté une tactique différente pour la deuxième manche de cette guerre du vocabulaire. Bruno Gollnisch théorise en 1996 dans *Le Figaro* les principes de la première tactique suivie par le Front national : « Les batailles politiques sont des batailles sémantiques [...]. Celui qui impose à l'autre son vocabulaire lui impose ses valeurs, sa dialectique, et l'amène sur son terrain à livrer un combat inégal[26]. » Pour Marine Le Pen, maintenant que la « bataille des idées[27] » est acquise sur l'immigration, l'insécurité ou l'identité nationale, il s'agit d'accaparer le vocabulaire du camp adverse, républicain ou de gauche, et de lui faire dire autre chose.

À l'heure où Marine Le Pen s'impose sur la scène politico-médiatique et engrange des scores électoraux sans précédent, il est urgent de décrypter la logique de son discours et d'éclairer les fondements de son efficacité rhétorique. Que dit-elle qui parle tant à tant d'électeurs ? Avec quels mots, quels mythes, quelles images parvient-elle à faire mouche là où la parole politique semble partout ailleurs discréditée ?

---

national. Voir Abel Mestre, « Marine Le Pen se défend d'une "guerre sémantique" », *Le Monde,* 4 octobre 2013.

26. Bruno Gollnisch, *Le Figaro*, 21 juin 1996.

27. Lors de son discours du 1er mai 2013, Marine Le Pen décline la longue litanie des idées que le Front national aurait su imposer : « Car nous avons déjà gagné la bataille des idées. Nous l'avons gagnée parce que nos idées dominent, nous sommes le centre de gravité du débat public français et la force du bon sens est irrépressible. Oui, nos positions sont rejointes :

– quand nous dénonçons l'immigration de masse et ses ravages ;

– quand nous faisons le lien évident entre cette immigration et l'insécurité ;

– quand nous disons qu'il faut protéger les Français du communautarisme, réaffirmer partout la République et la laïcité qui est la loi du respect commun. Etc. »

Quels nouveaux mots choisit-elle et que leur fait-elle dire ? On peut s'interroger par exemple sur ce que signifie « laïcité » dans sa bouche ; et comment interpréter, du point de vue de la cartographie du champ politique actuel et de l'histoire des idées, son entreprise d'accaparement de ce concept républicain ? Quels mots anciens, hérités d'autres batailles, d'autres textes, continuent de pointer, parfois de manière allusive, vers un corpus d'extrême droite plus traditionnel ? Et peut-on trouver une cohérence idéologique à cette juxtaposition de discours, d'expressions, de signes empruntés à des sphères politiques ou philosophiques hétérogènes ? La question qui se profile derrière ces interrogations est celle de l'existence, ou non, d'un *aggiornamento* idéologique de ce nouveau Front national : est-ce que le changement de *style* entre la fille et le père correspond à un véritable renouvellement de fond de l'offre politique frontiste ?

Projet, corpus, méthode

Nous proposons ici une analyse détaillée de la logique du discours mariniste avec un double objectif : mesurer au plus près l'originalité propre de la parole de Marine Le Pen, notamment vis-à-vis de son père, et éclairer les raisons rhétoriques, structurelles, sociologiques et historiques qui en font une parole de persuasion efficace. Ce livre entend ainsi répondre à deux questions fondamentales : qu'est-ce que dit réellement Marine Le Pen, et pourquoi son discours trouve-t-il un tel écho dans la société française d'aujourd'hui ?

Répondre à ces questions exige en premier lieu de passer au crible les discours de Marine Le Pen et d'en proposer une étude comparative méthodique avec ceux de son père, tant du point de vue des formes que de celui du fond. En effet, tout « fait signe » sur la scène publique à l'heure de la communication politique à outrance et de la surmédiatisation de la moindre phrase. L'enjeu de cette étude est tout à la fois de *décrire* les signes intentionnels communiqués par les leaders du Front national et d'en *décrypter* les sous-entendus – de cerner la distance entre image construite et sens caché, affichage thématique et idéologie sous-jacente.

À notre connaissance, personne n'a encore mené un travail d'analyse scientifique et systématique des discours de la nouvelle présidente du Front national. Or, pour aller au-delà du constat journalistique, de l'anecdote ou de l'intuition première et pour comprendre permanences et différences de fond et de forme entre le père et la fille, il est nécessaire d'entreprendre une comparaison précise, documentée, méthodique de leurs allocutions publiques au fil des ans. C'est ce que nous proposons de faire à l'aide d'outils d'analyse informatique et d'une grille de lecture sémiotique fine. Les progrès des logiciels de traitement automatique des données textuelles (lexicométrie) sur de gros corpus permettent aujourd'hui d'apporter à ce type d'étude une solide base statistique : fréquences lexicales mais aussi concordances, réseaux sémantiques, nuages de mots, environnement textuel, repérage des mots-clés récurrents et de thèmes sous-jacents, extraction des noms propres, des néologismes, des catégories grammaticales utilisées (« je » ou « nous » ? rhétorique du verbe ou du substantif ?), et comparaison à des corpus de référence qui représentent la norme usuelle de la langue contemporaine, permettent d'établir un ensemble de données objectives, vérifiables, sur lesquelles fonder dans un deuxième temps une lecture plus fine des logiques du discours.

De nombreux ouvrages, certains excellents, ont récemment retracé l'histoire du Front national, la vie de ses leaders successifs ou cartographié la sociologie de son électorat et son évolution[28]. La perspective historique (histoires du Front national ; biographie des Le Pen) et l'éclairage des sciences politiques (sociologie électorale ; offre idéologique) sont indispensables pour la compréhension en profondeur d'un phénomène complexe, et qui interroge : le vote Front national et sa montée en puissance. Nous nous appuierons sur ces travaux pour mettre en regard mots et votes, et expliquer comment le discours frontiste entre en résonance avec les préoccupations de certaines catégories d'électeurs et l'évolution de la société française pendant ces dix dernières années. Le discours de Jean-Marie Le Pen a, quant à lui, déjà fait l'objet de riches travaux universitaires : la sémiologie, la lexicométrie, l'analyse des mythes, les sciences de la communication ont été mises à contribution pour éclairer l'univers langagier et idéologique de Jean-Marie Le Pen, ses filiations textuelles, son imaginaire, ses stratégies médiatiques[29]. Jusqu'à ce jour,

28. Voir *infra*, « Bibliographie », p. 279.

29. On consultera notamment : Pierre-André Taguieff, « Nationalisme et réactions fondamentalistes en France. Mythologies identitaires et ressentiment antimoderne », *Vingtième Siècle. Revue d'histoire*, n° 25, janvier-mars 1990, p. 49-74 ; Guy Birenbaum, *Le Front national en politique*, Paris, Balland, 1992 ; Maryse Souchard, Stéphane Wahnich, Isabelle Cuminal et Virginie Wathier, *Le Pen, les mots, analyse d'un discours d'extrême droite*, Paris, Le Monde Éditions, 1997 ; Béatrice Turpin, « Pour une sémiotique du politique : schèmes mythiques du national-populisme », *Semiotica : revue de l'association internationale de sémiotique*, 159, n° 1-4, 2006, p. 285-304 ; Denis Bertrand, Alexandre Dézé et Jean-Louis Missika, *Parler pour gagner : sémiotique des discours de la campagne présidentielle de 2007*, Paris, Presses de la Fondation nationale des sciences politiques, 2007 ; Nicolas Lebourg, *Le Monde vu de la plus extrême droite : du fascisme au nationalisme-révolutionnaire*, Perpignan, Presses universitaires de Perpignan, 2010.

l'analyse du discours de Marine Le Pen, elle, n'a fait l'objet que de notes éparses[30].

Aussi avons-nous collationné une base de données de plus de cinq cents textes dits ou écrits et publiés par Jean-Marie et Marine Le Pen de 1987 à 2013 inclus. Discours publics, éditoriaux, interviews radiophoniques et télévisées, mis bout à bout, dessinent l'histoire des discours publics des leaders du Front national sur plus de vingt-cinq ans[31]. Ces textes sont passés ici au crible d'un double traitement, informatique et rhétorique. Ce corpus inédit[32] permet ainsi d'approcher la parole frontiste en diachronie et en synchronie, et de procéder

30 Voir Sarah Proust, « Argumenter contre le Front national, c'est démonter la mécanique du discours frontiste », *Revue socialiste,* 52, 2013, p. 49-52 ; Axelle Lemaire, « Front national et droits de l'homme : de la négation au maquillage discursif », *ibid.*, p. 69-74.

31. Nous n'avons pas pris en compte les discours de Jean-Marie Le Pen avant 1987 pour plusieurs raisons. Premièrement, ce livre s'attache spécifiquement aux discours de Marine Le Pen. Le corpus du patriarche sert d'étalon de référence pour mesurer l'évolution de l'offre politique du Front national et n'est pas analysé pour lui-même. Deuxième raison en effet, les discours précédents de Jean-Marie Le Pen ont déjà fait l'objet d'une analyse de sémiologie politique, dans le livre de Souchard *et al.*, *Le Pen, les mots…*, *op. cit.*, dont le corpus de référence commence en 1984, date des premiers succès électoraux du Front national et de sa médiatisation. Enfin, les textes antérieurs à 1984 sont plus rares en raison de la faible exposition médiatique du Front national, et difficiles d'accès. Ce qui est du reste remarquable sur le corpus de Jean-Marie Le Pen, c'est son indéfectible stabilité : au-delà des épiphénomènes contextuels, c'est un bloc uniforme dans ses structures profondes et son style, et ce jusqu'au tournant de la campagne présidentielle de 2007, gérée par Marine Le Pen, qui amorce un virement républicain.

32. Voir Annexe I, « Le corpus », l'explication de la constitution du corpus. Cette base de données sera à terme disponible sur le site www.decodingmarinelepen.stanford.edu.

à des études comparatives entre auteurs, entre périodes et entre genres de textes (entretiens télévisés ou meetings ; textes rédigés ou improvisés) et types de contextes (discours du 1er Mai ; conférences de presse ; émissions de grande audience, matinales, etc.). À cette riche base de données s'ajoutent, à titre d'éclairage complémentaire en marge de la parole officielle, des entretiens privés exclusifs du père et de la fille réalisés en octobre et avril 2013. Enfin, nous avons mis en regard ce corpus de discours publics avec quarante ans de programmes électoraux du Front national : il s'agissait de comparer les annonces et l'image projetée par Marine Le Pen et les actes politiques concrets qu'elle envisage si elle arrivait au pouvoir, de voir donc derrière les mots les choses et de s'interroger : derrière la modération de ton et la modernisation du style, le programme, lui, est-il moins extrême ? Au-delà de l'analyse statistique du lexique et des thèmes du corpus de Marine Le Pen, c'est la logique d'un discours global que nous avons voulu décrypter : tandis que les leaders du Front national prétendent « simplement » mettre des mots sur une réalité « évidente », notre propos est de mettre au jour la propension de leur discours à reconfigurer les réalités sociales et économiques, à en offrir un récit cohérent, convaincant, mais aussi orienté idéologiquement. Loin d'être un reflet de la réalité contemporaine, ces discours offrent une *lecture* du monde contemporain qui passe aussi par une *réécriture* de l'Histoire, de certains mythes et du sens même de certains concepts clés de la République.

Il s'agit donc d'apporter aux sciences politiques un éclairage neuf, rhétorique, sémiotique et sociologique afin de cerner continuités et réelles transformations de l'idéologie et du système de communication du Front national, et d'éclairer comment cette nouvelle parole tributienne répond à de réels besoins de sens et de valeurs parmi des segments de plus en plus diversifiés de la société française, dans un contexte de crise économique et identitaire profonde. S'il y a « bataille des mots » et des idées, le Front national (mais quel Front national ?) a-t-il gagné ? À l'horizon de cette étude, l'enjeu est aussi de mesurer ce que représente le « phénomène » Marine Le Pen et l'ancrage du discours frontiste ancienne et nouvelle manière dans le débat politique pour notre compréhension de l'évolution de la société française contemporaine. Et si Marine Le Pen, autant que productrice de discours, était elle-même un symptôme produit par une situation sociopolitique particulière ?

I

Les mots

« La puissance des mots est liée aux images qu'ils évoquent et tout à fait indépendante de leur signification réelle. Ceux dont le sens est le plus mal défini possèdent parfois le plus d'action. Tels, par exemple, les termes : démocratie, socialisme, égalité, liberté, etc., dont le sens est si vague que de gros volumes ne suffisent à le préciser. Et pourtant une puissance vraiment magique s'attache à leurs brèves syllabes, comme si elles contenaient la solution à tous les problèmes. »

Gustave Le Bon, *La Psychologie des foules*[1]

Que dit Marine Le Pen ? Avec quel vocabulaire, violent ou raisonné ? Quels thèmes, nouveaux ou anciens, dessinent son univers de parole ? Est-elle dans le copier-coller du discours paternel ou est-elle parvenue à se créer une « voix », un style et un fond d'idées propres ? Jean-Marie Le Pen offrait un profil politique sans ambiguïté. Marine Le Pen, elle, brouille les pistes en s'avançant là où on ne l'attend pas. Il n'est pas certain que les électeurs sachent véritablement quelle est la teneur de son discours, tant elle manie avec brio l'escamotage

1. Gustave Le Bon, *La Psychologie des foules* (1895), Paris, PUF, « Quadrige », 2013, p. 60.

médiatique, privilégiant une rhétorique mesurée sur les plateaux de télévision et réservant les diatribes identitaires au huis clos avec les militants du Front national. Le but de cette partie est de cartographier au plus près les thèmes qui dessinent son univers de pensée et les mots qu'elle choisit pour mettre en discours le réel.

L'analyse statistique du corpus est ici particulièrement éclairante car elle permet de comparer objectivement la prégnance de tel ou tel thème chez les deux leaders du Front national à travers le dénombrement automatique des fréquences lexicales. La sophistication actuelle des logiciels d'analyse de textes[2] permet même d'aller plus loin et de visualiser les constellations sémantiques qui se tissent autour de tel mot. Le repérage informatique des « co-occurrents », c'est-à-dire des termes qui gravitent dans l'orbite d'un mot donné, permet de révéler la logique interne de réseaux argumentatifs entiers. Il s'agira donc toujours de dépasser le simple dénombrement des fréquences de tel ou tel vocable pour montrer comment ces termes s'articulent entre eux pour faire sens : le mot n'est ici que le point d'accès qui permet d'entrer de plain-pied dans la logique du discours. *In fine*, au-delà de l'intérêt descriptif de l'approche quantitative, ce sont les enjeux politiques et idéologiques de la stratégie de « dédiabolisation » que l'on est à même de décrypter avec une précision accrue.

Marine Le Pen doit en effet affronter deux gageures majeures pour mener à bien la rénovation de l'image du parti qu'elle s'est assignée – une rénovation qui passe au premier chef par un changement de discours. Le premier enjeu est de parvenir à normaliser la parole frontiste sans perdre en radicalité. Il

2. Voir Annexe II, « Les logiciels informatiques de traitement de textes ».

lui faut adoucir un discours réputé pour sa virulence sans l'édulcorer, respecter davantage les codes du discours politique ambiant tout en restant « antisystème ». Le second enjeu est plus offensif. Il s'agit, de l'aveu même de la présidente du Front national, de faire de son parti « l'instrument puissant, le plus efficace et le plus performant qui soit dans notre stratégie de conquête du pouvoir[3] » et pour cela de briser « l'enfermement thématique[4] » qui l'a longtemps condamné à n'être qu'une chapelle anti-immigration monothématique. « Nous sommes devenus un grand parti de gouvernement qui a vocation à gouverner et par conséquent c'était essentiel que nous ayons un discours qui touche à l'ensemble des sujets et des préoccupations des Français. Moi mon rôle a été de multiplier les points d'entrée dans le programme du Front national[5]. » L'objectif est de diversifier les thématiques abordées afin d'accroître les possibilités de conquêtes électorales en attirant dans le giron du parti, qui par la thématique républicaine laïciste, qui par l'argument europhobe, qui par les propositions économiques.

La normalisation du discours vient de ce double mouvement de modération[6] des propos et de diversification des thématiques, la multiplication des angles d'attaque ayant un effet de « lissage » du discours qui noie les aspects xénophobes sous d'autres sujets moins polarisants. En forçant un peu les choses, on pourrait dire que Marine Le Pen tente d'opérer une resémantisation du concept « Front

3. Marine Le Pen, « Discours d'investiture », Tours, 16 janvier 2011.
4. Entretien avec Cécile Alduy, 29 octobre 2012.
5. *Ibid.*
6. Modération toute relative comme nous le verrons, qui se mesure essentiellement par rapport au père, faire-valoir indéfectible dont les outrances suscitent immanquablement une comparaison favorable pour la fille.

national» en compréhension et en extension: en compréhension d'abord, en substituant à l'image négative d'un parti extrémiste d'arrière-garde celle d'un parti moderne et modéré dans le ton, si ce n'est dans le fond, de ses propos ; en extension ensuite, en ajoutant à la panoplie frontiste toute une série d'argumentaires qui en fera un parti «multithématique.» C'est ce glissement sémantique du contenu de la marque «Front national» que cette partie entend éclairer.

UN DISCOURS MODERNISÉ

Le tropisme économique

S'il est un thème que Marine Le Pen a surinvesti par rapport à son père, et même dans une certaine mesure par rapport à ses rivaux politiques, c'est bien l'économie. L'objectif est clair: convaincre un électorat qui doute encore largement de la crédibilité du programme économique du Front national[7] que ce dernier a toutes les compétences requises pour gérer le pays; et pour cela, développer une analyse macro-économique plausible et étayée scientifiquement dont découlent des mesures présentées comme réalistes, chiffrées et justes; en d'autres termes, ajouter au magistère moral déjà porté par le père une expertise technique managériale assumée par la fille

7. Selon le baromètre TNS-Sofres de février 2014, 35 % des sondés pensent que le Front national «est un parti qui a la capacité de gouverner» (contre 25 % en 2011). Le sondage BVA du 29-30 avril 2014 donne des résultats moins indulgents, avec 78 % des Français qui «ne font pas confiance à Marine Le Pen pour gouverner le pays».

qui la placerait ainsi en compétition directe avec les « partis de gouvernement » qu'elle entend remplacer.

Sur ce terrain, Marine Le Pen se rapproche statistiquement de la norme du discours politique actuel, largement phagocyté par les problématiques économiques[8], et se différencie de son père qui avait sous-investi cette problématique. Ainsi le mot « économie » représente-t-il 2,8 ‰ des substantifs qu'elle utilise contre 1,7 ‰ pour Jean-Marie Le Pen et 2,9 ‰ pour ses compétiteurs politiques[9]. L'adjectif « économique » affiche chez Marine Le Pen un taux de fréquence de 14,9 ‰, bien supérieur aux 10,7 ‰ de son père[10]. Sur certains sujets où elle entend apporter une offre politique différente, la présidente du Front national est même dans la surenchère : l'« euro[11] » culmine avec un taux record de 6,7 ‰ contre 1,8 ‰ chez Jean-Marie Le Pen et 4 ‰ chez les « autres politiques » ; la « monnaie » pointe à 2 ‰ chez elle contre

8. Voir Damon Mayaffre, *Nicolas Sarkozy : mesure et démesure du discours (2007-2012)*, Paris, Presses de la Fondation nationale des sciences politiques, 2012, p. 41.

9. Le corpus de référence a été compilé à partir d'un échantillon pondéré de discours publics de chefs de parti (Jean-François Copé, Harlem Désir) et de candidats à l'élection présidentielle de 2012 (Nicolas Sarkozy, François Hollande, Jean-Luc Mélenchon, Eva Joly, François Bayrou). Composé de moins de textes que les corpus respectifs de Marine Le Pen et Jean-Marie Le Pen, il n'a que valeur indicative d'une « norme » du discours politique sur la période 2011-2013 et doit être manié avec précaution. La recherche est ici limitée par l'absence d'une base de données publique des discours politiques contemporains.

10. Et cela alors que les deux orateurs emploient dans des proportions identiques substantifs et adjectifs : ce n'est donc pas une conséquence d'une préférence de Marine Le Pen pour la catégorie adjectivale.

11. « Euro » est aussi le sixième substantif le plus utilisé par Marine Le Pen, juste après « France », « Français », « pays », « peuple », « an ».

0,7 ‰ chez lui et un quasi-inexistant 0,2 ‰ chez les autres – signe, dirait-elle, du « tabou » qui pèse sur le sujet. Père et fille ne se retrouvent dans la norme que sur le terme « chômage ».

	Marine Le Pen	Jean-Marie Le Pen	Autres politiques
« économique »	14,9 ‰	10,7 ‰	8,6 ‰
« économie »	2,8 ‰	1,7 ‰	2,9 ‰
« euro »	6,7 ‰	1,8 ‰	4 ‰
« entreprise »	3,7 ‰	2 ‰	4,5 ‰
« marché »	2,6 ‰	1,2 ‰	1,9 ‰
« emploi »	2,5 ‰	2,3 ‰	5,1 ‰
« chômage »	2 ‰	1,9 ‰	2 ‰
« monnaie »	2 ‰	0,7 ‰	0,2 ‰
« dette »	1,9 ‰	0,7 ‰	2,5 ‰
« salaire »	1,7 ‰	0,7 ‰	1,2 ‰
« concurrence »	1,6 ‰	0,8 ‰	1 ‰
« mondialisation »	1,5 ‰	0,7 ‰	0,7 ‰

Tableau 1. Fréquence des termes liés à l'économie

Le tropisme économique est encore plus frappant lorsque l'on passe à une analyse plus fine non des substantifs seuls, mais des expressions nominales repérées par le logiciel Termino : là où les noms restent d'une grande généralité, les syntagmes nominaux du type « pouvoir d'achat » ou « zone euro » témoignent du degré de précision de l'argumentation mariniste en comparaison du flou artistique entretenu par le père sur les questions économiques. Ainsi, sur les deux cents expressions nominales les plus utilisées par Marine Le Pen, 40 % ressortissent au domaine économique, contre 23 % pour son père, qui préfère parler de la vie politique au sens large (26,5 % contre 17 % chez Marine) ou de l'immigration (14,5 % contre 7,5 %). De manière emblématique, là où Jean-Marie Le Pen sature son discours du champ politique au point de faire d'« élection présidentielle » et d'« homme politique » ses deuxième et troisième expressions privilégiées[12] après l'omniprésent « peuple français » ; ce sont « marché financier » et « service public » qui arrivent en tête chez sa fille (aussi après « peuple français »).

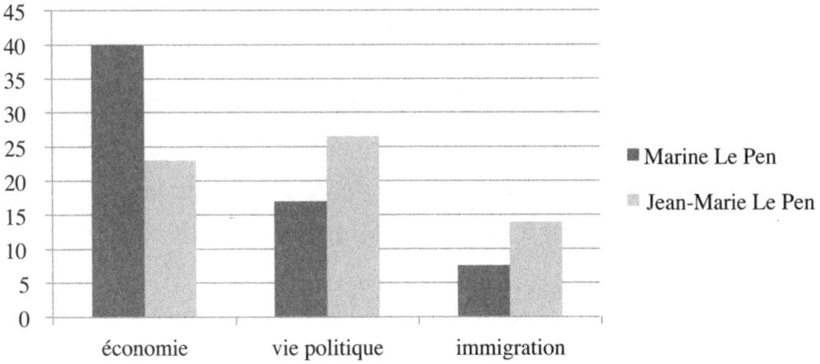

Tableau 2. Charte comparative des thèmes privilégiés par auteur (en % des 200 expressions nominales les plus fréquentes)

« Pouvoir d'achat », « protection sociale », « monnaie nationale », « droit de douane », « argent public », « grande

12. Viennent ensuite « campagne électorale », « préférence nationale », « 1er Mai », « élection législative », puis « milliard d'euros », première expression, fort vague, qui intéresse l'économie.

distribution », « marché du travail », « dumping social », « niche fiscale », « taux d'intérêt », « quota d'importation », « agence de notation », « contrat de stabilisation », « contribution sociale », « balance commerciale », « banque de dépôt », « impôt local », « plan de renflouement » : Marine Le Pen ne recule devant aucun sujet, si technique soit-il. L'obsession du « chiffrage » lors des présidentielles de 2012 et l'accumulation de citations d'experts[13] vont dans le même sens d'une démonstration volontariste, voire d'un étalage de ses compétences techniques[14].

Parvient-elle à retirer un capital symbolique, et donc politique, de ce langage d'expert ? On rappellera avec Bourdieu que « les discours ne sont pas seulement [...] des signes destinés à être compris, déchiffrés : ce sont aussi des *signes de richesse* destinés à être évalués, appréciés, et des *signes d'autorité*, destinés à être crus et obéis[15] ». Ici, Marine Le Pen n'exhibe pas seulement ses compétences économiques pour convaincre du bien-fondé de son programme : elle entend aussi gagner ses titres de noblesse de gouvernante légitime, en montrant notamment à un électorat qui lui résiste encore – les

13. Marine Le Pen cite les « économistes » (21 fois) avec un panachage de sources hétéroclites : elle emprunte à son père la référence récurrente au « prix Nobel français » Maurice Allais, mais cite aussi Amartya Sen, Paul Krugman, Jean-Luc Gréau, Norman Palma, et... Karl Marx (3 fois).

14. Au risque de l'inintelligibilité et du cafouillage. Voir l'interview avec Anne-Sophie Lapix, où la journaliste demande des comptes à Marine Le Pen (« 8,5 millions de Français × 200 euros, ça fait quoi ? ») et, alors que cette dernière ne parvient pas à répondre, conclut : « Je vois qu'il y a un problème de calcul » (Canal +, 15 janvier 2012).

15. Pierre Bourdieu, *Ce que parler veut dire : l'économie des échanges linguistiques*, Paris, Fayard, 1982, p. 60 (italique de P. Bourdieu).

catégories socioprofessionnelles supérieures – qu'elle partage la même langue.

« Cela fait quinze ans que j'œuvre pour donner une visibilité à notre programme économique et social. [...] C'est mon plus. C'est ma *valeur ajoutée* [...][16] », confie-t-elle volontiers. La métaphore économique qui conclut cette phrase résume à elle seule l'ambiguïté de la démarche : à force de vouloir convaincre des compétences de gestionnaire du Front national, Marine Le Pen semble subir ou participer à la technocratisation du politique[17] qu'elle dénonce par ailleurs. En parlant de « valeur ajoutée » pour décrire son apport, elle trahit l'emprise de l'économique sur le débat politique et sa propre appartenance à l'élite sociale, intellectuelle et technocratique[18] qu'elle se plaît à décrier.

Le risque est donc pour elle que cette technocratisation du discours frontiste émousse du même coup sa légitimité de « voix du peuple » et son originalité stylistique et politique : qu'à force d'aller sur le terrain de ses adversaires, elle en épouse le jargon. Double écueil politique et rhétorique qu'elle parvient à éviter en ancrant fermement son discours dans la sphère des valeurs. Là où ses rivaux peinent à articuler une vision *politique* de l'économique, elle crée du sens – moral, social, politique, philosophique : « L'économie doit être au service des peuples et non pas les peuples au service de

16. Entretien avec Cécile Alduy, 29 octobre 2012 (notre italique).

17. Luc Boltanski et Ève Chiapello, *Le Nouvel Esprit du capitalisme*, Paris, Gallimard, 1999.

18. Là encore, une critique bourdieusienne du discours nous permet, sans même entrer dans une analyse socio-économique du cursus scolaire, des origines et du statut social de l'individu Marine Le Pen, de souligner qu'elle se situe en tant que locuteur dans un discours de classe et un discours d'expert, bref, du côté de la technostructure.

l'économie[19] », assène-t-elle ; ou encore : « On ne peut pas, on ne doit pas dissocier l'économie du progrès social[20]. » Avec ces aphorismes en « devoir », elle prend soin de réintroduire régulièrement une dimension morale et humaine dans un champ économique d'ordinaire perçu comme immoral et omnipotent[21].

Surtout, à la différence de ses compétiteurs, elle offre une critique systémique d'un « modèle économique », « l'ultralibéralisme », et de son idéologie, le « mondialisme ». Elle resitue ainsi le débat sur la crise du côté d'un combat idéologique et même civilisationnel autrement plus mobilisateur qu'une simple affaire de gestion[22]. C'est là qu'elle récupère et synthétise des discours contestataires diffus venus d'horizons hétérogènes (syndicalisme, altermondialisme, anticapitalisme d'extrême droite et d'extrême gauche, poujadisme anti-grande distribution, critique humaniste de la société postindustrielle). En s'élevant contre « la finance », « les banques », la « marchandisation de tous et de tout », « un système dans lequel l'humain est écrasé par l'adoration de l'argent-roi[23] », elle se trouve des ennemis communs relativement consensuels avec de larges pans de la société au-delà des clivages traditionnels gauche/droite. Depuis la crise financière de 2008, qui ne veut en effet avoir « la finance » comme ennemie ? À la différence des boucs

19. Marine Le Pen, « Présentation du préprogramme présidentiel », 19 novembre 2011.

20. Marine Le Pen, « Discours de Bompas », 3 novembre 2011.

21. De même au sujet du « patriotisme économique » : « Je pense que l'État *se doit* – c'est une *obligation morale* et c'est du bon sens économique – de réserver ses marchés publics aux entreprises françaises en priorité » (Marine Le Pen, LCI, 12 janvier 2012 [notre italique]).

22. Sur l'opposition « nation »/« mondialisme », voir *infra*, p. 68-69 et 148-152.

23. Marine Le Pen, « Discours de Metz », 12 décembre 2011.

émissaires choisis par le père (immigrés, juifs, francs-maçons, communistes), la violence du discours de Marine Le Pen contre la mondialisation apparaît ici moralement acceptable.

En définitive, sur l'économie, Marine Le Pen parvient à conjuguer habilement technicité experte et magistère moral, violence du discours et approche « raisonnée ». Elle propose sur la forme comme sur le fond une offre politique originale qui la range du côté des discours alternatifs[24], sans qu'il soit toujours possible pour l'électeur lambda de la situer précisément sur l'échiquier politique traditionnel. Le paradoxe du discours économique de Marine Le Pen est alors qu'il « marche » en dépit de la faible attractivité de son contenu effectif : alors qu'une écrasante majorité de Français[25] est opposée à une sortie de l'euro – cheval de bataille de Marine Le Pen –, cette dernière a réalisé son meilleur score aux élections *européennes* de 2014 avec 25 % des suffrages exprimés.

Le virage étatique

« Répétons-le, la clé c'est l'État. » Il est des phrases de Marine Le Pen, ici lors de son discours d'investiture le 16 janvier 2011, qui ont dû laisser son père pantois. Lui n'avait pas de mots assez durs contre l'« État Moloch à la fois monstrueux, tyrannique et impuissant », « l'État économiste,

24. Dans un environnement politique dominé par le leitmotiv des « contraintes » qui pèsent sur les décisions économiques de gouvernants, on mesure combien le slogan de Marine Le Pen – « Il n'y a pas qu'une seule politique possible [...] ! » – est porteur.

25. Selon un sondage BVA du 29-30 avril 2014, 79 % des Français interrogés ne souhaitent pas que soit appliqué le plan de sortie de l'euro du Front national et 81 % ne le jugent pas crédible.

l'État-providence qui ne peut déboucher que sur l'État totalitaire[26] ». Héritier d'un courant poujadiste où il fit ses premières armes, il revendiqua avec constance pendant quarante ans un libéralisme économique antiétatique visant à « rendre marginal l'État-providence », réduire la pression fiscale[27] et recentrer l'État sur ses seules fonctions régaliennes[28].

Cette position le conduit à articuler une double revendication en apparence contradictoire : « moins d'État » dans le champ économique et social[29] mais « plus d'État » au niveau géopolitique et institutionnel de la souveraineté nationale (contre les instances supranationales) et à celui, sécuritaire, de l'ordre public intérieur (contre l'immigration et la délinquance). Aussi l'univers lexical associé au mot est-il, chez lui, organisé autour de trois pôles nettement séparés : un pôle politique positif autour de l'État-nation ; un pôle sociétal autoritariste autour de la « sécurité » et des fonctions régaliennes de défense, justice, police et du contrôle des frontières ; enfin un pôle économique négatif axé sur la dénonciation de la « dette », de l'« assistanat[30] » et du « fiscalisme ».

26. « Programme du Front national de 1978 », cité dans Jean-Marie Le Pen, *Pour la France*, Paris, Albatros, 1985, p. 10.

27. Encore en 2002, Jean-Marie Le Pen prône la suppression de l'impôt sur le revenu et propose de ramener le taux de prélèvement obligatoire à 35 % du PIB « pour libérer les énergies et les talents, valoriser le travail, l'effort et le risque », discours de la droite libérale classique (Jean-Marie Le Pen, Paris, 1er mai 2007).

28. « Mais de grâce, que l'État cesse donc de se mêler de tout, de prélever tout ce qu'il peut, de s'immiscer dans des domaines où il n'a rien à faire ! » (Jean-Marie Le Pen, Lyon, 11 mars 2007).

29. Voir Alain Bihr, *Le Spectre de l'extrême droite*, Paris, éd. de l'Atelier/Éditions ouvrières, 1998, p. 123-125.

30. « Nous vivons dans une société trop bureaucratique, trop étatisée,

Marine Le Pen opère un virage étatique à 180 degrés sur ce troisième volet : elle change par là même la *structure* et la *valence* du discours frontiste sur l'État pour faire de ce dernier le pilier central et unifié de son projet de redressement économique, social *et* national. Au lieu de compartimenter bons et mauvais usages de la puissance publique, elle investit l'État d'une mission globale, symbolique et politique, économique et culturelle, qui en fait tout à la fois l'incarnation quasi mystique de la volonté nationale, l'instrument volontariste de son unification, le dépositaire de son histoire collective, l'agent de son redressement économique et le garant de ses valeurs républicaines et démocratiques, y compris de la laïcité[31]. Pour elle, l'État n'est rien de moins qu'« une composante essentielle de l'âme de la France », sa véritable « colonne vertébrale[32] ». Ses antonymes contextuels en disent long par contraste sur le caractère unilatéralement positif du mot « État » dans la bouche de la présidente du Front national : laxisme, anarchie, chaos social, désordre, insécurité, dérives, mépris, mafia, conflits d'intérêts, abus de pouvoir, inégalités... « Il n'y a pas en France de démocratie, pas de liberté, pas de justice possibles sans l'État[33]. »

Cette valorisation s'accompagne d'une resémantisation qui transforme en profondeur les connotations associées à l'« État ». Alors qu'il évoque dans l'imaginaire collectif inertie, pesanteur ou inefficacité, Marine Le Pen en fait une force agissante, omniprésente et omnipotente. L'État est

dans laquelle l'assistanat a tué toute initiative individuelle » (Jean-Marie Le Pen, Paris, 1er mai 2007).

31. « L'État est [...] le meilleur protecteur de la laïcité » (Marine Le Pen, « Discours d'investiture », Tours, 16 janvier 2011).

32. *Ibid.*

33. Marine Le Pen, *ibid.*

chez elle « fort », « protecteur » et « stratège », là où il était « pléthorique », « gaspilleur » et « surfiscalisé » chez son père. Tandis que l'adjectif « protecteur » valorise par association un « protectionnisme » économique et social qui tait ses ramifications démographiques xénophobes, « stratège » évoque le leadership et l'intelligence pragmatique d'un chef militaire visionnaire. Peu de substantifs sont chez elle autant définis par les verbes qu'ils commandent : ce sera « un État qui arbitre, qui régule, qui impulse, qui organise, qui condamne les excès et les abus [...] », « qui protège, qui innove, qui régule, qui stimule ». L'entrelacement dans cette dernière citation de verbes défensifs (« protège », « régule ») et offensifs (« innove », « stimule ») illustre exemplairement la vision totalisante de cet État censé solidifier les acquis du passé tout en préparant l'avenir.

Il a en effet une double fonction conservatrice ou défensive (l'État garant et protecteur) et prospective ou offensive (l'État stratège). Maternel *et* martial, l'État-FN nouvelle version joue à la fois d'une thématique « de gauche » de régulation voire de « planification » économique et de défense des « services publics » (troisième expression nominale la plus utilisée par Marine Le Pen), et d'un vocabulaire sécuritaire, moral et managérial de droite. Garant de la continuité entre passé et avenir, il ancre le présent dans l'identité stable et pérenne de la nation elle-même.

Marine Le Pen entretient en effet sciemment la confusion entre « État » et « nation », glissant subrepticement de l'un à l'autre comme si ces notions étaient équivalentes : « L'État et la nation sont [...] dans notre pays indissociables[34]. » Cet État

34. Marine Le Pen, « Discours de Bordeaux », 22 janvier 2012. Emblématique est à ce titre un passage de son discours d'investiture, où elle louvoie sans cesse entre les notions : « Qui mieux en effet que

soudain efficace et bienveillant est devenu une figure tutélaire positive parce qu'il s'oppose à un autre « État total, global, mondial » supranational, à une autre « bureaucratie », celle de Bruxelles, et c'est en ce sens qu'il se confond avec la valeur fondatrice du nationalisme frontiste, la patrie : « À l'heure où la crise et la mondialisation font rage, quand tout s'effondre, il y a encore l'État. "À celui qui n'a plus rien, la *Patrie* est son seul bien", disait Jaurès en son temps [...][35] ! »

Ce glissement de sens qui fait de l'État l'*alter ego* de la nation est plus pernicieux qu'il n'en a l'air : l'aura d'un discours à la Michelet ou à la Jaurès camoufle l'arrière-plan nationaliste et xénophobe de ce discours étatiste. Car la nation, pour Marine comme pour Jean-Marie Le Pen, est cette nation fermée des citoyens nés français de Français. C'est donc au sens propre qu'il faut prendre État-nation : un État « national » qui n'œuvre que pour les nationaux. Le père disait les choses crûment : « La première des responsabilités, c'est celle qu'a l'État à l'égard de ses nationaux[36]. » Aussi le seul contexte où le mot « État » est connoté négativement dans la bouche

---

la *patrie*, la *nation*, l'État-nation peut protéger les Français ? Dans tous les pays du monde, c'est bien la *nation* qui sert de bouclier [...]. C'est bien la *nation* et l'État-nation sur lesquels les peuples du monde entier s'appuient pour traverser la tempête. C'est bien la *nation* qui est le cadre naturel des solidarités, le cadre naturel de la fraternité et de l'entraide. C'est bien l'État-nation qui protège, qui innove, qui régule, qui stimule. C'est la *nation* qui défend nos valeurs traditionnelles » (*ibid.*, notre italique).

35. Marine Le Pen, « Discours de Tours », 16 janvier 2011 (notre italique).

36. Jean-Marie Le Pen, « Discours du Bourget », 12 novembre 2006. Ou pour être encore plus clair : « Le second principe fondamental qui guide notre action est l'égalité, mais celle que l'État se doit de faire respecter entre ses nationaux, pas l'égalité avec le monde entier » (*ibid.*).

de Marine Le Pen est-il dans l'expression « Aide médicale d'État », destinée aux étrangers sans ressources.

Ainsi le virage étatique de Marine Le Pen n'est-il pas en contradiction avec le nationalisme libéral de Jean-Marie : il le complète et le modernise en étendant au domaine économique les prérogatives de l'État sécuritaire, autoritaire et discriminatoire qu'appelait son père. Jean-Marie Le Pen répondait à une demande d'autorité ; elle répond en plus à une demande nouvelle de protection de la part des « oubliés » de la mondialisation[37]. Mais si elle réinvestit un État-providence vilipendé par son père, l'État mariniste sera protecteur des Français seuls.

Démocratie et républicanisme

Le discours de Marine Le Pen se démocratise. Les observateurs politiques[38] reconnaissent en effet volontiers qu'elle utilise davantage les mots de la République que ne l'avait fait son père par le passé, gages d'une modernisation et d'une normalisation qui rassurent. Mais quelle place statistique effective les mots « démocratie », « liberté », « égalité », « peuple », « respect » ont-ils dans ses propos ? Certes, Marine Le Pen utilise plus que son père les mots « démocratie » (2 ‰ contre 0,9 ‰) et « liberté » (4,4 ‰ contre 2,9 ‰), dans des proportions qui vont du simple au double. Cette inflexion du discours frontiste vers une acceptation sans états d'âme de

37. Voir Christophe Guilluy, *La France périphérique : comment on a sacrifié les classes populaires,* Paris, Flammarion, 2014.

38. Voir, par exemple, Sylvain Crépon, dans *Libération*, 22 avril 2012.

la République et de ses valeurs se veut rassurante et semble éloigner le parti du schéma discursif traditionnel de l'extrême droite française.

Cette évolution n'en est pas pour autant une révolution : les fondamentaux du discours frontiste demeurent. Si l'on compare les occurrences de mots tels qu'« égalité » et « respect » dans les discours du père et de la fille, on constate que le discours de Marine Le Pen n'a absolument pas évolué par rapport à celui de Jean-Marie Le Pen : le mot « égalité » est peu présent avec 0,6 ‰ (exactement comme chez Jean-Marie Le Pen) et le mot « respect » l'est tout aussi peu avec 0,8 ‰ (contre 0,7 ‰ chez Jean-Marie Le Pen). En revanche, lorsque l'on étudie la présence du mot « peuple », on observe qu'il est plus présent chez Marine que chez Jean-Marie Le Pen, avec 8,5 ‰ contre 5,9 ‰.

Si Marine Le Pen est visiblement plus à l'aise que son père avec les concepts de démocratie et de République, cela ne signifie pas pour autant que le discours frontiste ait radicalement changé sur le fond. Au-delà des mots, de leur présence ou de leur absence, c'est également leur utilisation, voire le sens qui leur est donné, qu'il faut analyser.

La notion d'égalité, qui est au cœur du pacte républicain, n'est que peu présente, mais elle fait néanmoins l'objet d'un discours démocratique sans ambiguïté et sans détournement de la part de Marine Le Pen : « Nous croyons à l'égalité des citoyens français quelles que soient leurs origines ou leurs croyances[39]. »

La notion de respect, notamment du respect de l'autre, est également peu convoquée dans les discours de Marine Le Pen, si ce n'est pour en appeler au respect de l'identité française : « [...] exiger le respect de notre identité, assurer

39. Marie Le Pen, « Discours du 1er Mai », Paris, 1er mai 2013.

la pérennité de notre civilisation et de ses valeurs, donner des repères, faire revenir l'ordre dans notre pays, à tous les niveaux, c'est le seul moyen d'assurer pleinement les libertés des Français[40] ».

Le mot « liberté » est quant à lui principalement utilisé pour positionner la France face au reste du monde. De même que Marine Le Pen semble confondre « État » et « nation », elle navigue entre « liberté » et « souveraineté nationale ». Pour Marine Le Pen, la France prisonnière de l'euro, asservie par les grandes institutions financières internationales, doit retrouver sa liberté, son autonomie, son indépendance. Lors de la fête du 1er Mai de 2013, elle développe ainsi une « ode » à la liberté, aux accents lyriques de *Marseillaise* : « La liberté, cette liberté chérie, elle aussi est au cœur de notre projet. C'est d'abord cette liberté de la Nation tout entière, qui s'effondre quand disparaît la souveraineté. » Cette vision qui applique la notion de liberté à un pays et non à des individus est récurrente : en janvier 2012 à Rouen, Marine Le Pen déclarait : « Il est temps, mes chers amis, de retrouver notre liberté et la maîtrise de notre destin, de mettre la France à l'abri, par des protections intelligentes aux frontières, par une monnaie nationale solide, qui sécurise[41]. » Il ne s'agit pas ici de « liberté individuelle » qui renverrait aux droits de l'homme et du citoyen, mais d'une liberté plus collective, qui concerne la nation, le pays tout entier et qui renvoie au protectionnisme et à la sécurité.

C'est aussi à la notion de sécurité et à celle d'ordre, que Marine Le Pen renvoie lorsqu'elle évoque, plus rarement, les libertés individuelles. Dans cette vision, la sécurité serait la première des libertés. À Toulouse, en 2012, elle développe

40. Marine Le Pen, « Discours de Toulouse », 2 mai 2012.
41. Marine Le Pen, « Discours de Rouen », 15 janvier 2012.

ce lien lors d'un raccourci rapide : « Et si je suis attentive à rétablir l'ordre républicain, c'est justement parce que je suis très sensible au respect des libertés individuelles. C'est même au nom des libertés de tous les Français que je veux qu'on rétablisse l'ordre dans ce pays[42]. »

La démocratie est une notion très présente statistiquement dans les discours de Marine Le Pen. Le mot « démocratie » est toutefois employé soit pour faire appel aux racines civilisationnelles de la France (et renvoyer par exemple à l'Antiquité grecque), soit pour souligner que la démocratie n'est pas une valeur dans l'absolu mais davantage un aspect « pratique » de gestion de la société humaine. Le rappel à l'Histoire est présent dans le discours d'investiture de Tours en 2011 : « C'est simple et c'est l'essence même de la démocratie depuis des millénaires, depuis la Grèce antique[43] », dit Marine Le Pen ; et elle ajoute : « Notre vision de la démocratie n'est pas incantatoire mais pratique[44]. » La démocratie n'est donc pas reliée à la République, ni à la tradition politique française. Et, lorsque la démocratie devient une notion concrètement applicable, c'est pour défendre l'appel direct au peuple avec le recours au référendum. Toujours à Tours en 2011, Marine Le Pen déclare : « La démocratie directe est la meilleure forme de gouvernement surtout parce qu'elle est celle qui permet d'associer les citoyens, les membres d'une même communauté à la décision, à la participation en toute souveraineté et que c'est cette participation qui est garante de la responsabilité civique et du lien collectif[45]. »

42. Marine Le Pen, « Discours de Toulouse », 2 mai 2012.
43. Marine Le Pen, « Discours de Tours », 16 janvier 2011.
44. *Ibid.*
45. *Ibid.*

Cette vision populiste de la démocratie se manifeste naturellement dans l'omniprésence du mot « peuple[46] » dans l'ensemble des discours de Marine Le Pen. L'utilisation abondante de ce vocable ne dévie pas du discours classique de l'extrême droite ni des discours de son père avant elle. L'appel au peuple de France, ou aux patriotes, développe une sorte de mysticisme politique non rationnel. L'esprit du peuple et l'unification des opinions qu'il sous-tend sont alors convoqués. À Saint-Laurent-du-Var en 2010, Marine Le Pen déclarait : « Il nous appartient, comme patriotes français, de réveiller les grands mouvements des esprits et des âmes, ceux qui procèdent de l'instinct vital d'un peuple qui refuse le saut dans le précipice[47]. » Le mot « peuple » est imaginé selon une vision anthropomorphique. Le peuple a les attributs d'un être humain : il est intelligent et sensible, il a un instinct, du bon sens. Le « peuple » chez Marine Le Pen n'est plus une notion sociale, il devient vivant. Il permet également à Marine Le Pen de se créer une légitimité politique en s'autoproclamant « la voix du peuple », slogan des affiches de la campagne présidentielle de 2012. Le 1er mai 2013, elle déclare : « Nous sommes la voix du peuple face au pouvoir injuste[48] ! » Le « nous » frontiste s'arroge ainsi le monopole de la représentation. Cette évidence énoncée empêche tout espace de délibération démocratique.

Marine Le Pen assagit son discours, elle le mâtine de mots doux aux oreilles républicaines, mais elle ne renonce pas sur le fond. En détournant des mots aussi importants que « liberté » ou en continuant d'en minimiser d'autres comme « respect », Marine

46. Sur le mythe du « Peuple », voir *infra*, IIe partie, p. 166-171.

47. Marine Le Pen, « Discours de Saint-Laurent-du-Var », 4 septembre 2010.

48. Marine Le Pen, « Discours de Paris », 1er mai 2013.

Le Pen montre que la démocratisation du discours est avant tout cosmétique, sans véritable *aggiornamento* idéologique.

De nouveaux thèmes

La laïcité

Marine Le Pen introduit également de nouveaux thèmes qui n'appartiennent pas *a priori* à l'univers idéologique de sa famille politique, mais plutôt à celui de la gauche. Le premier est sans aucun doute la laïcité. Le Front national de Jean-Marie Le Pen s'est longtemps fait l'écho d'un fond catholique intégriste qui refuse Vatican II ou l'accepte du bout des lèvres[49]. Marine Le Pen, si elle fait parfois appel au vocabulaire catholique, va en même temps développer la notion de laïcité, thème historique de la gauche française. Le mot « laïcité » est présent à hauteur de 0,8 ‰ des substantifs de l'ensemble du corpus de Marine Le Pen et même de 1,3 ‰ dans ces discours de l'année 2012, pour un dérisoire 0,2 ‰ chez son père, qui, de plus, associe presque systématiquement le terme à la « neutralité » de l'État et des services publics, et s'emporte contre les « laïcistes ». Pour Jean-Marie Le Pen, la laïcité de l'enseignement doit être entendue comme la neutralité politique, autant que religieuse, des maîtres : « Le principe de laïcité, qui est un principe de neutralité politique et religieuse, s'applique d'abord aux enseignants avant que de s'appliquer aux élèves et aux enseignés. Et malheureusement, depuis des décennies, ce principe de laïcité est violé chez nous par les maîtres qui ne cachent pas qu'ils sont imprégnés de marxisme

49. Marine Le Pen elle-même a fait baptiser ses trois enfants à l'Église intégriste de Saint-Nicolas-du-Chardonnay.

et que leur enseignement est imprégné de marxisme. » L'ancien leader du Front national ne commencera à véritablement investir ce thème dans l'optique anti-islam qui sera celle de sa fille qu'à partir des élections présidentielles de 2007, sous l'influence de sa directrice de campagne d'alors, Marine Le Pen elle-même (voir tableau).

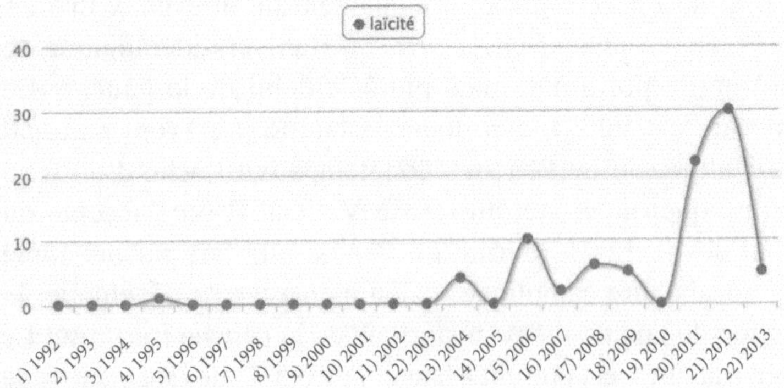

Graphique 3. Évolution diachronique de la fréquence du mot « laïcité » dans le discours des leaders du Front national

Marine Le Pen a bien compris l'opportunité politique de s'engouffrer sur un terrain abandonné par la gauche, ou du moins où celle-ci se sent de plus en plus mal à l'aise depuis la polémique de 2004 sur le « voile ». Prise entre deux feux entre défense des minorités et de la laïcité, la gauche s'est divisée sur la question sans parvenir à exprimer une position audible et claire. Sur fond de vide politique et de concurrence avec une droite classique qui s'était illustrée jusque-là dans la défense de l'enseignement privé contre l'école laïque, Marine Le Pen s'empare donc du mot « laïcité » pour en faire, comme nous le verrons[50], une arme contre le communautarisme et, plus largement, contre l'implantation durable de l'islam en France.

Le féminisme

Deuxième thème introduit par Marine Le Pen, le féminisme est lui aussi utilisé par opportunisme politique. L'égalité hommes/femmes est tout sauf un thème de l'extrême droite, et encore moins un sujet de prédilection de Jean-Marie Le Pen, qui s'est distingué à plusieurs reprises par ses commentaires misogynes[51] et a toujours soutenu une vision inégalitaire et conservatrice des rapports hommes/femmes où l'autorité du ménage appartient au chef de famille. Le fait même d'être une femme rend Marine Le Pen plus crédible sur le droit des femmes : elle ne manque pas de rappeler régulièrement qu'elle est elle-même mère de trois enfants, divorcée, et qu'elle travaille. À travers son histoire personnelle, elle entend signifier qu'être représentante du Front national ne l'empêche nullement d'être une femme de son temps solidement ancrée dans les réalités quotidiennes du monde contemporain.

Le point d'achoppement le plus évident entre le père et la fille concerne le thème de l'avortement. Marine Le Pen en parle très peu, douze fois en trois ans sur l'ensemble de ses

50. Voir *infra*, « OPA sémantiques », p. 94-98.

51. Contre ses adversaires politiques féminines (il a agressé physiquement l'une d'entre elles, la maire de Mantes-la-Ville en 1997), mais aussi plus généralement dans sa conception même du destin naturel et national de la femme : « L'affirmation que votre corps vous appartient est tout à fait dérisoire. Il appartient à la vie et aussi, en partie, à la nation » (*Le Parisien*, le 20 mars 1996) ; « Il faut qu'il y ait une autorité, et nous pensons que l'autorité la plus qualifiée dans un ménage est celle de l'homme » (Jean-Marie Le Pen, in *La Droite aujourd'hui*, éd. J.-P. Apparu, 1979, p. 179).

discours, alors que ce que son père nommait un « génocide antifrançais » était une véritable obsession chez celui qui dénonçait une « culture de mort » affectant le corps même de la nation. De plus, alors que Jean-Marie Le Pen vocifère avec des expressions du type « avortement clandestin », « avortement de masse », « avortement non thérapeutique », ou « banalisation de l'avortement » et réclame l'abolition du droit à l'avortement, Marine Le Pen dénonce uniquement, et sans s'emporter, « avortements de confort » et « avortements répétitifs » en se drapant dans des arguments économiques ou de santé publique. Question de génération ou de « genre » (*gender*) des deux leaders, elle prend soin d'éviter de prendre une position tranchée et élude la question de la remise en cause de la loi Veil en s'en remettant au bon vouloir du « peuple » qui sera peut-être convié à un référendum sur le sujet si elle accède au pouvoir. Surtout, elle se garde bien d'avoir un discours trop violent qui pourrait la distancier d'un électorat féminin longtemps rétif au Front national et qu'elle a récemment commencé à conquérir[52]. En revanche, comme son père, elle se désintéresse des questions de fond telles que la parité ou l'égalité salariale : les expressions telles qu'« égalité hommes/femmes » ou « cause des femmes » n'ont jamais été prononcées ni par l'un ni par l'autre. Cette reconnaissance du féminisme reste donc très timorée.

Le gauchisme

Un troisième point où Marine Le Pen diffère sensiblement de son père est l'utilisation d'un vocabulaire qui provient de

52. Au premier tour des élections présidentielles de 2012, 18 % des femmes ont voté Marine Le Pen, c'est-à-dire le même niveau que l'ensemble des Français.

la gauche sur des sujets économiques : ainsi des expressions « le grand patronat », « bénéfice du grand patronat » ou « intérêt du grand patronat », formules favorites du Parti communiste français dans les années 1980 et qu'utilise le Front de gauche aujourd'hui. Cette thématique des « patrons » est toujours utilisée en mode de dénonciation, Marine Le Pen se posant en championne des travailleurs. « Vivre et travailler au pays », qui était l'un des slogans du parti socialiste et du Parti communiste dans les années 1975-1980, est également récupéré par Marine Le Pen. Elle essaie ainsi de s'approprier des expressions qui appartenaient au vocabulaire de la gauche du temps où cette dernière était encore porteuse d'espoirs, c'est-à-dire avant la prise de pouvoir par les socialistes en mai 1981. Cet âge d'or d'une gauche qui n'était pas encore confrontée aux contraintes gouvernementales et pouvait sans dommage parler du haut de son magistère moral, le Front de gauche essaie lui aussi de se l'approprier. Il est significatif que le Front national – qui luttait autrefois au coup de poing contre l'extrême gauche – soit aujourd'hui entré en concurrence politique directe avec la gauche de la gauche sur ces thèmes.

Silences et mises en sourdine

Mises en sourdine

Une autre manière de moderniser et démocratiser le discours est de le nettoyer de ses scories xénophobes, antisémites ou traditionalistes. La mise en sourdine est ici de mise, sans que silence vaille nécessairement dénonciation de certaines thèses d'extrême droite.

Le naturalisme

Le naturalisme en tant que métaphore politique, chère à Jean-Marie Le Pen, est quasi absent des discours de Marine Le Pen.

Jean-Marie Le Pen avait coutume de développer une vision biologique des sociétés humaines. Selon lui, les individus, tout comme les animaux, ont un besoin « vital » d'espace. En novembre 1987, le leader du Front national déclarait : « Nous nous réclamons, nous, d'un ordre naturel qui respecte l'homme dans ses cadres naturels[53]. » En 1991, il précise sa pensée lors d'un discours prononcé à la fête Bleu, Blanc, Rouge : « Oui, parce que nous sommes des créatures vivantes. Parce que nous faisons partie de la nature, nous obéissons à ses lois. Les grandes lois des espèces gouvernent aussi les hommes [...]. Nous avons besoin de sécurité. Et pour cela nous avons besoin comme les animaux d'un territoire qui nous l'assure. » Cette vision quasi païenne[54] de la société humaine, qui entre en contradiction avec les préceptes de la chrétienté selon lesquels les êtres humains sont en dehors de la nature, est abandonnée par Marine Le Pen. À aucun moment elle n'aborde la société française de cette manière, même si sa vision de la France conserve les idées de transcendance et d'enracinement.

53. Maryse Souchard *et al.*, *Le Pen, les mots...*, *op. cit.*, p. 85.

54. Tout un courant de la Nouvelle Droite et de l'extrême droite a développé un néo-paganisme ésotérique. Voir Stéphane François, *Les Néo-Paganismes et la Nouvelle Droite*, Milan, Archè, 2008.

La morale chrétienne

L'appel à la morale chrétienne[55] est également moindre dans les discours de Marine Le Pen et la culture catholique traditionnelle moins directement convoquée, alors que Jean-Marie Le Pen évoquait « le mensonge aussi vieux que le monde, arme suprême du Malin[56] » ou encore « Jean l'Évangéliste ». Chez Marine Le Pen, apôtres et saints ne sont pas appelés à la rescousse pour légitimer le discours. Elle aspire à moderniser son discours, sans pour autant le « laïciser » complètement.

L'appel aux valeurs ancestrales n'existe quasiment plus. Même le mot « valeur » est un peu moins présent chez Marine Le Pen (1,5 ‰) que chez Jean-Marie Le Pen (1,8 ‰). Cependant, paradoxalement, il est plus présent chez les responsables des autres partis démocratiques. Chez ces derniers, l'utilisation du mot « valeur » est plus incantatoire qu'autre chose, car plutôt que d'être utilisé pour construire une idéologie structurée autour de certaines valeurs, le mot est juste rappelé dans le discours sans désigner un référent précis. Marine Le Pen, elle, utilise le mot « valeur » pour préciser sa pensée profonde : loin d'être utilisé simplement pour créer une réassurance cognitive, comme peuvent le faire les autres politiques, y compris son père, Marine Le Pen positionne le mot « valeur » dans des expressions qui créent du sens dans deux domaines. Le

55. Si la *morale* chrétienne n'est plus le fondement des valeurs frontistes, Marine Le Pen continue cependant d'invoquer la « *civilisation* chrétienne » comme noyau principiel de l'identité française : du domaine axiologique, on passe ainsi à une exploitation identitaire du référent chrétien.

56. Discours de la fête Bleu, Blanc, Rouge du 16 septembre 1984.

premier appartient au discours d'extrême droite traditionnel : il s'agit d'expressions comme « valeur de civilisation », « valeur traditionnelle », « inversion des valeurs » ou plus positivement « transmission des valeurs ». À travers l'utilisation de ces expressions qui font partie de la doxa de la droite, Marine Le Pen donne des gages à son électorat traditionnel et réaffirme par là même son positionnement idéologique. Mais le mot « valeur » est également utilisé dans sa forme moderne comme peuvent le faire d'autres hommes politiques et comme ne l'a pas fait Jean-Marie Le Pen. Il s'agit alors de l'expression « valeur travail » chère à Nicolas Sarkozy, mais aussi de l'expression boursière « création de valeurs ». Ces expressions s'adressent à un électorat de droite moderne. Ainsi, la polysémie du mot « valeur » en politique permet à Marine Le Pen de toucher des populations très distinctes, voire antagonistes.

Cependant, si le discours ne fait plus appel directement et explicitement à la religion, à ses symboles et à ses grandes figures, Marine Le Pen va distiller un vocabulaire qui évoque l'univers lexical du catholicisme de manière subliminale.

Ainsi, elle utilise régulièrement, et à dessein, certains mots du vocabulaire religieux : « espérance », « partage » ou « belles âmes ». « Espérance » est certes une notion présente en politique, mais c'est davantage le mot « espoir » qui est habituellement utilisé, l'« espérance » provenant directement de la religion chrétienne à travers des expressions du type « Que le Dieu de l'espérance vous remplisse de toute joie[57] ». La notion de partage est également utilisée par Marine Le Pen et renvoie à l'univers religieux, *a fortiori* lorsque le mot « espérance » est présent dans la même phrase : « Cette

57. Romains, 15:13.

espérance que je partage avec vous aujourd'hui pour redonner confiance à tout un peuple, à mon peuple[58]. »

Le discours de Marine Le Pen emprunte également parfois des références tirées directement des textes religieux. Ses références à l'Apocalypse confèrent ainsi une dimension anxiogène à ses descriptions. « Ténèbres[59] » par exemple évoque la rhétorique religieuse. Ce mot ne fait pas partie du vocabulaire politique habituel. D'ailleurs, lorsqu'il est utilisé, il est souvent grandiloquent. Rappelons-nous Jack Lang après la victoire de François Mitterrand en 1981, déclarant : « Les Français sortent des Ténèbres pour entrer dans la Lumière ! » La réception de ce discours a été diversement appréciée. En revanche, ce n'est pas le cas pour Marine Le Pen lorsqu'elle utilise une métaphore à connotation chrétienne évidente en déclarant : « La France s'enfonce dans les ténèbres de l'Europe[60]. » Projeter sa victoire lui donne également l'occasion de réutiliser ce mot : « Mes chers compatriotes, nous quittons bientôt les ténèbres[61] ! »

Les références à la religion sont parfois lointaines ou subliminales. Ainsi dans son discours du 1er mai 2011, elle évoque « le règne déchaîné de l'argent ». Les trois mots utilisés renvoient à la Bible. Le « règne » peut être celui de Dieu, mais il peut tout aussi bien être celui de Satan[62]. Le terme « déchaîné » fait appel à Satan ou à la colère de Dieu, et l'argent à la dialectique des évangélistes saint Luc et saint Matthieu, mettant en garde

58. Discours de Marseille, 4 mars 2013.

59. Isaïe, 8:23 : « Mais les ténèbres ne régneront pas toujours sur la terre… »

60. Discours du 1er mai 2013.

61. Discours du 1er mai 2011.

62. Jean, 14:30 : « Je ne parlerai plus guère avec vous ; car le prince du monde vient. Il n'a rien en moi. » Il s'agit ici du règne de Satan.

contre le danger que représente la richesse. Un autre exemple du même type montre que Marine Le Pen, sans être coutumière du fait, maîtrise particulièrement bien ce système discursif. En mars 2011, à Bompas, elle déclare : « La fin, le désert, la mort : le voilà le bilan [...]. » L'addition de ces trois mots mêle à la fois les quarante jours dans le désert et la passion du Christ. Là aussi, par l'emploi de termes spécifiques, elle sait convoquer des référents culturels et identitaires. Enfin, à l'instar de Ségolène Royal durant la campagne présidentielle de 2007[63] lorsqu'elle déclarait lors de son dernier meeting au stade Charlety à Paris « démultipliez-vous dans les villes et les campagnes » pour apporter la parole du « miracle français », Marine Le Pen déclare dans ses meetings : « dites-leur », « ayons le courage », « vous n'êtes pas seuls », avec comme implicite « Dieu est avec vous ». Elle interpelle ses sympathisants par le biais d'impératifs pour les mobiliser tout en évoquant des références religieuses, tel un prêtre lors de son prêche. Ainsi, bien qu'elle se situe plutôt allusivement dans un registre religieux, là où son père l'était explicitement, Marine Le Pen ne va pas pour autant abandonner tout discours reprenant ces références. Elle va les utiliser de manière à rappeler à son public un univers identitaire et culturel fort sans pour autant risquer de s'aliéner ceux qui ne s'y identifient pas.

Les silences

Cependant, s'adresser à des populations hétérogènes n'est pas toujours possible. En effet, le positionnement de Marine Le Pen entre tradition et modernité l'oblige parfois au silence.

63. Stéphane Wahnich, « Une analyse anthropologique de l'élection présidentielle », in *La Communication politique de la présidentielle de 2007*, sous la dir. de Philippe Maarek, Paris, L'Harmattan, 2009, p. 199.

Sur certains thèmes, elle préfère ne pas prendre position pour ne pas mettre en danger son fragile positionnement.

Le mariage pour tous

Son silence le plus exemplaire concerne le débat autour du « mariage pour tous » et son absence criante des grandes manifestations qui se sont opposées au vote de la loi Taubira. En effet, alors que l'opposition au mariage pour tous a su mobiliser le monde catholique conservateur et la droite classique, que chacun a pu voir défiler les cortèges d'un autre temps et prier sur le parvis de l'Assemblée nationale prêtres et membres de l'organisation ultra-catholique Civitas, Marine Le Pen est restée silencieuse et s'est bien gardée d'intervenir dans le débat, si ce n'est pour le balayer d'un revers de la main comme s'agissant d'une simple « diversion » destinée à réactiver un clivage « droite/gauche » qu'elle juge artificiel. Cette posture habile lui a permis de montrer sa non-opposition tacite au mariage homosexuel, marqueur de modernité, tout en évitant de se couper de sa base conservatrice et d'éviter toute polémique à l'intérieur de son propre camp. Ce sont en effet d'autres personnalités du Front national qui ont défilé aux côtés des élus UMP lors des « Manifs pour tous » de 2013 et 2014 : Gilbert Collard ou Marion Maréchal-Le Pen, qui se rapproche davantage de son grand-père par son positionnement traditionaliste sur les questions sociétales.

L'antisémitisme

Le deuxième silence révélateur concerne l'antisémitisme. En trois ans de présidence du Front national, Marine Le Pen n'utilise respectivement « antisémitisme » et « antisémite » que deux fois. Alors que Jean-Marie Le Pen se complaisait dans des réflexions et jeux de mots antisémites à la fois pour réaffirmer les marqueurs idéologiques de son mouvement et pour assurer son existence médiatique grâce aux polémiques ainsi suscitées, Marine Le Pen, elle, reste silencieuse sur ce sujet, quand elle n'offre pas des gages à la communauté juive[64]. D'un côté, elle évite toute remarque antisémite – elle prend même la défense de journalistes ou d'écrivains certes idéologiquement proches (Élisabeth Lévy, Éric Zemmour, Philippe Cohen, Ivan Rioufol), mais dont les noms aux consonances juives auraient été l'objet de stigmatisation dans le discours frontiste pré-2011. De l'autre, en faisant de la laïcité une arme dirigée essentiellement contre l'islam[65], elle

64. Elle a ainsi tenté d'aller en 2006 en visite officielle en Israël en tant que membre du groupe d'amitié franco-israélien qu'elle a rejoint au Parlement européen. Déclarée *persona non grata*, son projet n'a pu aboutir. Louis Aliot, qui s'est rendu plusieurs fois en Israël, poursuit quant à lui le rapprochement du Front national avec des interlocuteurs israéliens. Voir Caroline Fourest et Fiammetta Venner, *Marine Le Pen,* Paris, Grasset, 2011, « Si le sionisme est un nationalisme », p. 234-236 ; Romain Rosso, *La Face cachée de Marine Le Pen*, *op. cit.*, p. 221-239. Pour Renaud Dély, « La communauté juive est la troisième nouvelle cible électorale de Marine Le Pen » après les femmes et la communauté gay (*La Droite brune : UMP-FN, les secrets d'une liaison fatale*, Paris, Flammarion, 2012).

65. Voir *infra*, « OPA sémantiques : la laïcité », p. 94-95. Marine Le Pen épargne toujours la communauté juive lorsqu'elle s'emporte contre les atteintes à la laïcité. Ainsi lorsqu'elle réclame l'interdiction du port de tout signe religieux dans l'espace public, elle exonère la kippa, tout en assumant vouloir l'interdire de même : « Il est évident que la kippa ne pose pas de problème dans notre pays, mais notre pays a changé et cet équilibre fragile que nous avions trouvé dans l'exercice des religions a été bouleversé par une immigration massive, depuis maintenant une vingtaine d'années, qui a changé la donne » (déclaration à la presse, 22 septembre 2012).

se pose en protectrice de la communauté juive : « Dans certains quartiers, il ne fait pas bon être femme, ni homosexuel, ni juif, ni même français ou blanc[66] », déclarait-elle en 2010, utilisant le terme « quartiers » comme un nom de code pour désigner des banlieues dont les populations en majorité immigrées seraient musulmanes, et donc, par un deuxième amalgame assumé, misogynes, homophobes et antisémites. Surtout, dans une interview au *Point* de février 2011, elle condamne publiquement et sans équivoque la Shoah, qualifiant le génocide nazi de « summum de la barbarie » : cette affirmation seule, largement médiatisée, est une pierre jetée dans le jardin paternel. Essentiel au projet de dédiabolisation, le reniement univoque de l'antisémitisme la situe aux antipodes de la réputation sulfureuse de Jean-Marie Le Pen, qui restera sans doute pour la postérité comme l'homme qui qualifia les chambres à gaz de « point de détail de l'histoire de la Seconde Guerre mondiale[67] ».

Un épisode en particulier illustre la discrétion extrême, et stratégique, de Marine Le Pen sur la question : l'affaire Dieudonné. Alors que ce dernier est très lié à Jean-Marie Le Pen, lequel est parrain d'une de ses filles et spectateur assidu de ses one man shows, Marine Le Pen s'abstient de soutenir le comique et prononce à peine son nom lors de la polémique extrêmement vive de l'hiver 2013, qui voit un sursaut d'expressions antisémites sur le réseau Internet et dans la rue[68]. En guise de soutien, elle dénonce en termes

66. Déclaration à l'AFP, 11 décembre 2010.

67. Jean-Marie Le Pen, Grand Jury RTL, 13 septembre 1987.

68. Le Service de protection de la communauté juive (SPCJ) du Conseil représentatif des institutions juives de France (CRIF) aurait constaté un doublement des actes à caractère antisémite sur les sept premiers mois de 2014, notamment autour de janvier et de l'affaire

généraux les risques d'atteinte à la liberté d'expression que constitue l'interdiction préalable de certains spectacles par plusieurs préfets – rejoignant sur ce point, comme elle se plaît à le souligner, la LICRA. Mais si elle ne peut se permettre de soutenir Dieudonné ouvertement comme le fait son père, elle évite également de le condamner publiquement, se ménageant un espace incertain, trouble, entre silence, gêne et acquiescement. Dans ses « Vœux à la presse » de janvier 2014, en plein cœur de la polémique, elle n'évoque qu'allusivement l'affaire Dieudonné dans son discours en la traitant de « diversion » politique, et ce n'est que poussée dans ses retranchements par les questions des journalistes qu'elle se déclare « choquée, heurtée[69] » par certains propos de « M. Dieudonné », une appellation où résonne toute la distance qu'elle espère créer entre elle et le comique antisioniste. Lorsqu'elle est interrogée plus précisément pour savoir si elle considère que Dieudonné est ou non antisémite, elle esquive et se déclare modestement « pas juge en antisémitisme ».

Visiblement, l'antisémitisme est une arme politique dangereuse que Marine Le Pen a sciemment choisi de remiser définitivement. Fin stratège politique, elle fait l'hypothèse d'un ralliement possible de certains membres de la communauté juive à un Front national qui se définirait comme un rempart contre un islam militant mobilisé autour du conflit palestinien. Ainsi, elle défend l'existence du groupuscule d'autodéfense la Ligue de défense juive[70] au cœur des manifestations propales-

---

Dieudonné. Le rapport 2013 de la Commission nationale consultative des droits de l'homme confirme un « retour inquiétant de l'antisémitisme » et une augmentation des actes antisémites en 2012.

69. Source : *Journal du dimanche*, 7 janvier 2014.

70. Sources : *Le Monde* et l'AFP, 1er août 2014.

tiniennes de l'été 2014, alors même que sa famille politique d'origine a été l'un des creusets historiques de l'antisémitisme moderne. Elle évite pourtant autant que possible de condamner fortement ceux qui, comme son père ou Dieudonné, s'y illustrent, et dont elle souhaite sans doute que les publics, souvent fervents et mobilisés, ne s'éloignent tout de même pas trop d'un Front national même dédiabolisé. S'il est impossible de connaître sa pensée profonde sur le sujet, elle tente ici un numéro d'équilibriste qui vise à ménager des groupes de soutien potentiels antagonistes.

Le grand dépoussiérage historiographique

D'autres silences remarquables de Marine Le Pen doivent être imputés à l'évolution de la société et au changement de génération acté par son élection à la présidence du Front national. Il en va ainsi par exemple de l'anticommunisme, fonds de commerce originel du parti, qui ne subsiste chez Marine Le Pen que sous forme de contre-argumentation d'un goût contestable[71]. Les temps ont changé et le communisme, comme elle le reconnaît elle-même, n'est plus ni un danger extérieur ni un ennemi politique intérieur. Jean-Marie Le Pen avait, lui aussi, dès la chute du mur de Berlin, abandonné cette cible. De même, Marine Le Pen délaisse les références à la Seconde Guerre mondiale et à la guerre d'Algérie. En réalité, l'histoire politique de Marine Le Pen naît en 1981 avec l'arrivée des socialistes au pouvoir, lui permettant par là même d'éviter

71. Voir la boutade lancée au journaliste Patrick Cohen et traitant France Inter de « radio bolcho » le 25 juin 2013 ou la repartie acerbe contre Anne-Sophie Lapix, qui la mettait en difficulté, qualifiée de « Madame la Commissaire politique » (Marine Le Pen, Canal +, 29 mai 2013).

toute mention des événements antérieurs qui ont violemment divisé les Français, mais aussi dans lesquels l'extrême droite, y compris certains membres fondateurs du Front national, a pris part, pas toujours du bon côté. Le Front national compte en effet parmi ses fondateurs d'anciens de la Waffen SS et de l'OAS comme Pierre Bousquet, ancien de la division SS Charlemagne, ou François Brigneau, ancien milicien, ou encore Roger Holeindre, ancien OAS. Marine Le Pen efface cette part d'ombre en évitant de parler de ces périodes.

LES LEGS DU PÈRE

Marine Le Pen n'a pas abandonné pour autant les grands principes rhétoriques de l'extrême droite traditionnelle et, en héritière fidèle, elle a su faire fructifier le legs paternel sur le nationalisme, l'identité nationale et l'immigration.

Un nationalisme généralisé ?

Les mots « France », « Français » « nation », « peuple » sont parmi les plus fréquemment utilisés chez Marine Le Pen, à l'instar de son père. Ces mots ont un sens précis dans le corpus d'extrême droite, ils sont porteurs d'une vision de ce qu'est la communauté nationale, de ses frontières et de ses membres. Ils nous apprennent beaucoup sur la forme particulière de nationalisme que revendique Marine Le Pen.

Au-delà des fréquences moyennes globales d'utilisation, comparables chez le père et la fille, on note une évolution du rapport entre ces mots-clés : Marine Le Pen semble reléguer le mot « nation » au profit de « peuple » et « patrie », plus policés, moins connotés d'extrême droite. Le choix de tel mot plutôt que de tel autre, dont il est proche mais non synonyme, en dit beaucoup sur l'objectif du locuteur. En effet, la stratégie de Marine Le Pen n'est nullement de renoncer à la rhétorique nationaliste paternelle, mais plutôt de démocratiser en surface ce discours afin de banaliser les concepts fondamentaux du Front national. Ainsi le terme de « nation » est-il prononcé moins fréquemment par Marine Le Pen que par Jean-Marie Le Pen (2,5 ‰ de présence contre 3,9 ‰). Le mot provient du latin *natio*, lui-même dérivé de *nasci*, le fait de naître. Cette étymologie contient en germe une connotation naturaliste, l'idée que la naissance, donc l'ordre biologique, préside à l'identité des individus. Le mot évoque aussi par dérivation les termes à forte charge émotionnelle et polémique de « nationalité » et « nationaux », ce dernier étant nettement marqué du sceau idéologique du Front national première manière, alliance des « nationalistes » et des « nationaux ». La notion de nation est aussi plus étroite que celle de « peuple », qui enregistre simplement le fait d'habiter un pays, ou que celle de « patrie » (et ses dérivés, « patriotisme » et « patriotes », qu'affectionnent père et fille dans leurs discours d'appel au rassemblement). De fait, Marine Le Pen préfère largement le mot « peuple » (8,5 ‰ contre 5,9 ‰ pour Jean-Marie Le Pen), moins connoté, plus vague aussi, et qui appartient au registre lexical tant de la gauche que de la droite.

Cette sélection minutieuse du vocabulaire est savamment construite : en évitant toute notion trop abrupte ou connotée et tout relent ambigu de naturalisme ou de racisme qui pourraient être rejetés par les Français et discréditer l'ensemble de son discours, Marine Le Pen développe l'idée d'un nationalisme global, en apparence inclusif et étendu à tous. En effet, à Marseille, elle précise son idée de préférence nationale : « Je demande que les prestations familiales soient réservées aux Français, quelle que soit leur religion ou leur absence de religion, quelles que soient leurs origines ethniques ou la couleur de leur peau, mais aux seuls Français, aux seuls qui ont la nationalité française ! » En précisant « quelle que soit leur religion ou leur absence de religion, quelles que soient leurs origines ethniques ou la couleur de leur peau », elle revendique un nationalisme sans vision raciale.

Plus qu'une « simple » réaction directe à la présence d'étrangers ou d'immigrés en France, comme ce fut le cas entre les deux guerres mondiales ou dans les discours de Jean-Marie Le Pen, le nationalisme de Marine Le Pen est avant tout une réponse idéologique globale aux effets de la mondialisation. En évitant tout racisme direct et toute allusion antisémite, elle fait évoluer l'idée de nation telle que la comprenait sa famille politique d'origine pour en faire une réponse aux difficultés que rencontrent les Français, s'appropriant au passage un nationalisme républicain « de gauche » comme celui de Jean Jaurès, cité à qui mieux mieux par Marine Le Pen et ses lieutenants.

Dans son discours du 1er mai 2013, elle positionne la lutte contre la mondialisation comme un enjeu central de son combat politique : « Alors oui, si vous voulez nous définir, dites que nous sommes en lutte contre la mondialisation sauvage ! Nous sommes en lutte contre tous les totalitarismes du XXIe siècle ! Le mondialisme et l'islamisme fondamentaliste en tête ! Et cela fait de nous, mes chers amis, des patriotes ! Oui, si l'on veut tenter de nous définir, nous sommes profondément patriotes ! » Et face au mondialisme la seule réponse de Marine Le Pen est la patrie : « Parce que face à ces totalitarismes, face à ce grand désordre international, seule la patrie permet de jouer collectif. » En réalité, les concepts de nation et de patriotisme se confondent dans sa bouche.

Mais face à la mondialisation, Marine Le Pen ne se contente pas de mettre en scène la France éternelle : à l'inverse, elle utilise les notions de nation et surtout de patrie comme éléments de résistance contre la mondialisation pour l'avenir. Si le discours conserve quelque nostalgie de temps à autre, il se place surtout dans une logique globale au sein de laquelle la préférence nationale n'est plus un simple argument d'extrême droite mais une réponse générale, et présentée comme rationnelle, aux désordres du monde. Pour Marine Le Pen, la mondialisation est le danger ultime, car le Front national a besoin d'une France en danger pour justifier son système idéologique et son appel à l'union nationale. Dans le même discours du 1er mai 2013, Marine Le Pen décrit la situation apocalyptique dans laquelle la France serait plongée : « Cette mondialisation ultralibérale détruit la famille, cellule de base de notre société et meilleur refuge contre les aléas de la vie. » Elle accentue cette vision mortifère en décrivant une situation politique qui se veut effrayante : « La France s'enfonce dans les ténèbres de l'Europe, et avec elle le peuple français, tous les peuples d'Europe. La France est dans les temps obscurs, elle est dans la nuit, et plus rien ne semble solide sous ses pieds. Elle est prise au piège d'un brouillard épais, celui du désespoir d'un pays désenchanté [...]. »

Cependant, en développant l'idée de « peuple » plus que de « nation », Marine Le Pen entre en apparence en contradiction avec l'idéologie originelle du Front national car elle y inclut à plusieurs reprises les personnes issues de l'immigration, qu'elles soient françaises par *jus soli* ou par naturalisation. Cette contradiction discursive est cependant fluctuante car à Nice en 2011 Marine Le Pen réaffirme son opposition au droit du sol et à la naturalisation : « Il s'agit de la suppression de tout ce qui en France représente un appel d'air à une immigration nouvelle : l'acquisition automatique de la nationalité ou droit du sol qui, par exemple à Mayotte, attire des milliers de clandestins… Nous, nous souhaitons sa suppression sur l'ensemble du territoire national car c'est l'intérêt supérieur du pays qui le commande aujourd'hui. »

Afin de ne pas abandonner les fondamentaux de l'extrême droite, Marine Le Pen va donc régulièrement rappeler que tous les Français ne sont pas tout à fait égaux entre eux malgré un discours général qui se veut plus universaliste pour des raisons électorales. La présence de l'islam comme danger concomitant de la mondialisation est alors évoquée. Lors du discours du 1er mai 2013, Marine Le Pen crée un lien entre une religion (l'islam) et les conséquences de la mondialisation : « Alors oui, si vous voulez nous définir, dites que nous sommes en lutte contre la mondialisation sauvage ! Nous sommes en lutte contre tous les totalitarismes du XXIe siècle ! Le mondialisme et l'islamisme fondamentaliste en tête ! » C'est alors une religion qui devient l'adversaire au lieu de l'immigré lui-même comme archétype ethnicisé. Cette nuance est cependant de pure surface puisque, coïncidence avantageuse, il se trouve que cette religion est justement majoritairement celle des immigrés que le système idéologique du Front national rejette. Heureux hasard en quelque sorte, ou plutôt stratégie habile de déplacement de la cible qui permet de stigmatiser une religion qui suscite la méfiance des Français sans tomber dans l'écueil médiatique d'un racisme évident, et tout en montrant du doigt en définitive exactement les mêmes populations. Marine Le Pen peut alors délégitimer ces « nouveaux » Français accusés de n'être pas suffisamment assimilés, et donner ainsi des gages idéologiques à la base historique de son électorat sans trop heurter le sens républicain.

Elle réintroduit un second concept central de l'idéologie de son père : le naturalisme. Non pas au niveau de la société de manière holiste, comme le faisait Jean-Marie Le Pen, mais au niveau de « certains » individus et de manière moins insistante. À Châteauroux en 2012, elle expose sa façon de concevoir les conditions de possibilités de la naturalisation : « Interrogeons-nous [...] sur ce mot de naturalisation que l'on utilise trop souvent sans en comprendre le sens : pour naturaliser, il faut une Nature. Pour naturaliser français [*sic*], il faut une nature française, une terre française, des paysages, une lumière, un air français ; on ne naturalisera jamais dans une morne grisaille de béton et de bitume, on ne naturalisera d'ailleurs aucun jeune Français, même si ses parents sont français depuis des générations, sans qu'il se reconnaisse une terre, une souche, des racines [...]. » Dans cette partie de discours, Marine Le Pen expose bien sa conception de ce que c'est que « d'être français ». Loin de répondre à une définition liée à la citoyenneté, être français est lié à la terre, aux paysages, c'est-à-dire à l'aspect naturel du pays. Pour évincer les jeunes issus de l'immigration de cette « véritable » citoyenneté française, elle souligne l'environnement urbain des cités dont, dans nos représentations, sont issus ces jeunes avec l'emploi des mots « béton », « bitume » comme lieux antinomiques avec la « si belle France ». Cette vision terrienne de la France rappelle l'expression de Philippe Pétain pendant sa « révolution nationale » en 1940-1942 : « La terre, elle, ne ment pas[72]. »

En fait, la vision de Marine Le Pen découle directement de la tradition de l'extrême droite française. Sans que la philosophie naturaliste soit omniprésente dans ses discours, elle continue

72. Voir l'affiche : http://cites-unies-histoire-des-arts.over-blog.com/page-5091999.html.

d'informer en profondeur son idéologie. Marine Le Pen la rappelle opportunément selon le public auquel elle s'adresse, afin de rassurer idéologiquement sa famille politique, montrant ainsi les limites de la normalisation de son discours. Pour preuve, lors de son allocution du 1er mai 2011 devant des militants aguerris, Marine Le Pen expose sa conception du rôle de l'individu dans la société : « Parce que nous croyons que nous sommes les maillons d'une chaîne qui nous relie au passé par notre histoire et au futur par notre volonté de destin, loin de le répudier, nous revendiquons l'héritage de nos héros en qui la gloire ne trouve pas de faiblesse à effacer, ceux dont la vie est faite de pureté de sentiments, de victoires et de martyrs. Ces récits nous instruisent autant qu'ils enracinent nos engagements dans l'histoire, que dis-je dans l'Histoire, dans l'âme de notre peuple. » Marine Le Pen reprend ici la vision holiste de Jean-Marie Le Pen, selon laquelle l'appartenance, ou non, au corps national échappe en partie à l'individu, transcendé par une chaîne biologique et historique qui le dépasse. Être français devient un absolu qui relève d'un certain mysticisme, voire d'une mystique.

Une fois légitimée la « différence » propre à cette identité française tout à la fois indicible et inaliénable face au reste du monde, la réponse à la mondialisation et à la crise économique devient tout logiquement la préférence nationale. Après avoir pris soin de disqualifier les Français issus de l'immigration au nom de « l'âme du Peuple », Marine Le Pen peut ainsi se permettre vis-à-vis de son électorat de créer une préférence nationale incluant en apparence l'ensemble des Français[73].

73. Voir *supra*, p. 67.

Ainsi, si le mot « nation » et le nationalisme sont moins présents statistiquement dans les discours de Marine Le Pen, ils revêtent cependant une importance plus grande que pour Jean-Marie Le Pen, car ils s'inscrivent au cœur d'une armature idéologique et rhétorique nouvelle qui oppose prioritairement « nation » et « mondialisme », plutôt que de suivre la logique du bouc émissaire (anti-immigré et/ou antisémite) de sa famille politique d'origine. Cependant, afin d'éviter toute violence dans ses discours et conserver une certaine cohérence, Marine Le Pen a choisi d'utiliser le mot « peuple » plutôt que celui de « nation » et le mot « étranger » plutôt que celui d'« immigré ». Malgré les apparences, cela ne se traduit pas par une mise en sourdine de l'idéologie xénophobe du Front national, bien au contraire.

L'immigration : un fonds de commerce profitable

Le discours anti-immigration est devenu depuis 1978 la marque de fabrique du Front national. Avec le slogan « Un million de chômeurs, c'est un million d'immigrés en trop » concocté par le numéro deux de l'époque, François Duprat[74], le parti nationaliste jusque-là groupusculaire découvre une niche politique originale et porteuse qui lui donne aussitôt une identité propre et assure à ses propos un retentissement médiatique. Depuis, Jean-Marie Le Pen n'a eu de cesse de labourer ce terrain, jusqu'à imposer dans le débat public une thématique devenue aujourd'hui incontournable.

74. Voir Nicolas Lebourg et Joseph Beauregard, *François Duprat : l'homme qui inventa le Front national*, Paris, Denoël, 2012.

Marine Le Pen marche résolument dans ses pas et récolte les fruits de son travail de défricheur tout en s'efforçant d'échapper aux accusations de xénophobie et de racisme que cette thématique sulfureuse n'a pas manqué d'attirer à son père. L'analyse statistique du corpus montre que sur ce thème emblématique la fille est dans la répétition sans complexe du fonds de commerce du père : la dédiabolisation ne touche aucunement au socle idéologique du Front national, jugé porteur. Comme l'explique Louis Aliot, vice-président du Front national, il y a bonne et mauvaise diabolisation, et « les propos de Marine sur l'immigration, l'islam, c'est pas de la mauvaise diabolisation. Les Français sont en majorité d'accord avec nous[75] ».

Dans les pas du père

De fait, Marine Le Pen manifeste une remarquable fidélité à l'égard du corpus paternel, quantitativement et qualitativement. Certes, le terme « immigration » décroche légèrement dans le classement des substantifs les plus utilisés, de la 13e place chez Jean-Marie Le Pen à la 17e chez sa fille. Mais en termes de fréquences relatives, la différence est minime : le mot correspond à 4,8 ‰ des substantifs pour lui et 4,4 ‰ pour elle. Et si l'on liste les thèmes qui se dégagent du classement des noms les plus fréquents, en éliminant les mots tels que « France », « pays », « an », « politique », « monde », « Français », « gens », etc., de faible valeur différenciatrice pour un politicien, le classement est « peuple, euro, État, immigration » pour Marine Le Pen et « Europe, peuple, immigration » pour son père. Autrement dit, le terme « immigration » occupe chez la fille

75. Entretien avec Cécile Alduy, 24 juin 2013.

un espace discursif similaire au sein des mots-clés et continue d'être un sujet privilégié.

Plus remarquable est la manière selon laquelle Marine Le Pen délaisse la mention des « immigrés », comme pour éluder entièrement la question humaine et les risques de connotations xénophobes qu'elle entraîne (40 occurrences contre 330 chez son père, soit 0,6 ‰ contre 1,9 ‰). Elle préfère une désignation abstraite (« immigration », « politique migratoire ») ou celle d'« étrangers » qui exclut totalement de la communauté nationale les nouveaux arrivants (103 occurrences, soit 1,6 ‰ contre 1,3 ‰ pour le père). Le maniement des valeurs quantitatives est délicat pour cerner la place relative d'un thème, car ce dernier dépasse l'emploi du mot et de ses dérivés, surtout chez un orateur qui, comme Marine Le Pen, parle aussi par sous-entendus et allusions. Cependant, on peut dire d'une part que Jean-Marie Le Pen était plus direct et plus répétitif dans sa désignation du problème – il martèle le thème migratoire, inventant au besoin des expressions que sa fille abandonne (« immigration-invasion » ; « immigration-zéro », « immigrationnisme », « ultra-immigrationnisme ») –, mais que d'autre part, en dernier ressort, Marine Le Pen en parle à peine moins, et, surtout, en dit exactement la même chose[76].

76. Nous verrons que la manière dont Marine Le Pen inscrit cette problématique dans la texture même de ses discours lui permet cependant de le faire passer « en douceur » comme une thématique non pas obsessionnelle, mais logiquement déduite d'une analyse rationnelle de la crise française, alors même qu'elle emprunte tout son corpus idéologique et ses solutions programmatiques à son père. Voir *infra*, p. 112-115.

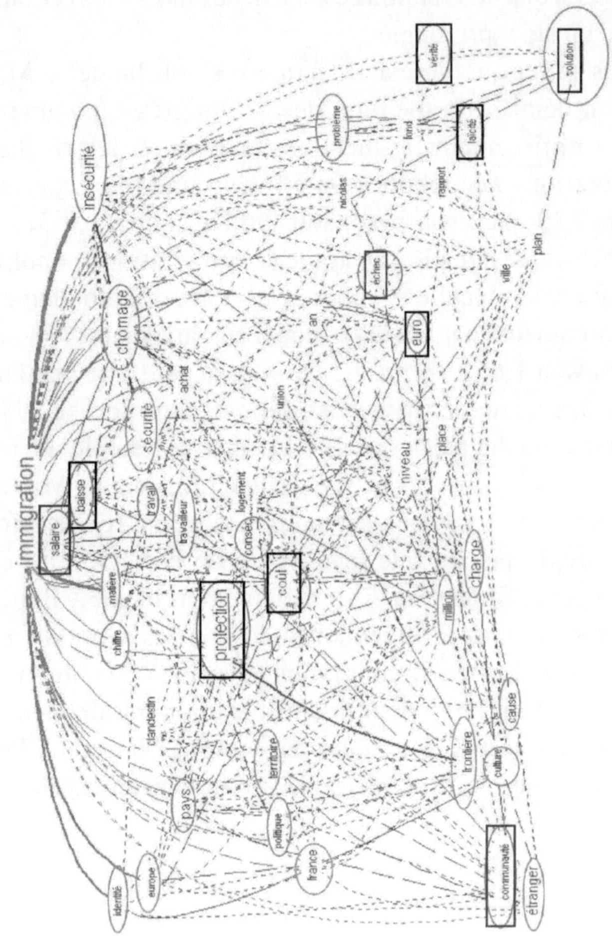

Graphique 4. Le mot « immigration » et ses co-occurrents parmi les 300 mots-clés les plus fréquents chez Marine Le Pen

Légende :

– entourés d'un cercle : les mots-clés associés à « immigration » communs avec Jean-Marie Le Pen

– encadrés d'un rectangle : mots-clés propres à Marine Le Pen

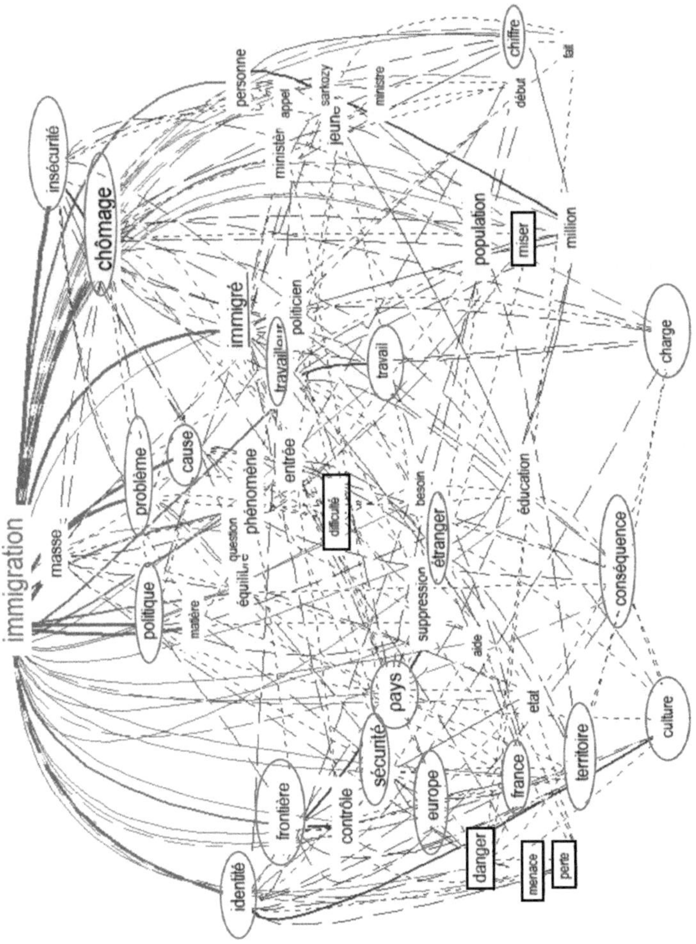

Graphique 5. Le mot « immigration » et ses co-occurrents parmi les 300 mots-clés les plus fréquents chez Jean-Marie Le Pen

Légende :

– entourés : mots-clés associés à « immigration » communs avec Marine Le Pen

– encadrés d'un rectangle : mots-clés propres à Jean-Marie Le Pen

Qualitativement, il n'y a rien en effet dans son discours qu'elle n'hérite directement, et parfois mot pour mot, de son père. La carte des mots-clés[77] associés à « immigration » est à ce titre éclairante. La constellation lexicale qui s'organise chez Marine Le Pen autour de ce mot est le décalque de celle de son père (graphiques 4 et 5). On y retrouve en particulier l'équation « immigration = chômage = insécurité », pierre angulaire du discours frontiste, et la litanie habituelle « problème », « étranger », « sécurité », « identité », « frontière », « culture », « charge », « chiffre », « millions », « travail » et « travailleurs ». Elle y adjoint toutefois un vocabulaire économique plus étoffé (« salaire », « baisse », « coût », « euro », « achat ») et un nouveau champ sémantique lié à la laïcité (« communauté », « laïcité »). Surtout, tandis que son père se complaît dans un vocabulaire anxiogène (« danger », « menace », « perte », « difficulté »), elle fait l'effort d'apporter une offre politique positive résumée par les termes « protection » et « solution ». Sur une base commune identique, il reste dans la dénonciation d'un « phénomène » qu'il laisse sous forme de « question », tandis que Marine Le Pen se présente comme une force de proposition.

L'analyse plus fine cette fois de tous les mots qui gravitent autour d'« immigration », et non plus des seuls substantifs les plus fréquemment utilisés qui y sont associés, confirme ce double mouvement de répétition à l'identique des slogans anti-immigration du père et d'amplification d'un volet économique et républicain connoté plus positivement (graphique 6).

77. On appelle ici « mots-clés » les 300 substantifs les plus fréquents de chaque corpus : le logiciel Hyperbase dresse la carte des co-occurrences entre l'un de ces mots-clés (ici « immigration ») et ces 300 substantifs. Il faut différencier ce réseau de corrélations entre mots-clés de l'ensemble beaucoup plus vaste de toutes les co-occurrences associées à « immigration », que nous analysons plus loin.

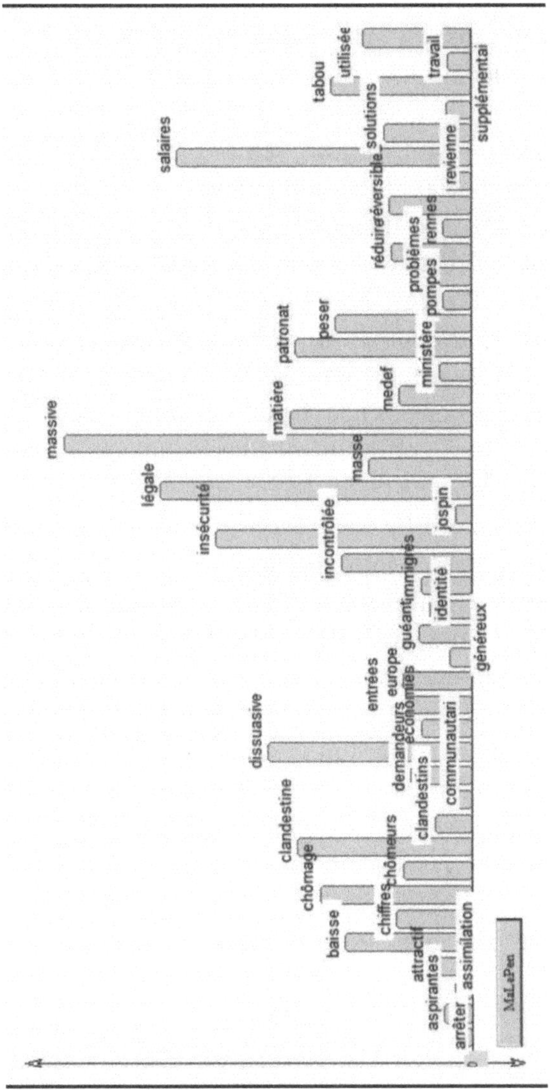

Graphique 6. Environnement lexical du mot « immigration » chez Marine Le Pen (tout le corpus)

Du côté du copier-coller, on retrouve le leitmotiv d'une immigration qui est systématiquement « de masse », « massive » et « incontrôlée » ; les mêmes images de « vagues », de « déferlantes », de « flux » migratoires, de « pompes aspirantes » et d'un pays ouvert « à tous vents » ; la répétition insistante des catégories d'immigration (« légale », « illégale », « clandestine »). Dans le détail des textes, on relève l'obsession des mêmes chiffres[78], les mêmes axiomes répétés *verbatim* (« la nationalité, ça s'hérite ou ça se mérite »), et même la dénégation récurrente de racisme et l'expression d'une feinte empathie à l'égard des immigrés « victimes » des politiques irresponsables et des « marchands de sommeil ».

Certes, l'immigration n'est plus « sauvage », qualificatif que Marine réserve quant à elle au « mondialisme » et à la « concurrence ». Elle évite aussi les images trop violentes telles que « l'immigration-invasion » ou « l'immigration de colonisation », et s'interdit toute référence aux questions raciales de métissage et de « substance » du peuple français. Mais elle continue de parler comme son père d'immigration de « peuplement », de « submersion démographique » et de « remplacement programmé de la population française », camouflant mal sous ces termes une angoisse de pureté ethnique. Elle pousse aussi ses propres amalgames[79] : viande halal (huit mentions chez elle en trois ans, une seule chez le père en

78. « L'immigration massive [...] a fait entrer dans notre pays plus de 10 millions d'étrangers en trente ans » (Jean-Marie Le Pen, Europe 1, 28 juillet 2010) ; « il est impossible d'assimiler une immigration massive de 10 millions en trente ans » (Marine Le Pen, « Discours de Marseille », 4 mars 2012).

79. « [...] Nous sommes régulièrement de véritables révélateurs de cette collusion immigration, prière de rue, abattoirs halal » (Marine Le Pen, « Discours de La Baule », 26 septembre 2012).

vingt), prières de rue, voile dans les espaces publics… Même « déracialisés » et laïcisés, ces assauts contre l'immigration continuent de fonctionner par allusion au corpus du père : la polémique sur « l'occupation » de la France par les prières de rue[80] ne peut manquer d'évoquer les propos de Jean-Marie Le Pen sur « l'occupation allemande » qui n'aurait pas été « particulièrement inhumaine[81] ». Rhétorique martiale[82], amalgame volontaire avec un islam « conquérant » voire avec le terrorisme djihadiste[83], spectre de la théorie soralienne du remplacement : la violence des propos de Marine Le Pen n'a rien à envier à la rhétorique incendiaire de son père.

Du tabou au consensus

Marine Le Pen n'infléchit donc nullement la rhétorique lepéniste anti-immigration : elle la répète en gommant certains aspects racialisés et amplifie la dimension politico-religieuse. Si elle en parle un peu moins, c'est tout simplement qu'elle n'en a guère besoin, car la thématique est à présent largement relayée par les médias et les politiques. Elle profite ici d'un

80. Lyon, 10 décembre 2010 ; propos réitérés par la suite.

81. *Rivarol*, janvier 2005.

82. « Je veux pouvoir […] renvo[yer] *manu militari* les gens qui ont commis des délits ou des crimes sur le territoire » (Marine Le Pen, RTL, 2 septembre 2011).

83. « Combien de Mohamed Merah dans les avions, les bateaux qui chaque jour arrivent en France remplis d'immigrés ? Combien de Mohamed Merah dans les 300 clandestins qui, chaque jour, arrivent en Grèce *via* la Turquie, première étape de leur odyssée européenne ? Combien de Mohamed Merah parmi les enfants de ces immigrés, non assimilés, sensibles aux thèses les plus radicales et les plus destructrices, en rupture totale avec nos principes républicains ? » (Marine Le Pen, « Discours de Nantes », 25 mars 2012).

contexte politique qui la pousse non à la modération, mais à une surenchère ciblée : le curseur moral et politique s'est fortement déplacé sur ce thème depuis 2001, et plus encore depuis l'élection en 2007 de Nicolas Sarkozy, qui a acté un certain nombre de propositions lepénistes (lien entre immigration et insécurité ; proposition d'élargissement des motifs de déchéance de la nationalité française ; réduction drastique des naturalisations ; circulaire Guéant, etc.). Du discours de Grenoble aux « grands débats » sur l'identité nationale et l'islam, la présidence Sarkozy a légitimé l'axiome de base du Front national selon lequel l'immigration (non européenne) est un « problème ».

Dans ce contexte, Marine Le Pen arrive en terrain conquis là où son père devait batailler pour imposer ses problématiques. Lors des entretiens radiophoniques et télévisés recensés, Jean-Marie Le Pen se débat pour établir la légitimité de son sujet : l'environnement lexical du mot « immigration » est celui d'une parole entravée (« tabou », « prononcer », « débat »). Il peine à dépasser le stade de la nomination et de la description du « problème » et n'a guère l'occasion de détailler ses remèdes, si ce n'est par des verbes vagues (« arrêter », « stopper »).

Lorsque Marine Le Pen prend les rênes du parti, cette bataille idéologique-là est déjà gagnée[84]. Sa gageure à elle est bien différente : dans un double contexte, interne, de normalisation du discours frontiste, et externe, de radicalisation du discours droitier des partis classiques, elle doit conserver le monopole de l'intransigeance, de la fermeté et de la crédibilité sur un

84. Lorsqu'elle affirme en 2011 qu'« aujourd'hui, il n'y a plus une seule formation politique qui vient nous dire que l'immigration est une chance pour la France [...] à part peut-être Mme Eva Joly et ses lunettes rouges », elle énonce un quasi-consensus.

sujet devenu concurrentiel. Dans ce contexte, le fonds de commerce anti-immigration du parti, auquel Marine Le Pen accole à présent par amalgame le communautarisme, l'islam et l'islamisme, permet d'entretenir la radicalité et l'attractivité d'un discours qui risquerait sans cela de compromettre son positionnement « antisystème » en étant « trop gentil[85] ».

Un double discours

Mais si elle maintient un discours musclé sur l'immigration, elle ne sert pas les mêmes propos aux militants des congrès et meetings du 1er Mai et aux médias grand public. Il faut en effet souligner ici une parole double ou dédoublée : tandis que les discours destinés à « la base » reproduisent les lieux communs polémiques du père, Marine Le Pen s'efforce de déplacer la discussion vers un terrain strictement économique lors des interviews dans les médias nationaux.

La comparaison de l'environnement lexical du mot « immigration » dans les discours d'une part, et dans les interviews de l'autre, est édifiante (tableaux 7 et 8). Dans les discours publics, on retrouve le vocabulaire de Jean-Marie Le Pen : les mots le plus souvent associés à « immigration » sont « clandestine », « incontrôlée », « insécurité », « [de] masse » et « massive »[86]. Se lit en filigrane un récit pathétique qui

85. « Un Front national trop gentil, ça n'intéresse personne », aime à répéter Jean-Marie Le Pen. Sur l'équilibre constamment entretenu entre radicalité et normalisation du parti, voir Sylvain Crépon, *Enquête au cœur du nouveau Front national*, Paris, Nouveau Monde, 2012 ; Alexandre Dézé, *Le Front national : à la conquête du pouvoir ?*, Paris, Colin, 2012.

86. Le classement chez le père est « insécurité », « [de] masse », « massive », « chômage », « incontrôlée », « choisie ».

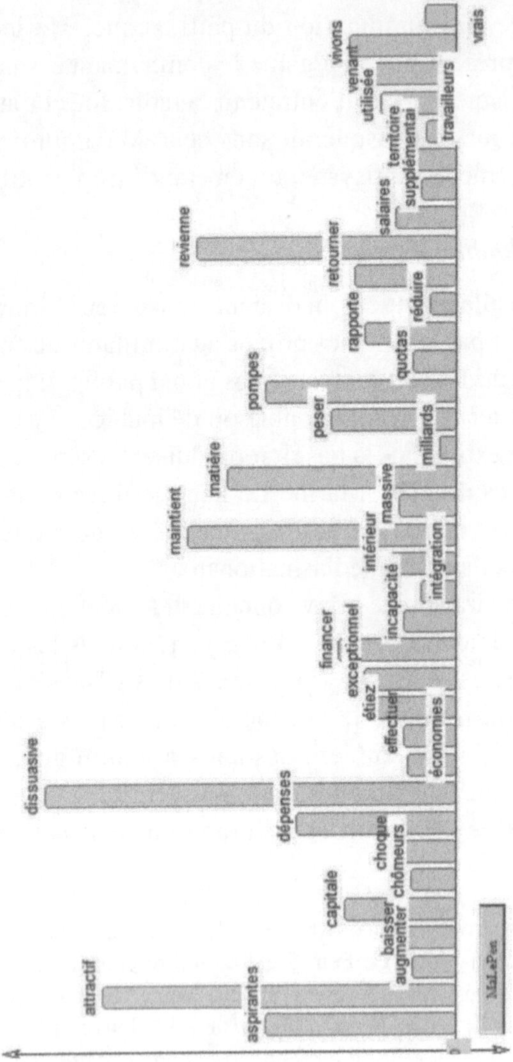

Tableau 7. Environnement lexical du mot « immigration » dans les interviews radio et télé de Marine Le Pen

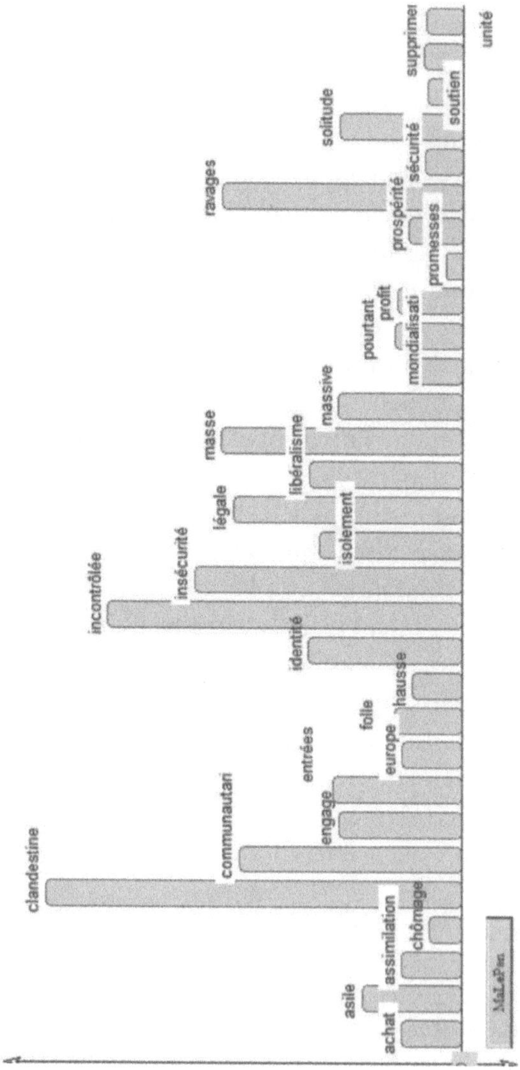

Tableau 8. Environnement lexical du mot « immigration » dans les discours publics de Marine Le Pen

pointe l'« isolement », la « solitude », les « ravages » suscités pas une « folle » politique migratoire et les menaces sur l'« identité », l'« unité » et la « sécurité » que fait porter le « communautarisme ». C'est uniquement dans les discours qu'elle parle d'« un véritable projet clandestin [...] d'installation massive d'une immigration de peuplement[87] ». D'où la revendication d'une politique d'« assimilation » stricte. Dans les interviews à destination d'un plus large public d'électeurs potentiels domine une analyse purement économique en termes de marché de l'emploi et d'attractivité du système social français : d'où au top du classement les qualificatifs qui cernent problème (un système trop « attractif ») et solution (une politique « dissuasive »). Puis viennent « pompes aspirantes », « dépenses », « peser », « financer », « milliards », « économies », « salaires », « travailleurs ». Aucun mot ne relève de la crispation identitaire : « intégration » a d'ailleurs remplacé « assimilation ».

Le nouvel argument répété en chaîne est que l'immigration est une « variable d'ajustement » utilisée par le patronat pour « peser à la baisse sur les salaires[88] ». Véritable élément de langage digne des machines de communication politique les plus aguerries, cette phrase clé est répétée pas moins d'une quarantaine de fois. Jean-Marie Le Pen avait déjà avancé cet argument[89] à l'occasion, en s'en tenant au travail manuel,

87. Marine Le Pen, « Discours de Six-Fours », 12 mars 2011.

88. « L'immigration est utilisée comme variable d'ajustement des niveaux des salaires de nos travailleurs. Ne craignons pas de le dire : l'immigration assure la pression à la baisse sur les salaires [...]. On comprend mieux pourquoi le Medef réclame de l'immigration à cor et à cri » (Marine Le Pen, « Discours de Bompas », 11 mars 2011).

89. Il en parle huit fois sur un corpus qui couvre plus de vingt ans, et pour parler de pression à la baisse sur les salaires « manuels ».

mais Marine Le Pen va bien plus loin dans l'accaparement d'un lexique aux résonances gauchisantes : « syndicats », « revendications salariales », « cotiser », « droit », « retraites », « grand patronat », « Medef », « finance », « délocalisations », « coût du travail », « progrès social » peuplent son exposé. Ce faisant, Marine Le Pen se pose en championne d'une lutte des classes ethnicisée, en ennemie du Medef et ultime rempart pour protéger les « travailleurs » (français) : « Le but de cette immigration massive organisée, c'est de peser à la baisse sur les salaires des Français : pourquoi croyez-vous que Mme Parisot et le grand patronat qu'elle représente soient aussi violents à mon égard[90] ? » Comme souvent, Marine Le Pen n'invente rien, mais elle réorganise la hiérarchie des arguments de son père et met en avant celui qu'elle pense inattaquable tant du point de vue de la morale que de la crédibilité économique.

Du même coup, un thème qui dans la bouche de Jean-Marie Le Pen semblait relever de l'opinion péremptoire ou de l'obsession paranoïaque devient chez Marine Le Pen la conclusion en apparence rationnelle et pragmatique d'une analyse économique globale[91] : « Nous avons 5 millions de chômeurs en France. Qu'est-ce qu'on fait ? On importe encore des chômeurs[92] ? » Comme elle le résume parfaitement sur France Inter le 20 février 2011 : « Je dis que l'immigration

90. Marine Le Pen, TF1, 15 septembre 2011.

91. Le côté rationnel, « raisonné » et par glissement de sens « raisonnable » de ses propos sur l'immigration est souvent souligné : « L'immigration doit rester absolument *raisonnable* » (Marine Le Pen, France Inter, 20 février 2011 [notre italique]) ; « notre beau projet national d'assimilation des étrangers, la France a pu le porter pendant des décennies de manière raisonnée mais aussi raisonnable » (Marine Le Pen, « Discours de Marseille », 4 mars 2012).

92. Marine Le Pen, France 24, 17 mars 2011.

est un problème économique et qu'il faut le traiter comme un problème économique.» Cette réduction à l'économique ne s'applique cependant qu'aux médias nationaux.

L'abstraction croissante du discours de Marine Le Pen transforme ainsi l'immigration en un sujet de macroéconomie qu'une simple analyse mathématique en termes d'offre et de demande résoudra, ce qui lui permet de s'exonérer à peu de frais de toute accusation de racisme[93]. Rationalisation, abstraction, déshumanisation, le discours impose une logique de gestionnaire en apparence « mécanique », terme que Marine Le Pen affectionne: « 200 000 étrangers légaux ! […] Bon. Il faut les loger ces gens-là. C'est l'équivalent de la ville de Rennes. Si vous construisez pas [*sic*] l'équivalent en logements de la ville de Rennes, vous les logez où ? Bon. Donc évidemment, ça crée, *mais c'est mécanique*, une tension sur le marché du logement puisque le marché, c'est l'offre et la demande[94]. »

Ainsi les nuances de style entre Jean-Marie et Marine Le Pen sur l'immigration se situent à la marge, et pour des auditoires ciblés. L'immigration est-elle moins centrale chez la fille que chez le père ? Nullement en termes de présence obsédante dans le discours et de mesures programmatiques : elle en parle presque autant et en dit la même chose, dressant le même diagnostic et avançant les mêmes solutions. Cependant, la place hiérarchique de l'immigration au sein de son système explicatif global a changé : « L'immigration est la fille du

93. « Je dis juste qu'à un moment donné, quand on a 5 millions de chômeurs, quand on a 8 millions de pauvres, on ne peut pas continuer à accueillir des gens à qui on n'a plus rien à offrir. Voilà, c'est pas [*sic*] de la xénophobie, c'est pas du rejet de l'autre, c'est juste du bon sens » (Marine Le Pen, RTL, 7 mars 2011).

94. Marine Le Pen, LCI, 1er décembre 2012.

mondialisme[95] », avance Marine Le Pen, pour justifier qu'elle soit devenue le septième point de son programme et non plus le premier. De cause originelle de tous les maux qu'elle était chez le père, l'immigration est devenue chez Marine Le Pen l'instrument d'une autre puissance maléfique, le « mondialisme », qu'elle tire du côté de l'anticapitalisme. Autrement dit, si Marine Le Pen dit la même chose que son père, elle le raconte différemment.

Ce discours à géométrie variable, qui procède par omission de tout un pan plus polémique sur les plateaux de télévision plutôt que par véritable mensonge, est particulièrement efficace. Tout est affaire de sélection fine d'un argumentaire adapté au public visé qui soulignera tantôt la menace identitaire ou politico-religieuse, tantôt une logique en apparence purement macroéconomique axée, comme en 1978, sur le chômage. François Duprat, en fin stratège, enjoignait déjà aux cadres du parti d'éviter toute « connotation raciale » dans leur propagande afin d'exploiter une équation économique « immigration = chômage » qu'il savait fructueuse et propre à élargir la base du parti[96]. Il ne fut guère suivi, et l'image du Front national en pâtit rapidement. Reprenant peut-être sans le savoir ses injonctions tout en les adaptant à un nouveau contexte sociopolitique, Marine Le Pen a résolu de se situer dans le débat national officiel sur le terrain neutre d'un bon sens comptable ou d'une défense républicaine de la laïcité. Son objectif est le même : adapter son discours à son auditoire

95. Entretien avec Cécile Alduy, 22 avril 2013.

96. Voir Nicolas Lebourg, « Une histoire de la "préférence nationale" », *Fragments du temps présent,* 14 février 2012. http://tempsreel.nouvelobs.com/l-observateur-du-lepenisme/20120214.OBS1365/une-histoire-de-la-preference-nationale.html.

afin de se ménager une marge de progression électorale chez de nouveaux publics.

ANATOMIE D'UNE OFFENSIVE SÉMANTIQUE

Des mots au sens : décryptage du nouveau code frontiste

Dans les pages qui précèdent nous avons passé en revue les thèmes dont parle Marine Le Pen – ses sujets de prédilection, ses silences – en partant des mots qu'elle utilise. L'enjeu de ce travail est cependant de décrypter derrière les mots le sens effectif, et derrière le sens l'idéologie sous-jacente. Or, force est de constater que Marine Le Pen manie un double discours : non seulement elle n'use pas des mêmes arguments selon les publics, mais le sens apparent n'est pas toujours le référent réel des termes choisis. « Musulman » est chez elle parfois synonyme d'« immigré » ou d'« islamiste » ; « racisme » veut en fait dire « racisme anti-Blanc », et « laïcité » est devenu dans sa bouche un concept élastique qui englobe bien plus que la loi de 1905. Certains mots sont des signaux à destination de certains auditoires ; d'autres édulcorent des mesures plus violentes qu'elle ne l'admet dans leurs applications concrètes ; d'autres enfin, tel « mondialisme », sont investis d'un sens si large et si vague qu'ils permettent toutes les projections – et potentiellement tous les ralliements.

Il faut donc à présent décrypter comment ces mots sont soigneusement sélectionnés pour entrer dans une stratégie de communication politique globale : comment ils « font signe » au-delà du contenu notionnel restreint qu'ils véhiculent et quelle est leur fonction précise dans l'offensive sémantique lancée par la présidente du Front national. Il s'agira ici de percer le *code* mariniste lui-même : les procédés rhétoriques et sémantiques grâce auxquels Marine Le Pen s'est forgé un nouveau langage hybride, entre violence et euphémisme, mélange de citations paternelles et de langue de bois destiné à la porter au pouvoir.

Dans la bataille des mots depuis longtemps menée par le Front national, Marine Le Pen a choisi une stratégie différente de celle de son père : plutôt que de « libérer la parole » en attaquant frontalement les interdits moraux de la société française[97], elle entend imprégner subrepticement l'imaginaire et le vocabulaire communs. Lui était dans une logique médiatique du scandale, comme lorsqu'il minimise la Shoah sur les ondes de RTL en parlant d'un « point de détail de l'histoire de la Seconde Guerre mondiale » en 1987. Cette stratégie de communication fit ses preuves, avant de se heurter à ses propres limites. « Avant le coup du "détail", on était à 2,2 millions de voix, à 4,4 millions après », avait coutume de dire le patriarche en interne à ses détracteurs, selon Louis Aliot[98]. Qui souligne, amer, que ce dernier chiffre était aussi devenu, et pour les mêmes raisons, un plafond de verre.

D'où la stratégie de « dédiabolisation » initiée par Aliot, Marine Le Pen et leurs alliés après la présidentielle de 2002, véritable coup de massue pour les militants et les jeunes cadres

97. Marine Le Pen se présente volontiers en briseuse de « tabous », mot qu'elle affectionne. Maintenant que les thématiques anti-immigration se sont banalisées, le « tabou » principal contre lequel elle s'acharne, la sortie de l'euro, ne risque cependant guère de déclencher l'indignation. C'est là son garde-fou (elle prend peu de risques en termes de respectabilité) et sa faiblesse, car il lui est difficile de mobiliser les passions sur des problèmes monétaires abstraits, là où son père capitalisait sur les pulsions irrationnelles que suscite l'immigration.

98. Entretien avec Cécile Alduy, 26 juin 2013.

qui se heurtent au mur de la mobilisation anti-Front national de l'entre-deux-tours et à l'impréparation de leur propre candidat[99]. Cette entreprise s'étend à notre sens au-delà du seul évitement de l'antisémitisme pour englober une offensive sémantique plus large : cooptation et piratage de concepts du camp adverse d'une part, et dilution et euphémisation de ses propres positions afin de les faire passer en douceur, de l'autre, sont autant de procédés destinés à convaincre de la normalité du Front national tout en gagnant subrepticement l'opinion à sa cause. La radicalité du discours perdure, mais se concentre dans la dénonciation des politiques et la vision apocalyptique de la France. L'objectif est d'absoudre les électeurs de tout sentiment résiduel de culpabilité à voter Front national en leur présentant un discours moralement acceptable, formellement rationnel, et qui use régulièrement des mots du politiquement correct, qui, bien que détournés, « sonnent » juste. Ce sont ces procédés d'euphémisation, d'insinuation et de cooptation des mots de ses adversaires dont nous dressons ici une typologie.

OPA sémantiques

Le premier procédé qui renouvelle en surface le discours frontiste est l'emprunt et le détournement de concepts historiquement étrangers au corpus d'extrême droite. Nous en avons déjà touché un mot en passant en revue les thèmes nouveaux introduits par Marine Le Pen. Il s'agit ici de dépasser l'analyse thématique pour montrer comment elle a lancé une véritable

99. Voir Caroline Fourest et Fiammetta Venner, *Marine Le Pen*, Paris, Grasset, 2011, p. 123-127 ; Nicolas Lebourg, « Une histoire de la "préférence nationale" », art. cité, p. 328-332.

OPA sémantique dont le but est non seulement d'occuper un terrain politique propice abandonné par la gauche (le peuple, les classes populaires, la laïcité), mais encore de modifier le sens même des mots ainsi accaparés.

Rétorsions

Dans son opus sur la parole pamphlétaire, Marc Angenot décrit sous le nom de rétorsion la première étape de ce phénomène : elle consiste à reprendre le vocabulaire même de l'adversaire, mais pour conclure à des positions adverses. Ainsi Pierre-André Taguieff[100] a-t-il montré comment dans les années 1980 la Nouvelle Droite et le Front national ont usé de ce procédé de « rétorsion » pour détourner le concept de « droit à la différence », alors de gauche, et en faire l'assise d'un racisme différentialiste auquel il était alors difficile de s'opposer[101]. Marine Le Pen est dans la droite ligne de cette tendance lorsqu'elle se fait, comme son père avant elle, le chantre de la lutte antiraciste pour immédiatement fustiger le « racisme anti-Blanc[102] » ou encense la liberté d'expression (lui pour défendre des auteurs négationnistes, elle pour soutenir à

100. Pierre-André Taguieff, « L'identité nationale saisie par les logiques de racisation. Aspects, figures et problèmes du racisme différentialiste », *Mots*, mars 1986, n° 12, p. 91-128.

101. « Il s'agit de se placer sur le terrain discursif et idéologique de l'adversaire et de le combattre avec ses propres armes qui, par le fait d'être retournées contre lui, ne lui appartiennent plus en propre. La rétorsion opère ainsi à la fois une reprise, un retournement et une appropriation-dépossession d'arguments : elle a pour objectif d'interdire à l'adversaire l'usage de ses arguments les plus efficaces, par le fait même de les utiliser contre lui » (*in* Pierre-André Taguieff, *id.*, p. 97).

102. Dans cette même logique du miroir où elle renvoie à ces adversaires leurs accusations, elle reprend l'insulte de « fasciste » adressée

demi-mot Dieudonné ou Éric Zemmour) tout en multipliant les procès et les intimidations contre les journalistes[103]. De même, lors du forum Sciences Po-ELLE qui interroge les présidentiables 2012 sur les droits des femmes, celle qui préconise l'adoption prénatale et le déremboursement de certaines IVG le fait au nom du droit au « choix » – mot lourd de sens dans le débat *pro-choice* et *pro-life* et qu'elle accapare ici pour empêcher toute réplique[104].

La laïcité

Mais Marine Le Pen va plus loin que la simple « rétorsion » rhétorique : non contente de reprendre les mots-valeurs de l'adversaire, elle entend en changer le sens. Ainsi, de la laïcité, accaparée et piratée jusqu'à être rendue méconnaissable. Marine Le Pen a bien compris l'opportunité politique qu'il y avait à s'engouffrer sur un terrain abandonné par la gauche. Sur fond de vide politique à gauche et de concurrence anti-islam à droite, Marine Le Pen s'empare donc du mot en toute conscience pour y imprimer sa marque.

Le processus de dérive sémantique qu'elle lui inflige est exemplaire de sa capacité à répéter la doxa républicaine pour aussitôt l'interpréter dans un sens pernicieux au gré de divers

---

à son parti pour s'élever contre le « fascisme doré » de la finance ou le « fascisme vert » des islamistes.

103. En octobre 2013, Marine Le Pen menace d'intenter un procès à quiconque qualifie son parti d'« extrême droite ». Voir Abel Mestre, « Marine Le Pen tente une bataille sémantique », *Le Monde,* 4 octobre 2013.

104. « C'est quand même pas [*sic*] scandaleux non plus de donner à une femme le choix de garder son enfant ! […] Alors voilà moi je veux juste redonner le choix aux femmes, mais le vrai choix. Le véritable choix » (Marine Le Pen, Forum Sciences Po-ELLE, 4 avril 2012).

amalgames et dévoiements. Personne ne s'offusquera par exemple qu'elle proclame : « Je veux réaffirmer notre modèle républicain et ses valeurs contre le multiculturalisme » ; « je [veux] l'application de la loi, toute la loi, rien que la loi. Je suis pour la liberté religieuse mais je dis que toutes les religions doivent s'exprimer dans le cadre de la loi ». Pourtant le glissement de sens guette : d'une part, elle va étendre abusivement les domaines d'application de la loi de 1905 à tout l'espace public et dénaturer ainsi le concept même de laïcité ; d'une autre, elle va cibler une catégorie unique de contrevenants, les musulmans, bientôt caricaturés en islamistes, voire en terroristes.

En effet, elle formule dans ses propositions de présidentiable en 2012 une conception maximaliste de la laïcité qui, si elle était appliquée, aboutirait à restreindre la libre expression religieuse à la seule sphère privée : « J'interdirai les signes religieux ostentatoires pour les usagers des services publics. Je n'ai pas à connaître la religion de la voyageuse qui est à côté de moi dans le train[105]. » Avant même d'avoir le pouvoir, elle interprète la loi de manière extensive, mais avec suffisamment d'aplomb pour que personne ne la reprenne : elle affirme ainsi péremptoirement que le non-étiquetage de la viande halal, le voile dans les universités ou les prières de rue portent atteinte

105. Marine Le Pen, Nantes, 25 mars 2012. L'idée est martelée sans que les limites de « l'espace public » soient nettement définies: « [...] je demanderai que les services publics administratifs fassent respecter à leurs usagers la même loi qui s'impose à leurs agents : pas de signe religieux ostentatoire. Pas de signe religieux ostentatoire des parents dans les écoles, des allocataires dans les CAF, des usagers dans les préfectures ! » Cette mesure restreindrait donc l'accès aux services publics des minorités religieuses.

à « laïcité[106] ». Cette offensive est aussi électoraliste : c'est au cœur de la campagne présidentielle de 2012 qu'elle monte ces polémiques, se parant des vertus du républicanisme au moment où elle le dévoie.

À cet élargissement de la compréhension du concept correspond une restriction de son extension : plus la loi est large dans ses applications, moins elle semble s'appliquer universellement et plus la « laïcité » version Marine Le Pen révèle son vrai visage de levier contre le communautarisme et plus spécifiquement contre l'islam. La laïcité ne correspond plus dans sa bouche au principe de séparation des Églises et de l'État, conçu pour garantir à la fois la liberté religieuse et la neutralité de l'État, mais comme une arme contre le seul communautarisme musulman, communautés catholiques ou juives n'étant pas citées à comparaître. Ainsi la présidente du Front national s'alarme-t-elle des « prières de rue » et les juge « illégales », mais elle ne s'effarouche nullement des prières publiques menées par l'organisation catholique intégriste Civitas sur le parvis de l'Assemblée nationale le 29 mars 2013 pour démanteler une loi (le mariage pour tous) votée démocratiquement – tentative explicite s'il en est de pression religieuse sur le pouvoir politique qui devrait faire sourciller la championne de la laïcité[107].

Les mots le plus fréquemment associés à « laïcité » sont donc chez elle « violation », « application », « communautarisme », puis viennent « loi », « plier », « revendications »,

106. Même si ces divers phénomènes de société peuvent poser problème, ils ne relèvent pas de la loi de 1905.

107. Une raison supplémentaire pour Marine Le Pen de ne pas s'impliquer dans la « Manif pour tous » est sans doute qu'une telle position en faveur de groupes et de revendications d'origine religieuse entrerait en contradiction avec sa posture prolaïcité.

« paix civile » et « immigration ». Par amalgame, c'est en effet l'immigration extra-européenne qui est visée en dernier ressort. L'association [108] immigration-communautarisme-atteinte à la laïcité est systématique : « Je créerai un ministère de l'Intérieur, de l'Immigration et de la Laïcité » ; « La laïcité sera d'application plus aisée quand nous aurons stoppé l'immigration ». À partir de là, toutes les dérives phobiques sont permises, y compris le dérapage immigration = islamisme = terrorisme. L'affaire Merah fournit à la présidente du Front national l'occasion d'un amalgame par paronomase [109], où elle glisse au gré des consonances communes de « terroriser les quartiers » à « terrorisme intellectuel » et « terrorisme tout court » [110]. La République laïque, idée consensuelle au-dessus

108. De fait, Marine Le Pen tombe sur ce sujet dans l'amalgame généralisé, confondant pêle-mêle immigration, baisse des salaires, multiculturalisme et communautarisme : « Une immigration massive cyniquement utilisée par le grand patronat, par le Medef, par les syndicats, qui ensemble m'ont désignée comme leur adversaire [...] parce que je suis la seule à avoir débusqué leur immonde projet de baisse des salaires et de mise en concurrence généralisée des travailleurs français et d'avènement d'un multiculturalisme destructeur et d'un communautarisme systématique » (Marine Le Pen, Bordeaux, 22 janvier 2012).

109. Sur l'amalgame comme figure de style privilégiée par les leaders du Front national, voir Cécile Alduy, « Mots, mythes, médias : mutations et invariants du discours frontiste », dans *Le Front national : un parti en transition ?*, sous la dir. de Sylvain Crépon, Nonna Mayer et Alexandre Dézé, Paris, Presses de Sciences Po, à paraître (2015).

110. « Je ne veux plus de ces communautés qui cherchent à terroriser la société » ; « La délinquance ne cesse de progresser dans ces quartiers, et elle flirte plus ou moins rapidement, plus ou moins gravement, avec le terrorisme. Sous l'influence de l'islam radical, les plus déterminés passent ainsi de la criminalité au terrorisme intellectuel de leur entourage

de tout soupçon, devient un argument anti-immigration moralement acceptable.

Coup de force sémantique : la laïcité devient même le garant de l'identité *chrétienne* de la France. La charte de la laïcité de Vincent Peillon, alors ministre de l'Éducation, est ainsi attaquée parce qu'il « ne prend pas en compte la réalité de l'histoire de France, la réalité de notre culture. Pour comprendre la nation française, la République française, il faut connaître et admettre ses fondements *chrétiens*[111] ». Sans craindre la contradiction, Marine Le Pen associe souvent dans le même développement christianisme et laïcité : « Je ne détermine pas ma pensée politique en fonction de la religion à laquelle j'appartiens. C'est l'aspect laïc. [...] Mais, en l'occurrence, qu'une religion nouvelle multiplie les revendications qui heurtent les mœurs, les codes, les modes de vie, les habitudes, d'un pays qui est un pays très anciennement fondé sur des valeurs judéo-chrétiennes, oui, ça pose un problème[112]. »

Ainsi Marine Le Pen greffe-t-elle sur des laïus républicains en apparence inattaquables un discours d'extrême droite pur jus, identitaire, islamophobe et anti-immigration. Le discours

---

puis, pour certains, au terrorisme tout court ! » (Marine Le Pen, Nantes, 25 mars 2012).

111. Marine Le Pen, Université d'été, 15 septembre 2013 (notre italique).

112. Marine Le Pen, entretien avec Cécile Alduy, 29 octobre 2013. Ce type de coq-à-l'âne révélateur est fréquent. Voir Marine Le Pen, « Discours de Rouen », 15 janvier 2012, où un passage qui commence par « L'État fort sera le meilleur protecteur de la laïcité » enchaîne sur le refus d'accorder des jours fériés aux autres religions au nom des « racines [de la France] dans le christianisme », « de ses valeurs, l'identité nationale, la laïcité ».

policé est vite doublé par son envers extrémiste, mais il a rempli sa fonction de légitimation morale[113].

Un extrémisme euphémisé

Une deuxième manière de normaliser le discours est de rénover cette fois le vocabulaire frontiste lui-même. Pirater la langue adverse ne suffit pas : il faut aussi travailler sur son propre corpus. Les deux procédés vont dans le même sens : que l'on emprunte à la vulgate politique ses expressions politiquement correctes ou que l'on substitue aux vociférations paternelles un discours plus *soft*, il s'agit dans les deux cas de lisser le discours en surface pour en rendre acceptables les idées sous-jacentes. Dans les deux cas, c'est normaliser la forme pour banaliser le fond.

Toute une série de procédés vont ainsi dans le sens d'une euphémisation des positions du Front national[114]. Dilutions des phrases chocs dans un flot lénifiant, allusions vagues que n'entendront que les *happy few*, flou sémantique, abstraction et reformulations rassurantes des slogans paternels participent de ce phénomène d'atténuation de l'expression. L'idée est de

113. Dans le même ordre d'idées, Marine Le Pen accapare aussi des personnalités politiques ou des autorités scientifiques de l'autre bord : Karl Marx, Victor Schœlcher, Jules Ferry, Jaurès, Marc Bloch du côté des figures républicaines ou socialistes ; Alphonse Allais, Paul Krugman, Jacques Sapir, Norman Palma, Jean-Jacques Rosa chez les économistes, ou encore Emmanuel Todd, Christophe Guilluy et même Hannah Arendt.

114. L'euphémisme proprement dit est l'expression atténuée d'une idée ou d'un fait dont l'évocation directe pourrait déplaire ou choquer. Elle ne concerne chez Marine Le Pen que ses propres propositions.

parvenir à dire quasiment la même chose qu'avant, mais avec un discours qui ne violente pas les sensibilités et paraît dès lors « normal ». Il suffit alors de conserver la puissance de feu du discours lepéniste dans la charge contre les opposants et leur bilan pour faire entendre une voix qui est à la fois antisystème et moralement acceptable.

Dilution et piqûres de rappel

L'atténuation de la puissance polémique du b.a.ba frontiste passe d'abord par une réduction quantitative des mots chocs. On l'a vu, Marine Le Pen utilise dans des proportions moindres des phrases telles que « immigration-invasion », « immigration sauvage », ou même « immigrés ». Elle a banni de son vocabulaire les formules les plus violentes, les jeux de mots nauséabonds et surtout toute expression explicitement raciale ou antisémite. La mise en sourdine de certains thèmes ou expressions ne signifie cependant pas abandon total. Bien au contraire, leur raréfaction rend d'autant plus puissante et significative leur réapparition occasionnelle, qui fonctionne comme un signe de connivence envoyé à la base pour rassurer sur les valeurs partagées[115].

Ainsi Marine Le Pen ne fait mention que quatre fois du mot « barbare », mais quand elle le fait, la piqûre de rappel inocule son venin : « La jeunesse française ne se résume pas aux hordes de barbares qui polluent nos cités[116] », formule qui rappelle les paternelles rodomontades contre « l'hystérie criminelle et délinquante telle qu'elle se révèle [...] dans sa

115. Les militants l'entendent ainsi, qui scandent ses discours d'un « On est chez nous ! », signe que le message est passé même si Marine Le Pen n'exprime pas explicitement ce genre de rengaine xénophobe.

116. Marine Le Pen, Metz, 11 décembre 2011.

barbarie nouvelle ». Jean-Marie Le Pen ajoutait dans la foulée : « Il y a une relation très directe que tout le monde voit entre l'immigration et l'insécurité. » Sa fille, elle, n'a plus besoin de rien ajouter : elle engrange les fruits de la propagande martelée par son père et n'a plus qu'à dire un mot, une phrase, pour évoquer tout un arrière-plan frontiste bien connu de ses auditeurs.

Abstraction

Autre manière d'édulcorer des réalités concrètes peu amènes : parler par concepts abstraits. Là où Jean-Marie Le Pen était volontiers dans l'hypotypose – récit vivide d'une scène prise sur le vif – pour évoquer les menaces qui pèsent sur les Français[117], Marine Le Pen parle chiffres, abstractions, concepts. C'est particulièrement vrai sur les sujets controversés, où elle prend soin de parer toute accusation de xénophobie[118]. Que l'on compare « La France est menacée

117. Un exemple parmi d'autres : « Que penser quand nous apprenons qu'une boulangère de Stains qui, défendant son fils hémiplégique persécuté par une bande de jeunes immigrés, a été matraquée à mort et que les meurtriers ont été mis en liberté provisoire immédiatement par le juge d'instruction ? Que penser quand des commandos, qui se baptisent à tort ou à raison du nom d'une organisation de défense juive, entrent dans une salle [...] et matraquent à coups de barre de fer jusqu'à tuer, je dis bien tuer, puisque la dame de 71 ans, qui a eu une fracture du crâne, est en état de coma irréversible ? » (Jean-Marie Le Pen, 25 mai 1991).

118. Dans les médias nationaux à tout le moins. Sur Independent Film, News and Media, elle conclut son entretien par cette diatribe : « La tolérance, ça veut dire quoi, la tolérance ? Moi je suis extrêmement tolérante. Vous l'êtes vous-même. Est-ce que ça veut dire que vous accepteriez que douze clandestins s'installent dans votre salon ? Et en plus qu'ils changent le papier peint ? Et que même pour certains d'entre

d'une véritable submersion démographique par l'arrivée constante de masses d'immigrés venant du tiers-monde» (Jean-Marie Le Pen, France 2, 17 janvier 2002) aux envolées aux résonances humanistes de la fille: «Dans notre société où le déracinement est érigé en principe, tout concourt à laisser les individus isolés face aux nouvelles barbaries.» (Marine Le Pen, 4 septembre 2010.) Chez elle, ce ne sont plus les immigrés qui ne travaillent pas, mais l'immigration elle-même, manière d'édulcorer la charge xénophobe: «Nous ne pouvons plus supporter la prise en charge sociale d'une immigration qui ne peut pas travailler puisqu'il n'y a pas de travail.» (Marine Le Pen, LCI, 13 mai 2011.) Sur les mesures proposées, Jean-Marie Le Pen ne s'embarrassait pas de précautions oratoires: «Il faut arrêter les pompes aspirantes [...], les gens sauront qu'en venant chez nous ils n'auront ni hôpital, ni école, ni travail...» (Jean-Marie Le Pen, 5 mai 2003.) Sa fille décrit la même chose, mais dans une langue de bois abstraite et valorisante qui élude les conséquences pratiques: «Il faut donc couper ces pompes aspirantes, ne plus rendre notre territoire attractif, c'est ce que j'appelle la politique dissuasive d'immigration, ça m'apparaît la seule qui soit en même temps humaine et efficace[119].»

---

eux, ils volent votre portefeuille et brutalisent votre femme?» (http://independentfilmnewsandmedia.com/france-marine-le-pen-explains-the-problems-and-offers-the-solutions-video/).

119. Marine Le Pen, BFM TV, 16 mars 2012. De même, interrogée sur l'application concrète de sa proposition d'interdire le territoire aux immigrés légaux au chômage depuis plus de six mois dont les enfants seraient français, elle élude: «On verra. On réglera le problème de manière humaine» (entretien avec C. Alduy, 22 avril 2013).

Substitutions lexicales

L'euphémisation passe aussi par un travail de nettoyage du lexique : il s'agit de remplacer le vocabulaire trop stigmatisant du père par des quasi-synonymes plus neutres, plus démocratiques, tout en désignant la même chose[120]. Marine Le Pen se forge ainsi un nouveau langage codé qu'entendront les « anciens » tout en séduisant de nouveaux électorats.

Ainsi quand elle parle de « civilisation française », il faut lire avec pour décodeur les assertions de son père sur le « combat immémorial de la Civilisation contre les Barbares » qui promeut pour idéal « habiter le monde et s'y enraciner [...] être de quelque part, appartenir à une lignée, à une histoire », autrement dit une identité nationale fondée sur l'ascendance généalogique et l'enracinement. L'expression réactive aussi l'image du « clash des civilisations » qui opposerait christianisme et islam, « nous » et « eux ». Parler de « civilisation » plutôt que d'ethnie, de peuple ou de race est un déplacement de faible ampleur, car il semble bien que ce soient les mêmes réalités, les mêmes communautés concrètes antagonistes, que désignent ces mots plus ou moins acceptables. De même, lorsque Marine Le Pen affirme : « Tous les enfants de France ont pour *ancêtres les Gaulois*, non par la génétique, mais par l'amour de la *liberté*[121] », est-ce qu'elle se démarque de son père ou qu'elle le copie, lui qui affirmait

120. Marine Le Pen maîtrise ici parfaitement les leçons de Gustave Le Bon : « Une des fonctions essentielles des hommes d'État consiste à baptiser de mots populaires, ou au moins neutres, les choses détestées des foules sous leur ancien nom », Gustave Le Bon, *La Psychologie des foules*, *op. cit.*, p. 62.

121. Marine Le Pen, « Discours de Nantes », 25 mars 2012.

« le peuple français garde de son vieux *sang gaulois* le goût de la *liberté*[122] » ? Certes, elle affiche intentionnellement son refus d'une conception biologique de la nation, mais c'est cependant le même topos d'une filiation pour le moins mythique entre Français et Gaulois qui ne fait guère de place à d'autres héritages culturels. D'ailleurs, elle ajoute aussitôt : « Laissons la génétique à la gauche qui veut effacer le mot "race" de la Constitution. La législation antiraciste y perdrait tout socle constitutionnel. Au contraire, il faut la renforcer pour lutter contre le racisme antifrançais. » N'est-ce pas reconnaître implicitement que ce concept de « race » lui est utile et même qu'il y aurait une « race française » puisqu'il y a un « *racisme* antifrançais » ? Il semble qu'on soit plutôt passé d'un racisme clairement biologique à un néo-racisme culturel qui ne dit pas son nom.

La substitution lexicale la plus emblématique est sans doute le remplacement de « préférence nationale » par « priorité nationale » et « patriotisme social », moins discriminatoires dans leurs connotations. Justifié par l'adage « J'aime mieux mes filles que mes cousines, mes cousines que mes voisines, mes voisines que des inconnus et les inconnus que des ennemis » que Jean-Marie Le Pen répétait à l'envi, le mot « préférence » évoque l'idée d'un goût subjectif, d'une opinion partiale, et d'un privilège accordé à certains par le simple fait de leur naissance. Il n'y a pas de fils préféré sans fils délaissé et sans soupçon d'injustice et d'inégalité de traitement. Aveu et proclamation d'un penchant personnel et arbitraire, sentimental plus que raisonné, la « préférence » pèche par son manque de fondement objectif et sa négation du principe d'égalité. S'y lisent en filigrane des principes structurants de l'idéologie

122. *La Lettre de Jean-Marie Le Pen*, 1er février 1992.

d'extrême droite : le refus de l'égalitarisme, la revendication d'une communauté fondée sur l'ascendance, l'affirmation sous-jacente d'une décision arbitraire qui discrimine (fait du prince ou du peuple) et une dimension inclusive et exclusive fondatrice du discours xénophobe. À l'inverse, « priorité » sent le volontarisme, le management efficace et rationnel, le sens des enjeux et la capacité à cerner objectifs collectifs et moyens pour les atteindre. Il évoque aussi un sentiment d'urgence qui justifie au nom de l'intérêt national des mesures radicales. Là où « préférence » s'applique aux personnes concernées (qui est préféré) et sent le privilège, « priorité » renvoie au principe supérieur qui dicte ce choix, à l'ordre des impératifs qu'un leader compétent doit savoir fixer. Il suggère une capacité à discerner plutôt qu'à discriminer.

Le remaniement lexical ne s'arrête pas là : « La priorité nationale n'est rien d'autre qu'un protectionnisme social. Un patriotisme social », affirme Marine Le Pen[123]. La préférence nationale s'affiche à présent comme le volet social logique d'un « patriotisme économique » que plus personne ne conteste : elle devient choix d'une politique sociale contre le libéralisme, principe d'intérêt général (le patriotisme) ancré dans des valeurs morales de protection plutôt que de discrimination.

Dans ce jeu de substitutions, la « préférence nationale » paternelle est en apparence reléguée aux oubliettes. Pourtant le contenu effectif du nouveau label « priorité nationale » est strictement identique à l'ancien. L'euphémisation touche le mot, non le contenu, aussi radicalement discriminatoire que précédemment. Il faut donc se demander si, au-delà du changement de vocabulaire, les fondements idéologiques ont changé.

123. Marine Le Pen, « Discours de la galette des Rois », 6 janvier 2012.

Le père justifie sans ambages la « préférence nationale » par une vision explicitement xénophobe et généalogique de la population : « Nos compatriotes, en effet, ont, dans leur pays, des droits préférentiels issus du labeur de leurs pères et de leurs grands-pères, de la sueur de leurs ancêtres, et à ce titre le dernier des chômeurs français a plus de droits que n'importe quel étranger, qu'il vienne d'Europe ou du reste du monde. » On est dans le déterminisme historique, génétique et identitaire, et la revendication d'un espace vital « naturel » : « Affirmons haut et fort que cette terre de France est à nous, et que jamais elle n'appartiendra aux autres peuples qui la convoitent ! Non à l'immigration de peuplement ! Non à l'invasion ! La France et les Français d'abord ! Vive la préférence nationale, totale, intégrale, maximale[124] ! »

La fille ne se contente pas d'euphémiser l'expression : elle adoucit son appareil de légitimation, jusqu'à tenter de faire passer pour égalitaires un ensemble de mesures discriminatoires. Ainsi insiste-t-elle régulièrement sur l'universalité de la priorité nationale, prenant à contre-pied le préjugé de racisme porté à son encontre – universalité au sein de la population française, s'entend : « Je veux *partout* la priorité nationale pour les Français, pour *tous* les Français, sans considération de religion ou d'origine[125]. » Alors qu'elle ne fait qu'expliciter une garantie constitutionnelle qu'elle ne saurait guère contourner, sa déclaration semble déplacer le curseur qui délimite appartenance et exclusion. C'est pourtant toujours

124. Jean-Marie Le Pen, Marseille, 3 mars 2007, et Paris, 1er mai 2009.

125. Marine Le Pen, Nantes, 25 mars 2012 (notre italique). De même, c'est le champ sémantique de l'égalité qu'elle adopte pour expliquer la priorité nationale sur Canal + : « L'idée, c'est de dire quoi ? C'est de dire : à compétences égales, je veux donner une priorité d'accès à l'emploi aux Français en France » (Marine Le Pen, LCI, 12 janvier 2012).

une logique binaire qui sépare en catégories étanches exclus et inclus, discriminés et privilégiés, ayants droit et sans-droits. D'ailleurs, deux phrases plus loin elle réaffirme qu'il y a de bons et de moins bons Français : « Je veux que l'assimilation redevienne la règle et l'unité de la patrie un aboutissement [...]. Je ne veux plus de ces communautés qui cherchent à terroriser la société[126]. » Elle parvient ainsi à coucher dans le vocabulaire égalitariste et universaliste une mesure qui dévoie ces mêmes principes en créant au sein de la population une sous-catégorie d'habitants sans droits.

Jean-Marie Le Pen était dans l'attaque idéologique frontale contre les principes antidiscriminatoires de la gauche. Sa fille, elle, a intégré la victoire morale du camp égalitariste dans les années 1970-1980 et en reprend le vocabulaire, mais pour mieux en saper les fondements puisqu'elle réserve cette rhétorique de justice sociale aux Français seuls, Français qui seront de moins en moins nombreux à pouvoir le devenir autrement que par l'ascendance, étant donné qu'elle souhaite restreindre *jus soli* et naturalisations.

Allusions

L'allusion, qui permet d'évoquer une chose ou une idée sans dire explicitement son nom, est particulièrement efficace pour tenir ensemble normalisation de surface et radicalité de fond. Comme pour le mot codé proprement dit, on est ici en plein double discours, car le sens se dédouble entre expression en apparence anodine et contenu implicite, qu'un public averti lira entre les lignes sans que le reste de l'auditoire entende les sous-entendus, parfois tendancieux, ni que l'on puisse censurer

126. *Ibid*.

ce type de discours qui procède du non-dit[127]. L'allusion peut couvrir d'un voile plus ou moins transparent le cliché le plus commun jusqu'aux stéréotypes les moins dicibles. Ainsi, quand la présidente du Front national fustige « le renoncement devant les revendications liberticides de minorités qui cherchent à nous imposer leurs valeurs », tout le monde entend de quelles « minorités » il s'agit. Plus anxiogène, plus pernicieux : « Cet abîme, mes amis, c'est celui de la ruine, de l'invasion, de l'asservissement et de la disparition en tant que peuple et en tant que nation. » Qui envahit ? Qui asservit ? Marine Le Pen évite ici de désigner des boucs émissaires, mais continue de capitaliser sur la peur de l'autre.

Plus retorses sont les allusions subreptices à un corpus xénophobe, voire antisémite, sous couvert de dénigrer les conséquences de la mondialisation. Lorsqu'elle fustige les « puissances de l'argent », le « capitalisme [...] transnational », les « féodalités financières, politiques, religieuses », la « dictature de la finance et des banques », les « usuriers » et « spéculateurs qui ont pris le pouvoir dans le monde », ou la « classe mondialisée de riches oisifs accaparant toujours plus de biens », certains reconnaîtront une petite musique familière, fort ancienne, que l'on retrouve par exemple dans un ouvrage d'Alphonse Toussenel de 1845. Même dénonciation de la « *féodalité financière* », de « *la puissance de l'argent* », de l'« *usurier* parasite, [de] *l'oisif* », de la « *spéculation* cosmopolite » responsable de « *l'accaparement* des *richesses* » ou d'un « *despotisme* du capital ». Le titre de l'ouvrage de Toussenel ?

127. Voir Oswald Ducrot, *Dire et ne pas dire*, Paris, Hermann, 1972 ; Catherine Kerbrat-Orecchioni, *L'Implicite*, Paris, Armand Colin, 1986.

*Les Juifs, rois de l'*époque[128], qu'Édouard Drumont, auteur de *La France juive,* préface élogieusement en 1886.

Certes, on ne fera pas l'erreur d'accuser Marine Le Pen elle-même d'antisémitisme. Mais il est indéniable qu'elle se fait l'écho de clichés et d'expressions dont la longue histoire puise aux sources des différents courants d'antisémitisme français[129]. Qu'elle déplore « cette France autrefois glorieuse et indépendante, aujourd'hui asservie par les puissances financières », et c'est la préface de Drumont à l'ouvrage de Toussenel qui résonne : « [...] quand une nation qui a été grande, qui a été fière, qui a été glorieuse, est obligée d'aller chercher ses chefs, ses maîtres, ses guides, dans les arrière-boutiques de la finance, elle tombe de chute en chute dans les mains crochues des usuriers ». De *Présent* à *Rivarol* et à *La Lettre de Jean-Marie Le Pen* des années 1980-1990, la littérature d'extrême droite use de mots-clés[130] – « cosmopolite », « apatride », « finance vagabonde et anonyme », « lobbies », « élite politico-médiatique » – et de lieux communs (la presse « asservie » aux puissances d'argent, donc aux juifs ; la France saignée par ces étrangers « oisifs »)

128. Alphonse Toussenel, *Les Juifs, rois de l'époque. Histoire de la féodalité financière,* Paris, 1845 [rééd. avec une préface d'Édouard Drumont, Paris, 1886]. Toussenel représente le courant anticapitaliste de l'antijudaïsme de cette période.

129. Voir Marc Angenot, *Ce que l'on dit des juifs en 1889 : antisémitisme et discours social,* Saint-Denis, Presses universitaires de Vincennes, 1989 ; Grégoire Kauffmann, Pierre-André Taguieff et Michaël Lenoire, *L'Antisémitisme de plume, 1940-1944 : études et documents*, Paris, Berg, 1999.

130. Voir Ruth Amossy, « Israël et les juifs dans l'argumentation de l'extrême droite : doxa et implicite », *Mots*, mars 1999, n° 58, p. 79-100 ; et Pierre-André Taguieff, « La nouvelle judéophobie : antisionisme, antisémitisme, anti-impérialisme », *Les Temps modernes*, n° 520, nov. 1989, p. 1-80.

pour désigner obliquement la figure honnie du juif errant et surpuissant, usurier d'autrefois et banquier d'aujourd'hui, sans allégeance autre qu'à sa communauté et donc toujours soupçonné d'être traître à la nation. Sans désigner explicitement de coupables, Marine Le Pen reprend par allusions ces clichés. Ainsi de ses attaques contre l'incontournable « caste politico-médiatique » : « La presse passe de plus en plus aux mains de fonds d'investissement à la nationalité et aux intentions peu lisibles » ; « Les puissances de l'argent, des médias, de la banque dont nous savons tous qu'elles sont liées ». Chaque auditeur comblera les blancs[131] avec le nom de l'ennemi qui l'obsède plus particulièrement (juifs, francs-maçons, banquiers). Marine Le Pen peut ainsi donner des gages idéologiques à sa base, qui entendra à demi-mot ce qui se dit sous les allusions sibyllines[132], sans pouvoir être elle-même accusée de racisme.

Elle prend d'ailleurs soin de moderniser ce vocabulaire codé issu de l'extrême droite pour en élargir les résonances et le laver de tout soupçon : ce n'est plus la classe « cosmopolite » ou l'« économie apatride » de son père, mais l'« hyper-classe mondialisée » ou les « élites nomades », expressions synonymes des précédentes, mais vagues à souhait et donc propres à toutes les projections. L'avantage de cette modernisation lexicale est

131. Elle donne parfois des noms, qui là encore évoquent des cibles récurrentes de l'antisémitisme de plume : « Édouard de Rothschild, actionnaire de référence de *Libération* », « Matthieu Pigasse, patron de la banque Lazard, soutien de Dominique Strauss-Kahn et actionnaire important du *Monde* » ; et quand elle stigmatise les banques, c'est Goldman Sachs qui est citée.

132. « L'allusion emporte d'autant mieux l'adhésion de son public de prédilection qu'elle lui donne le sentiment d'appartenir au groupe des élus » (Ruth Amossy, « Israël et les juifs dans l'argumentation de l'extrême droite : doxa et implicite », art. cité, p. 82).

double : elle évite d'une part de tomber dans un antisémitisme transparent et agressif tout en capitalisant sur un sous-texte complotiste que le lecteur de *National Hebdo* entendra selon sa propre grille de lecture ; d'autre part, elle synthétise dans la figure vague et répulsive de l'« hyper-classe mondialisée » les hantises de l'extrême gauche et de l'extrême droite réunies. Ce néologisme est une trouvaille particulièrement judicieuse[133] : avec le mot « classe », il s'ouvre à gauche ; avec « mondialisée » il s'adresse aux pourfendeurs du « mondialisme » de droite comme de gauche, tandis que le préfixe « hyper- » situe la démesure du côté des élites et de la finance, ennemis communs des extrêmes populistes que le Front national veut rallier[134].

L'efficacité de la rhétorique allusive de Marine Le Pen consiste ainsi à construire un texte palimpseste : elle offre les mots-clés d'un sous-texte implicite dans lequel se reconnaîtra à demi-mot l'extrême droite traditionnelle tout en laissant son texte suffisamment ouvert et flou pour que s'y reconnaissent aussi l'ultragauche anticapitaliste ou l'électeur de base, sans

133. Le terme « hyper-classe » apparaît dans un article du *Monde diplomatique* de 1998, puis dans un livre de politique-fiction de Jacques Attali honni par Marine Le Pen, mais il est récupéré par la mouvance soralienne et par le Front national autour de 2010-2011. Denis Duclos, « Une nouvelle classe s'empare des leviers du pouvoir mondial. Naissance de l'hyper-bourgeoisie », *Le Monde diplomatique*, août 1998, p. 16-17 ; Jacques Attali, *Une brève histoire de l'avenir*, Paris, Fayard, 2006.

134. Marine Le Pen forge également « hyper-capitalisme », « hyper-puissants », « hyper-caste », « l'hyper-capitalisme transnational », qui fonctionnent sur le même double registre d'un anticapitalisme qui pourrait rallier les extrêmes. À noter que son père, anticommuniste dans l'âme, n'utilise jamais « classes » dans une acception marxiste, sauf pour nier leurs conflits éventuels : « Toutes les classes de la société se coudoyaient dans un grand élan de ferveur et de solidarité » (Jean-Marie Le Pen, *La Lettre de Jean-Marie Le Pen*, 15 mai 1989).

que Marine Le Pen elle-même puisse être taxée d'antisémitisme. C'est la même sédimentation allusive qu'elle utilise lors de sa déclaration sur « l'occupation » de l'espace public par les prières de rue : avec ce mot chargé d'histoire que son père a déjà investi de manière polémique en affirmant que l'occupation allemande n'avait « pas été particulièrement inhumaine », Marine Le Pen donne des gages de crédibilité interne et externe : interne, car par allusions elle se situe dans la droite ligne de son père et de sa rhétorique d'inversion des rôles entre persécuteurs et persécutés, et externe, car évitant tout révisionnisme explicite, elle fait mine de prendre au sens purement littéral le mot « occupation », qu'elle déplace vers l'islam, nouvelle menace. Elle fait ici d'une pierre deux coups, et même trois, car c'est aussi une leçon de stratégie communicationnelle adressée au père. Elle montre ici combien il est important de maîtriser les signes et leurs connotations et de jouer sur deux tableaux plutôt qu'un.

Logiques argumentatives

Au-delà des mots, c'est aussi l'ordre des arguments qui change et influe sur la réception, plus positive, des discours de Marine Le Pen. L'analyse linéaire des textes révèle une nouvelle hiérarchisation des thèmes abordés en meeting. Couplée à la rhétorique de l'allusion soulignée précédemment, cette réorganisation revient à mettre au second plan les thèmes attendus et à déjouer l'image caricaturale d'un Front national obsédé par l'immigration seule : l'effet de surprise aidant, l'oratrice gagne en crédibilité et en capital sympathie. Elle semble dire quelque chose de nouveau, alors qu'elle a simplement remixé des motifs anciens.

Il suffit de comparer le discours d'investiture de janvier 2011 et un discours de Jean-Marie Le Pen pris au hasard, par exemple celui prononcé à Saint-Cloud le 11 février 2001. Ce dernier, après avoir rappelé le slogan du Front national de 1983 (« Chômage – immigration – insécurité – fiscalisme – laxisme moral : ras le bol ! »), dénonce tout d'abord une « insécurité endémique », puis en passe en revue les causes, la première d'entre elles étant « incontestablement l'immigration de masse » (viennent ensuite la décadence morale, la corruption, le laxisme judiciaire, l'insuffisance des effectifs de police). Il annonce dans un troisième temps les mesures sécuritaires musclées que ce diagnostic appelle. Au moment où elle prend les rênes du parti, Marine Le Pen va à rebours des attentes du public. Elle aussi fait un diagnostic sévère, mais elle délaisse les thèmes traditionnels du Front national pour déplorer avant tout « l'injustice généralisée » et « le règne déchaîné de l'argent », thèmes populistes qui dépassent le clivage gauche/droite, mais aussi « le saccage de nos paysages et de notre qualité de vie », « la marchandisation de notre culture », et enfin, seule allusion sibylline à l'immigration, « les revendications liberticides de[s] minorités ». Viennent ensuite les solutions, « la remise en ordre de l'État-nation », « la revitalisation de la démocratie par la participation des citoyens » et « une politique fiscale et sociale efficace et juste ». Autrement dit, un catalogue de griefs et de solutions consensuels, rassembleurs, loin de la stigmatisation de boucs émissaires ou du repli identitaire : qui ne serait pas d'accord sur le principe avec ces annonces ?

Voilà pour la *captatio benevolentiae*, entrée en matière destinée à capter la bienveillance de l'auditoire. Marine Le Pen déploie alors son art des enchaînements subreptices, d'autant plus efficaces qu'ils sont elliptiques. Premier temps : un glissement idéologique de la réaffirmation de l'État à celle de la nation et du « peuple français », menacés par le double péril du « communautarisme », évoqué une seule fois, et surtout de l'Europe de Bruxelles, vilipendée en une longue diatribe europhobe. Une métaphore allusive scelle l'alliance imaginaire de ce double ennemi : « La France n'est pas un califat, elle ne l'a jamais été, elle ne le sera jamais. » Sans jamais prononcer les mots « islam » ni « immigration », elle convoque par la métaphore du « califat » un topos d'extrême droite, l'islamisation de l'Europe, et la perte de souveraineté de la France sous l'emprise de l'Union européenne. Deuxième temps, l'éloge de « l'État contre l'oppression du désordre » dans les domaines moral, économique, social, culturel : institution d'une morale d'État irréprochable, lutte contre la délinquance, « patriotisme économique et patriotisme social » (c'est-à-dire une « préférence nationale » qui n'avoue pas son nom), réaffirmation d'une identité collective (famille, peuple) contre la logique de grande consommation qui isole les individus. Tout cela se conclut par l'alternative « mondialisme »/« nation » qu'illustre un dernier rôle de l'État, la défense des « principes républicains et en tout premier lieu de la laïcité ».

L'ellipse et le sous-entendu jouent à plein : l'immigration est à peine citée et jamais développée comme thème en tant que tel. Pourtant, les enchaînements argumentatifs la désignent comme source de nombreux maux : pour s'attaquer aux délinquants et à la drogue, il faudra une réponse « administrative pour les reconduites systématiques à la frontière » ; « *aucun* culte ne doit empiéter sur la sphère publique », mais ce sont uniquement des exemples liés à la foi musulmane qui sont cités (horaires de piscine, viande halal, mosquées) ; d'ailleurs « les principes contenus dans notre devise nationale Liberté/Égalité/Fraternité [...] ne sont rien d'autre que les principes *chrétiens* sécularisés ».

Ainsi l'immigration est rarement le premier thème avancé dans les discours de Marine Le Pen. Les arguments consensuels qui font écho à des principes fortement intégrés dans la culture française (laïcité, État-providence, démocratie) ou les slogans populistes au large potentiel de séduction (pouvoir du peuple par le peuple pour le peuple ; lutte contre l'argent et les injustices sociales) constituent l'armature visible du discours et sont mis en avant. La xénophobie explicite est diluée, voire bannie : sous-jacente, elle informe pourtant l'imaginaire de ce « nous » dont l'identité est constamment présentée comme menacée.

L'analyse rhétorique distingue cinq parties dans la construction argumentative d'un texte : l'*inventio* (ou découverte des idées, qui répond à la question « que dire ? »), la *dispositio* (mise en ordre ou plan du discours – « dans quel ordre ? »), l'*elocutio* (en grec *lexis,* le choix des mots et figures – « comment ? »), l'*actio* (la performance de l'énonciateur), auxquels les Romains ajoutent *memoria* (mémorisation du texte à dire). Si l'on analyse les différences entre le discours du père et celui de la fille selon les quatre premières catégories (idées, hiérarchie des arguments, choix des mots et performance), on pourrait dire que Marine Le Pen tire son *inventio* essentiellement de son père et de quelques sources nouvelles qu'elle panache de manière hétéroclite ; qu'elle choisit une disposition originale qui place au second plan les thèmes clivants, y compris l'immigration ; qu'elle s'est attelée à un nettoyage lexical du discours paternel et au piratage de mots d'autres traditions politiques ; et qu'elle joue à fond la carte de la performance publique, où elle a peaufiné une *persona* souriante, moderne, pédagogique et moins agressive que l'image de légionnaire de son père. Elle sort gagnante sur tous les tableaux de cette stratégie rhétorique globale.

Ainsi, l'analyse lexicale nous conduit à conclure qu'en dépit de son apport sur les thématiques économiques et l'abandon des références raciales explicites, Marine Le Pen n'a pas fondamentalement altéré le logiciel de pensée frontiste : sa version en actualise la présentation et le vocabulaire, non le fond idéologique. Mais en politique, à l'heure de la surmédiatisation de la moindre repartie, un changement de forme peut beaucoup. La nouveauté de son discours tient moins à un *aggiornamento* idéologique qu'à la mise en forme neuve du corpus hérité et aux manipulations sémantiques qu'elle opère pour toucher de nouveaux électeurs.

En procédant à une sorte d'« entrisme » lexical où elle emprunte le vocabulaire de ses adversaires, et notamment républicains et de gauche, pour le retourner contre eux et le pirater, elle parvient à parler une langue suffisamment élastique pour s'adresser à des électorats qui dépassent sa base traditionnelle. Dans le même temps, elle manipule les mots et leur aura symbolique pour adoucir le ton et par là même banaliser ses propres thèses. En ce sens, la normalisation du discours, c'est ne reprendre les mots du discours républicain que pour leur faire dire les mêmes thèses frontistes qu'autrefois. C'est capter l'aura symbolique de quelques vocables clés sans rien renier sur le fond.

Certains mots sont donc utilisés comme des gages donnés à tel ou tel segment de l'électorat : mots-gages « de gauche », humanistes ou républicains tels que « laïcité », « liberté », ou « grand patron » qui voient ensuite leur sens perverti par amalgame et extension abusive ; mots-gages d'extrême droite aussi, cette fois utilisés avec parcimonie pour rendre hommage par allusions à un socle idéologique inchangé (« identité »,

« valeurs », « racines », « vie ») et opérer comme une piqûre de rappel. Ces mots-gages sont davantage des signaux communicationnels que des signes dénotatifs simples : ils servent moins à dire quelque chose de précis qu'à afficher des valeurs d'appartenance et des symboles identificatoires. À l'inverse, d'autres mots sont utilisés non pour faire signe ou afficher une couleur politique, mais pour masquer : ils servent à atténuer le caractère polémique d'une position ou à édulcorer en surface la radicalité du discours. Cette stratégie de séduction en douceur aboutit à un paradoxe : l'extrémisme se cache à présent sous les traits de l'euphémisme. Marine Le Pen entend ainsi gagner non par le scandale, mais par insinuation.

II

Mythologies

« Nos enfants doivent connaître par cœur l'histoire de France, ses frises, ses mythes, ses permanences. Ils doivent la vivre : nos rois, la République, les guerres, nos grands hommes ! »

Marine Le Pen, Rouen, 15 janvier 2012

« Le mythe prive l'objet dont il parle de toute histoire. [...] Car la fin même des mythes, c'est d'immobiliser le monde. »

Barthes, *Mythologies*

L'analyse lexicale de la première partie a permis de rendre compte des évolutions de surface, rhétoriques et thématiques, qui expliquent l'impression d'une normalisation de la parole frontiste sous l'égide de Marine Le Pen : les mots et leurs constellations nous guidaient pour appréhender la rénovation du discours et ses limites. Cette deuxième partie s'attache cette fois à décrypter les signifiants profonds de ces discours, tant au niveau des mythes convoqués que des figures de style et de pensée qui les expriment et du système anthropologique qui les sous-tend. Il s'agit d'explorer un imaginaire et ses figures, composants essentiels de l'attractivité du Front national.

En effet, la force du discours frontiste est d'abord et surtout d'offrir un modèle d'intelligibilité du monde qui résonne bien au-delà de son programme de mesures concrètes. En réactivant un ensemble d'archétypes narratifs et de figures légendaires à forte valeur symbolique, il articule en un récit cohérent les fragments épars d'un monde contemporain dont les clés nous échappent et les relie à un passé collectif structurant. Au lieu d'exposer uniquement des principes abstraits, il les incarne dans des personnages immémoriaux et des histoires exemplaires. Loin de n'offrir qu'une pauvre comptabilité gestionnaire du réel, il fait rêver en s'inscrivant dans la geste d'un peuple dont il s'érige en légataire. Sa rhétorique même trahit une certaine conception des rapports sociaux, fondés sur l'antagonisme et l'antithèse, ou du leader politique, investi d'une mission prophétique transcendante. Ainsi appréhendé dans ses structures imaginaires, le discours de Marine Le Pen et de son père avant elle apparaît comme une parole politique qui crée de l'identité collective et dessine l'espace d'une action possible qui ait du sens – quitte, pour ce faire, à exclure du groupe des « élus » tout un pan de la société ou à réécrire l'Histoire.

Ce sont ces mythes politiques, au sens où l'entendaient Raoul Girardet[1] et Roland Barthes[2] avant lui, qu'il s'agit de cartographier ici afin d'en mesurer l'efficacité rhétorique, le potentiel mobilisateur et d'en expliciter l'idéologie sous-jacente. Il s'agira aussi, dans une perspective historique, de mesurer continuités et évolutions entre Jean-Marie Le Pen et sa fille : de quoi hérite-t-elle, que modernise-t-elle, qu'abandonne-t-elle et comment incarne-t-elle à travers sa propre

1. L'étude de référence reste ici Raoul Girardet, *Mythes et mythologies politiques*, Paris, éd. du Seuil, 1986.

2. Roland Barthes, *Mythologies*, Paris, éd. du Seuil, 1957.

persona de femme moderne et combattante des figures de référence telle Jeanne d'Arc ? Sémiologie politique et mythologie fourniront ici les outils propres à décrypter les récits implicites qui structurent la *Weltanschauung* (conception du monde) lepéniste et son style propre, répétitions, antithèses, tautologies et autres traits de langue récurrents étant autant de signes révélateurs.

MYTHÈMES

Comment s'articulent les différents thèmes de prédilection de la présidente du Front national pour construire une cosmologie, une vision de l'homme et de sa place dans le monde, des rapports et des groupes humains, des processus historiques et du politique comme champ d'action et de parole ? La grande force de Marine Le Pen tient à sa capacité à raconter une histoire à partir des données arides de l'analyse économique, à dégager un récit de l'accumulation effrénée de nouvelles éphémères. Comme son père avant elle, la cohérence inébranlable de sa vision du monde lui sert de filtre pour lire tout événement, toute configuration géopolitique et en offrir immédiatement une analyse historique globale qui dépasse l'anecdotique. Faisant du structuralisme sans le savoir, elle dégage des données politiques ou économiques ponctuelles un schéma archétypal plus large, qu'il soit tiré du passé ou qu'il relève de la grille d'analyse binaire qui structure son appréhension des forces en présence à tout instant.

Cette traduction ou reconfiguration permanente du réel en archétypes narratifs – les mythèmes – donne une navrante impression de ressassement, et, par rapport à son père, de répétition servile : roman national cyclique où alternent grandeur, décadence et sursaut, ce dernier assuré par l'homme – ou la femme – providentiel ; Âge d'or infiniment regretté (des Trente Glorieuses pour Marine Le Pen, de l'Ancien Régime pour son père) et apocalypse perpétuellement annoncée ; mythes politiques (le Peuple, le Chef, l'Unité, le Complot), bibliques et religieux (le Diable, le Prophète, la Croisade) ; hiérarchies sociales et familiales archétypales (le maître, le père, l'étranger, etc.), le tout dramatisé par un discours qui emprunte aux genres de l'épopée, de la harangue et de la prédication. Cette litanie sature les discours des Le Pen père et fille.

Ces mythèmes transhistoriques ne sont pas propres au national-populisme ni à l'extrême droite, et c'est bien là leur force. Au fil des ans s'y sont même greffés des mythes originellement « de gauche » : le Peuple, la Résistance et la République des Justes, vertueuse et laïque. L'avantage rhétorique de ces récits matriciels est qu'ils ne se démodent jamais[3] et parlent à tous une langue commune, car profondément enracinée dans l'inconscient collectif. C'est la force propre des mythes que de traverser les époques et de nourrir les représentations collectives, jusque dans les productions les plus récentes de la culture populaire. Âge d'or, désastre dû aux forces du mal et aux trahisons, rédemption grâce au Sauveur ; en cette intrigue archétypale résonnent aussi bien les grands mythes bibliques (l'Éden, la Chute, le Christ rédempteur) et antiques (gloire et décadence de Rome, césarisme) que le synopsis obligé de tant d'œuvres de fiction ou de science-fiction,

3. Voir Pierre-André Taguieff, « Nationalisme et réactions fondamentalistes en France. Mythologies identitaires et ressentiment antimoderne », *Vingtième Siècle. Revue d'histoire*, n° 25, janvier-mars 1990, p. 49-74 : « Ce discours sur la décadence fait partie de l'offre idéologique permanente du Front national [...] : cette mythologie ultrapessimiste permet, par son indétermination même, de stigmatiser n'importe quelle situation sociopolitique, qu'on soit sous Pompidou, sous Giscard ou sous Mitterrand » (p. 64).

d'*Yvain* à *Batman*. Ces récits types ne sauraient donc être balayés du revers de la main comme de simples fictions[4]. Il ne s'agit pas ici de critiquer la pertinence de ces mythèmes au regard de la connaissance historique érudite, mais de les considérer, si fictifs soient-ils, comme partie intégrante de l'identité politique offerte par le Front national à ses électeurs, et donc de son attractivité. Dans un contexte de déficit d'intelligibilité du monde et de raréfaction des repères stables d'un ordre symbolique, cet imaginaire et sa remarquable permanence à travers le temps nous semblent des éléments fondamentaux, quoique rarement étudiés pour eux-mêmes, de la communauté politique idéelle et réelle que forgent les leaders du Front national par leur discours. Quelle que soit leur valeur de véridicité, ces récits créent une « communauté imaginaire » (autre nom de la nation selon Benedict Anderson[5]) où le langage offre un capital identitaire compensatoire là où l'action politique n'offre que peu d'espoirs.

Décadence et renaissance

Millénarisme

La « décadence » est la pierre de touche du discours lepéniste. Sa cosmologie est avant tout une eschatologie, c'est-à-dire un

4. L'imaginaire étant la première force de manipulation des foules selon Gustave Le Bon et le discours politique n'étant que discours, c'est-à-dire représentation partiale de l'Histoire, la distinction fiction/réalité est peu opérante. Sur le « déficit chronique d'ordre symbolique » dans la société capitaliste depuis la fin du XIXe siècle, voir Alain Bihr, *L'Actualité d'un archaïsme : la pensée d'extrême droite et la crise de la modernité*, Lausanne, Page deux, 1998.
5. Benedict Anderson, *Imagined Communities : Reflections on the Origin and Spread of Nationalism*, Londres, Verso, 1983.

discours sur la fin des temps. Dans ce millénarisme permanent, la fin de la France est annoncée… depuis la naissance du Front national : « La nation française est aujourd'hui menacée par le communisme et plus encore par la décadence de l'Occident », prévient Jean-Marie Le Pen en 1972. Le programme de 1973 développe ce qui va devenir une antienne juteuse : « Il paraît […] difficile d'arrêter le processus de décadence intellectuelle, morale et physique où nous sommes engagés. Cette décadence est aujourd'hui le péril majeur qui guette la France. Elle mine l'individu. Elle détruit la famille. Elle affaiblit la Nation. Elle ronge les principes sans lesquels les communautés disparaissent dans le chaos de l'intérieur ou la mainmise de l'étranger, à savoir : l'autorité, les libertés, la responsabilité, le courage, le goût de l'effort, le respect du travail, la propriété individuelle[6]. »

Si Marine Le Pen abandonne le terme de « décadence[7] », aux résonances trop archaïques et moralisantes pour une société postsoixante-huitarde dont elle fait pleinement partie, elle reprend le schéma millénariste et eschatologique de son père, jusqu'à utiliser les mêmes images[8] et le même vocabulaire

6. Jean-Marie Le Pen, *Programme du Front national,* 1973 (document original transmis par Valérie Igounet). La théorie du complot apparaît déjà avec la « mainmise de l'étranger » et « la dissolution des règles de vie collective, minées par une subversion avouée ou implicite » *(ibid.*).

7. Elle s'abstient complètement d'utiliser en public ce mot qui apparaît à l'inverse 108 fois chez son père. On en trouve cependant des vestiges dans la « société décadente et égoïste » du programme du Front national de 2012 et sous la plume de Marine Le Pen dans son livre-programme de la même année (« la dégradation de l'école est […] une des manifestations de la décadence qui serait le destin obligé de toute société » [*Pour que vive la France*, Paris, Grancher, 2012, p. 111]).

8. Par exemple celle d'une descente aux enfers (« La France sera au printemps 2007 face à un dilemme : continuer sa descente aux enfers

ultraviolent. Jamais à court d'hyperboles, elle dresse un tableau terrifiant de la France : « déliquescence », « délitement », « décrépitude », « catastrophe », « chaos », « anarchie », « faillite », « cataclysme », « anéantissement », et leur cortège de « fléaux », de « gangrène », de « hordes de barbares »... Il n'est guère que le terme d'apocalypse que Marine Le Pen ne reprenne pas de son père. Le danger n'est rien moins que « la fin, le désert, la mort[9] », « la lente agonie [de la] France[10] » :

> Voilà ce qui nous mène à cette forme misérable d'inertie et de décrépitude que chacun ressent lorsqu'il pense à notre pays, à ce terrible sentiment que rien ne peut plus l'extraire de ce long et douloureux chemin vers l'anéantissement.
> Voilà ce qui nous invite à cette terrible pensée : l'idée que la *fin de la France* serait désormais plus probable que son redressement.
> Rien ne change et chaque jour un peu plus le pays s'enfonce dans le sentiment d'un déclin inexorable, d'une perte d'influence, d'une rétrogradation, d'une descente aux enfers présentée comme inéluctable[11].

Dans ce passage représentatif, tout concourt à susciter terreur et sentiment du tragique : litanie d'adjectifs sinistres (« misérable », « terrible », « douloureux », « inexorable »,

---

ou par un sursaut salvateur s'engager dans les voies de la Renaissance nationale » [Jean-Marie Le Pen, 1er mai 2006] ; « Ce long et sombre tunnel d'une descente aux enfers » [Marine Le Pen, 1er mai 2013]) ; d'une « nuit » où serait plongée la France (« S'il est vrai que c'est la nuit qu'il est beau de croire à la lumière, nous savons que la lumière reviendra » [*La Lettre de Jean-Marie Le Pen*, 15 octobre 1989] ; « dans ces temps obscurs, dans cette nuit de la France, il est temps de montrer une lumière aux Français. [...] C'est la lumière d'une renaissance de la Nation et du peuple français » [Marine Le Pen, 1er mai 2013]).

9. Marine Le Pen, « Discours de Merdrignac », 20 avril 2012.

10. Marine Le Pen, Discours du 1er mai 2013.

11. Marine Le Pen, « Discours de Bordeaux », 22 janvier 2012.

« inéluctable »), adverbes et pronoms de l'absolu qui ne laissent place à aucune nuance dans ce tableau universellement noir (« rien », « chaque jour », « chacun »), pronom collectif « nous » qui embarque spectateur et locutrice dans un même destin dramatique[12].

Cette prophétie répétitive d'une disparition imminente de la France fonctionne comme une sorte de chantage moral à destination de l'auditoire, sommé d'accepter sa propre ruine ou de se ressaisir en suivant celle qui montre opportunément la voie du salut. Entre suicide et survie, nuit et lumière, décadence et sursaut, le choix est joué d'avance. Ce discours terrorisant exploite les pulsions inconscientes les plus primitives : il parie sur l'instinct de vie contre l'instinct de mort chez les auditeurs, instinct de vie qui frôle une idéologie biologique où les nations doivent assumer leur espace vital : « Il nous appartient, comme patriotes français, de réveiller les grands mouvements des esprits et des âmes, ceux qui procèdent de l'instinct vital d'un peuple qui refuse le saut dans le précipice[13]. »

Le « sursaut »

L'autre versant du mythe de la « décadence » est en effet celui du « sursaut » ou de la « renaissance » qu'il appelle. Eschatologie et messianisme vont de pair : après avoir dépeint une situation cataclysmique, il ne reste plus à Marine Le Pen

12. On mettra en rapport ce catastrophisme permanent avec la résurgence récente d'analyses « déclinistes ». Voir Alain Finkielkraut, *L'Identité malheureuse*, Stock, 2013 ; Éric Zemmour, *Le Suicide français*, Paris, Albin Michel, 2014.

13. Marine Le Pen, « Discours de Saint-Laurent-du-Var », 4 septembre 2010. La thématique de l'abîme et du précipice rappelle bien entendu le schéma mythique de la Chute.

qu'à offrir une perspective alternative pour récolter les fruits de la psychose collective qu'elle a contribué à créer. Elle sort alors de son chapeau une solution unique, totale, qui balaiera tous les problèmes : le nationalisme incarné par le Front national et sa propre personne comme leader charismatique. On peut parler ici d'une ruse narrative et psychologique : le conteur ne dramatise la catastrophe que pour mieux jouer au sauveur et exiger de ses troupes obéissance, discipline et sacrifice ; il comble ainsi opportunément un besoin de résolution narrative créé et laissé d'abord en suspens par son propre récit.

Le motif de la décadence ne fait en effet miroiter une fin tragique que pour mieux mettre en scène un retournement de dernière minute, dénouement glorieux rendu possible grâce aux héros providentiels intrépides et intraitables et aux fidèles qui les épaulent, aux résistants et aux justes donc, qui sont autant de doubles de Marine Le Pen et de figures d'identification pour les militants. Le récit de crise reprend en effet une trame archétypale bien connue qui lui dicte presque mécaniquement sa forme et sa fin. L'arc narratif des discours de Marine Le Pen est toujours celui d'une plénitude originelle, celle de la patrie rayonnante, que vient ruiner la trahison des élites (élites anglo-bourguignonnes pendant la guerre de Cent Ans ; féodaux qui dilapident l'Empire carolingien ; frondeurs qui manigancent sous Richelieu). Puis un sauveur rétablit l'ordre (Jeanne d'Arc). C'est le schéma actanciel type des contes populaires et des légendes[14] : une situation initiale d'équilibre, un élément perturbateur qui vient rompre cette harmonie, souvent en raison d'une puissance maléfique, des

14. Voir Vladimir Propp, *Morphologie du conte*, Paris, éd. du Seuil, 1965.

épreuves que le héros surmonte et où il révèle son charisme, enfin un dénouement qui est un retour à l'équilibre. Dans le cas de Marine Le Pen, la résolution est d'autant plus satisfaisante émotionnellement que la gravité de la crise a été magnifiée. Du sentiment tragique, lourd d'impuissance et d'angoisse, naît celui d'un destin maîtrisé, d'une action possible sur le réel. Le cycle peur-espoir est ainsi un puissant levier pour mobiliser les troupes.

À cette fonction mobilisatrice s'ajoute une fonction explicative et socio-religieuse. Le mythe, qui structure le monde en oppositions binaires simples, crée du sens là où le monde était informe et inintelligible, et ce sens à son tour tisse une communauté d'élus et de fidèles qui partagent une foi (et d'abord la foi dans ce récit même). « Vous êtes ici rassemblés parce que vous avez *foi* en un monde meilleur [...]. Vous êtes ici rassemblés parce que vous partagez cette *passion commune* qui nous unit et donne un *sens* à notre engagement collectif, la politique[15] », psalmodie Marine Le Pen à ses militants. Aussi après avoir communié dans la méditation des valeurs communes seront-ils investis d'une véritable « mission » sacrée : « La mission qui est la nôtre nous dépasse », prévient la présidente du Front national, et elle-même se destine à une « mission essentielle » en devenant leur chef et porte-voix. Cette vision mystique de la France et de l'engagement politique crée une communauté de croyants socialisés dans la réaffirmation ritualisée des mêmes convictions et du récit originel qui fonde le groupe : ce sont les rassemblements annuels du 1er Mai, qui structurent cycliquement le temps des partisans autour de la répétition du mythe fondateur, celui de

15. Marine Le Pen, « Discours de La Baule », 26 septembre 2012 (notre italique).

Jeanne d'Arc[16]. Non seulement Marine Le Pen redonne sens au combat politique, mais elle lui donne un sens transcendant qui dépasse le temporel pour ouvrir sur une dimension transhistorique sacrée[17].

La croisade

L'appel au sursaut national se nourrit alors de l'imaginaire de la croisade (lutte entre le Bien et le Mal) et s'inscrit dans l'histoire longue des archétypes constitutifs du roman national français. Le premier d'entre eux est la *Chanson de Roland*, dont Marine Le Pen aime à citer le refrain de la « Douce France ». Cette chanson de geste de la fin du XIe siècle, première et seule épopée nationale écrite à l'aube la première croisade, première œuvre aussi de réécriture idéologique d'un épisode avéré de l'histoire de France, pose l'axiome fondateur d'une vision du monde xénophobe : « Chrétiens ont droit et Sarrasins ont tort ». Elle met en scène les éléments constitutifs des mythes politiques frontistes : une « douce France » idéelle (au VIIIe siècle, date de l'histoire, comme au XIe, date de sa rédaction, l'unité géographique et ethnique de la « France » est plus fantasmée

16. « Le mythe est une participation anticipée, qui comble un moment le désir du bonheur et l'instinct de puissance : le mythe est indissolublement promesse et communion » (Jean-Marie Domenach, *La Propagande politique*, Paris, PUF, 1973, p. 86).

17. Comme le résume Jean-Pierre Sironneau à la suite de Mircéa Eliade, le mythe permet d'« enraciner l'homme dans un transcendant qui lui permette d'échapper à la fragilité de sa condition, de dominer les contradictions de son existence sociale et de maîtriser le temps chronologique en le réintégrant dans un temps primordial et sacré » (Jean-Pierre Sironneau, *Sécularisation et religions politiques*, New York, Mouton Publishers, 1982, p. 215). Voir aussi Mircea Eliade, *Aspects du mythe*, Paris, Gallimard, 1963, p. 30-33.

que réelle), assiégée par des païens adorateurs de Mahomet ; un traître, Ganelon, qui complote avec l'ennemi étranger ; une petite troupe de combattants loyaux abandonnés par le pouvoir. Charlemagne, trop bienveillant, a laissé seule son arrière-garde à la frontière des Pyrénées. Il ne s'est pas assez méfié des païens étrangers qui révèlent brutalement leur nature diabolique en tentant d'envahir la terre de France. Mais le sursaut vient de cette élite loyale prête à se battre jusqu'à la mort.

De même, Marine Le Pen embrigade ses troupes[18] pour défendre les frontières d'une autre terre sainte pétrie du sang de ses martyrs, la « terre de France », principe transcendant et terre des ancêtres[19]. Jean-Marie Le Pen plaçait son combat explicitement sous le signe de la foi religieuse : « Au nom de la France éternelle, soyez ici remerciés [...], vous, l'avant-garde éclairée de notre Peuple. Oui, je suis fier de vous mener à la victoire, car je sens pour ma part que l'aube du changement pointe à l'horizon, comme un signe du Ciel à tous ceux qui trahissent, comme un défi de Dieu à tous ceux qui oublient[20]. » Marine Le Pen sécularise le vocabulaire, mais invoque la même épopée miraculeuse entreprise au nom d'une entité spirituelle, « l'âme de la France », « sa mission éternelle » et sa « vocation *surnaturelle* » : « Vous qui luttez pour cette France éternelle qui va d'Alésia au référendum de 2005 [...]. Regardez et écoutez marcher auprès de vous cette longue cohorte de Français morts pour la Patrie. Entendez leurs pas glorieux, qui battent avec

18 Jean-Marie Le Pen, plus directement militaire dans ses comparaisons, s'adresse à ses « amis militants et sympathisants, qui êtes depuis si longtemps messagers de notre combat et avant-garde de notre armée » (« Discours de Paris », 15 avril 2007).

19. « La France, notre Patrie, c'est [...] le sol où dorment nos ancêtres mêlés à la terre de France » (*ibid.*).

20. Jean-Marie Le Pen, Nice, 19 avril 2007.

vous ce pavé de Paris dans cette longue épopée des amoureux de la patrie, cette chaîne ininterrompue qui nous lie à notre histoire depuis plus de deux mille ans déjà dans ce *miracle* toujours renouvelé de la survie de la France[21]. » Le sursaut qui, dans d'autres contextes ou d'autres bouches, ne serait que le très plat « redressement » devient « survie » et « renaissance » d'une France personnifiée et sacralisée.

C'est réenchanter le monde efficacement, et à peu de frais. Si le mythe de la décadence exprime sur le mode tragique un sentiment ou une réalité objective de déclassement ou de menace de déclassement réellement vécue par l'électorat et offre ainsi un sens collectif à une situation individuelle aliénante, le « sursaut » national, lui, est de pure propagande partisane. Puisqu'il n'est pas question de prendre réellement les armes, l'appel à la « Renaissance nationale » ou à la « Résistance », si grandiloquent soit-il, se traduit immanquablement par une invitation plus prosaïque et étroitement politicienne : voter Marine Le Pen.

L'Âge d'or et l'Unité

Ce sont donc toujours la défense d'une France éternelle et le regret d'un Âge d'or relégué dans un passé immémorial qui justifient les combats politiques d'hier et d'aujourd'hui. Bien qu'il ne se lise qu'en filigrane et par déduction comme l'état idéal d'avant la chute, l'Âge d'or, troisième mythe, est le point de référence implicite mais jamais historiquement situé qui permet par comparaison de parler d'un présent sur le déclin. Hypothèse toute théorique, cette harmonie originelle sous-tend

21. Marine Le Pen, Discours du 1er mai 2013 (notre italique).

la rhétorique cataclysmique sans jamais référer à un point précis de l'histoire de France : interrogé pour savoir si cette période idéale correspondait par exemple à la période coloniale, Jean-Marie Le Pen répond, évasif : « Non, la décadence de la France a commencé il y a bien plus longtemps[22]. » À l'examen, cet Âge d'or ni daté ni actualisé, c'est tout simplement la « France éternelle » qu'invoquent les Le Pen père et fille, un principe, une essence, plutôt qu'une réalité historique.

Le mythe de l'Âge d'or fournit alors un rêve de plénitude, de simplicité et d'unité absolue. Il a une fonction symbolique compensatoire en offrant par rétroprojection le fantasme d'une France sans conflit dont il appelle le retour. Le mythe de l'Unité se greffe en effet étroitement sur celui de l'Âge d'or. Cette Unité rêvée est au cœur de l'idéologie frontiste, qui est fétichisation de l'identité collective et refus du métissage, du mélange, de la complexité et du changement[23].

Le discours des Le Pen est dans la réaffirmation permanente de cette identité nationale posée comme un absolu atemporel, état de perfection d'une « nature » française dont l'origine se perd dans la nuit des temps et dont l'histoire de France ne fait qu'actualiser perpétuellement le concept *a priori* : « Tout au long de nos quinze cents ans d'histoire, nous avons recherché *l'unité qui nous singularise*, mais cette *unité* est un joyau qu'il nous faut sans cesse chérir. Que visaient si ce n'est la construction et la consolidation de *l'unité* nationale

22. Comme le dit Richard Pottier : « Les mythes nous racontent comment nous avons perdu ce que nous n'avons jamais possédé (un objet "total" aux propriétés merveilleuses) » (Richard Pottier, *Essai d'anthropologie du mythe*, Paris, Kimé, 1994).

23. Voir les excellentes pages d'Alain Bihr sur ces composantes fondamentales de l'idéologie d'extrême droite, *L'Actualité d'un archaïsme : la pensée d'extrême droite et la crise de la modernité*, *op. cit.*, p. 17-23.

le baptême de Clovis, l'œuvre des rois *unificateurs*, Henri IV et son “Paris vaut bien une messe”, les bâtisseurs de nos cathédrales, les codes de Bonaparte, les hussards noirs de la Troisième République, les résistants de 40 ou les soldats de notre empire[24] ? » Dans cette vision téléologique de l'Histoire, tout concourt à l'unité de la France. Cette unité est son identité même, son entéléchie, c'est-à-dire le principe essentiel vers lequel elle tend par nature.

Les conséquences proprement politiques de ce mythe de la pureté originelle du corps national sont la phobie de tout élément hétérogène et l'impératif vital de sauvegarder à tout prix son intégrité, que ce soit par la lutte contre toute intrusion de l'extérieur ou l'éradication souhaitée de toute différence interne[25]. Contre la menace extérieure, il faut ériger des

24. Marine Le Pen, « Discours de Tours », 16 janvier 2011 (notre italique). De manière significative, elle ne retient des guerres de Religion que la conversion de Henri IV au catholicisme (c'est-à-dire le principe d'assimilation de l'élément hétérogène qui abdique sa différence), et non l'édit de Nantes, loi de tolérance religieuse et de « vivre-ensemble » avant la lettre, ni le fait que le christianisme ait été à l'origine d'atrocités sans nom. Le protestantisme, cible par le passé de l'extrême droite, est d'ailleurs accusé en passant d'avoir constitué le premier facteur de division du pays : « Plus tard, en effet, lorsque, avec la Réforme, c'est-à-dire le schisme protestant qui fut la première manifestation de l'individualisme, l'unité n'a plus pu se faire autour du catholicisme, la cohésion de la Nation s'est réalisée autour et sous l'action énergique de l'État » (Marine Le Pen, « Discours de Saint-Laurent-du-Var », 4 septembre 2010).

25. On reconnaît ici les fondamentaux de l'idéologie maurrassienne : « [Maurras] conçoit l'histoire de la France depuis [la Révolution] comme une fatale corruption de l'identité nationale. [...] Pour envisager de survivre, le Moi national doit s'affirmer comme une identité absolue, intolérante, protectionniste. Le nationalisme maurrassien est d'abord le refus farouche de toute altération de l'être français par ce qui est

frontières, conçues selon la métaphore implicite de la peau comme membrane protectrice qui délimite le corps social : « Nous croyons en la frontière qui protège, qui est une saine limite entre la nation et le reste du monde, un filtre économique, financier, migratoire, sanitaire et environnemental[26] ! » Avec la métaphore médicale du corps « sain » et de la protection « sanitaire », c'est le refoulé biologique qui fait retour. Comme dans de nombreux discours anti-immigration aux consonances hygiénistes à travers les âges, la suspicion est toujours que l'étranger amène épidémies et maladies, qu'il corrompt comme un parasite ou un virus l'intégrité du corps social. Le présupposé est que l'allogène[27] est pathogène.

Réciproquement, c'est comprendre la communauté nationale non comme une somme d'individus aux identités sociales et subjectives multiples, mais comme un corps vivant unique, un « organisme[28] », une « substance[29] » incorruptible, ou à tout le

---

étranger » (Michel Winock, *Histoire de l'extrême droite*, Paris, éd. du Seuil, 1993, p. 130).

26. Marine Le Pen, « Discours de la Baule », 26 septembre 2012.

27. Marine Le Pen emploie le terme : « Chacun doit savoir ce qu'il est, vivre avec soi-même dans l'honneur et la confiance en soi, [...] pour pouvoir intégrer, dans la mesure où il le peut, des éléments allogènes » (Marine Le Pen, « Discours de Châteauroux », 26 février 2012).

28. « Je n'ai pas peur de parler de la ruralité et même, tant pis si l'on m'accuse d'essentialisme, de mettre la *nature* française au cœur de l'avenir de la France » (*ibid.*).

29. Le terme de « substance », qui suggère une essence fondée dans le corps et le sang des membres de la communauté, apparaît davantage chez le père que chez la fille : « toute politique d'assimilation est quasi impossible, et la substance même de notre civilisation risque de s'en trouver altérée à jamais » (Jean-Marie Le Pen, discours du 1er mai 2008). Son collègue André Figueras du bulletin *RLP-hebdo*, organe officiel du Front national en 1983, est plus explicite : « Si l'on intègre

moins qu'il faut défendre de toute altération – de toute altérité. La France, principe spirituel et entité vivante personnifiée, est ainsi un corps et une âme, une et singulière, unifiée et unique. Cet imaginaire organiciste, qui ne voit pas la société comme un artefact fondé sur l'établissement d'un contrat social renégociable et ouvert à de nouveaux entrants, s'accompagne d'une phobie du mixte et du mélange. Celle-ci s'exprime sans complexe comme hantise du « métissage » biologique chez Jean-Marie Le Pen[30] et en général en termes plus politiques chez sa fille, qui s'attaque au « multiculturalisme qui *fragmente* la population de la France selon la religion et les origines[31] ». Ce « multiculturalisme », pluralité qui divise l'unité idéale, menace la pureté d'une identité française conçue comme un

---

machinalement, mécaniquement, administrativement, une forte dose de substance étrangère à la substance foncièrement, naturellement, historiquement française, on va dénaturer cette substance » (cité dans Edwy Plenel et Alain Rollat, *La République menacée : dix ans d'effet Le Pen*, Paris, Le Monde Éditions, 1992, p. 29). Marine Le Pen reprend toutefois le mot dans une même vision organiciste et unificatrice de la France : « À l'heure où la France est menacée par tant de périls, où elle perd sa *substance*, [...] le temps [...] est au rassemblement des Français sur l'essentiel d'eux-mêmes [...] » (Marine Le Pen, « Discours de Marseille », 4 mars 2012 [notre italique]).

30. « Métissage de masse », « complet », « obligatoire », « forcé », « internationaliste » pour Jean-Marie Le Pen. Après avoir soigneusement évité le terme en public jusqu'en 2013, Marine Le Pen le reprend dans son discours du 1er mai 2014 et l'associe justement au multiculturalisme : « À écouter la doxa dominante, il n'y a plus aujourd'hui d'identité française autre que le métissage à marche forcée et le multiculturalisme. » De même dans *Pour que vive la France*, elle moque « cette nouvelle société, aux couleurs Benetton » et regrette que « le métissage, qui devrait relever d'un choix personnel tout à fait privé, [ait] été institutionnalisé » (*op. cit.*, p. 86).

31. Marine Le Pen, Université d'été, Marseille, 15 septembre 2013.

bloc : « [...] derrière [le] *multiculturalisme, la mixité*, le vivre-ensemble, la lutte contre les discriminations... il y a cet océan de lâcheté [...] qui aujourd'hui transforme profondément notre pays, affaisse nos valeurs, nos lois, nos modes de vie et abolit le droit des Français à *rester eux-mêmes dans leur pays*[32] ». Rester soi-même : c'est tout l'enjeu ontologique du mythe de l'Unité. En période d'anomie sociale accrue et de crise de confiance, cette fonction identitaire est cruciale et explique l'attractivité du mythe d'une France simple et stable.

Si la lutte contre l'immigration et la consolidation des frontières permettent de contrer les périls qui viennent de l'extérieur (invasions, importations, épidémies, influences culturelles, étrangers), il faut également lutter contre les menaces intérieures. C'est d'abord la dénonciation traditionnelle à l'extrême droite d'un « parti de l'étranger » soupçonné de trahison. Pour Jean-Marie Le Pen, c'est l'anti-France que représentent les « Quatre États confédérés » (juifs, francs-maçons, protestants, métèques) définis par Charles Maurras[33]. Marine Le Pen abandonne cette référence au profit d'un nouvel ennemi intérieur, l'islam[34], accusé de vouloir devenir un « État dans

32. Marine Le Pen, « Discours de La Baule », 26 septembre 2012. Ou encore : « La France se voit ainsi confrontée au *multiculturalisme* qui bouleverse ses lois, ses mœurs, ses traditions, bref ses valeurs de civilisation et son *identité* » (Marine Le Pen, « Discours de Nice », 11 septembre 2011).

33. Sur l'influence de Maurras sur Jean-Marie Le Pen, voir James G. Shields, *The Extreme Right in France : From Pétain to Le Pen*, Londres, Routledge, 2007, p. 62-64.

34. Lorsqu'elle agite le chiffon rouge des financements qataris de mosquées ou de clubs de football, qu'elle dénonce la double allégeance des binationaux ou évoque des « lobbies » communautaristes, Marine Le Pen dresse le portrait d'un nouveau « parti de l'étranger », cette

l'État», et plus largement le communautarisme, qui fait surgir le spectre de la division. On comprend dès lors que Marine Le Pen ait pu aisément faire sienne la devise «la République une et indivisible», qu'elle reformule en «la *France* est Une et indivisible[35]», transformant un principe de gouvernement en déclaration sur l'essence de la France[36].

Mais plus fondamentalement, c'est le risque d'une altération de la substance et de l'identité du peuple français qui est en jeu. L'adage «la nationalité s'hérite ou se mérite» que répètent en boucle les Le Pen père et fille permet de comprendre comment l'imaginaire de l'Unité va de pair avec une conception bio-ethnique de l'identité nationale qui ne dit pas son nom. Cet aphorisme présente comme une évidence proverbiale ce qui pourtant repose sur des non-dits ancrés dans une idéologie précise. La symétrie formelle de la phrase et jusqu'à la rime qui unit «hériter» et «mériter» semblent proposer un système ouvert qui offre deux possibilités équivalentes d'être ou de devenir français. Il n'en est rien: il suffit de décortiquer les deux volets de l'alternative pour voir que la balance penche très fortement du seul côté du déterminisme biologique, seul mode infailliblement légitime. «"La nationalité française doit s'hériter ou se mériter" ça veut dire qu'on devient français automatiquement pour une seule raison, c'est qu'on a un parent ou deux parents qui sont français. Pour le reste, la naturalisation doit correspondre à des critères […] exigeants.» Bien qu'elle ne prononce jamais l'expression, trop connotée, c'est bien le droit

fois musulman, qui remplit les mêmes fonctions anthropologiques et politiques que le «lobby juif» dans la littérature d'extrême droite.

35. Marine Le Pen, «Discours de Paris», 19 novembre 2011.

36. La Constitution pose le principe juridique suivant dans son article premier: «La France est une République indivisible, laïque, démocratique et sociale.»

du sang que préfère Marine Le Pen. Son père n'avait pas les mêmes prévenances : « Nous sommes français parce que nous descendons d'autres Français. Dans toute l'histoire de France depuis Bouvines, c'est le droit du sang, c'est-à-dire la filiation, qui [...] a défini l'appartenance française[37]. » La filiation, c'est-à-dire l'ascendance, la génétique, le « sang », voilà ce qui confère automatiquement une identité française substantielle, inaliénable et pure[38], que l'on soit né sur le territoire national[39], que l'on ait vécu en France, que l'on écorche le français, que l'on ait un casier judiciaire, ou non. Ce critère nativiste rend caducs tous les autres critères : hériter, c'est mériter. C'est donc bien que la transmission du patrimoine génétique assure la transmission de qualités proprement françaises de génération en génération. Se lit ici un imaginaire implicite de la pureté et de la ressemblance : « Bon sang ne saurait mentir. »

À l'inverse, les naturalisations devront être soumises selon Marine Le Pen à de stricts contrôles sur la qualité morale, le sens civique et les aptitudes culturelles et linguistiques individuelles de chaque postulant afin de vérifier leur conformité aux normes du groupe d'accueil[40]. Le droit du sol sera lui

37. Jean-Marie Le Pen, Discours du 1er Mai 2009. On notera ici que c'est un passé immémorial qui justifie une construction politique de valorisation du même : l'Unité repose sur l'Âge d'or et le perpétue en respectant traditions et principes originels.

38. Voir Alain Bihr, « Le sol et le sang. L'immigration dans l'imaginaire du Front national », art. cité, p. 80-89.

39. Tel est le cas des enfants nés à l'étranger d'au moins un parent français.

40. « Devenir français exigera un casier judiciaire vierge, une très bonne maîtrise de la langue nationale, un mode de vie conforme à nos coutumes et à nos valeurs républicaines, une éducation sans faille à ses enfants, un respect et un amour du pays qui vous a accueilli. Tout

aboli car il n'assure pas l'homogénéité ethnique et culturelle désirée. Ainsi ne peut devenir Français que celui qui l'est déjà substantiellement par le sang et les racines, ou culturellement par l'assimilation totale. L'étranger ne peut en effet devenir français qu'à condition d'abandonner toute trace d'étrangeté : « L'assimilation, c'est accepter de *renier une partie de soi-même* pour mieux *se fondre* dans la communauté nationale, c'est en épouser sans réserve les traditions, les codes, les mœurs, les valeurs, les lois au premier rang desquelles la laïcité à laquelle nous sommes profondément attachés[41]. » Seule l'assimilation[42] totale a le pouvoir de rendre acceptable et inoffensive, car invisible et dissoute dans le corps national, la présence des immigrés[43].

Mais l'assimilation, qui semblait laisser la porte ouverte à de nouveaux entrants venus d'ailleurs, est à la fois exigée et interdite : exigée comme condition nécessaire, elle est déclarée *a priori* inaccessible pour certaines catégories d'immigrés. Un *double bind* frappe ainsi l'immigration non européenne des trente dernières années : « Il suffit [...] d'avoir des yeux pour percevoir

---

cela sera scrupuleusement vérifié ! » (Marine Le Pen, « Discours de Marseille », 4 mars 2012).

41. Marine Le Pen, présentation du préprogramme, 19 novembre 2011.

42. Et non l'intégration, qui a une longue tradition en France. Voir Manuel Boucher, *Les Théories de l'intégration. Entre universalisme et différentialisme*, Paris, L'Harmattan, 2000.

43. L'étymologie même d'« assimilation » renvoie à cet imaginaire de l'homogénéisation, de l'absorption, de la digestion de la substance étrangère, réellement, intellectuellement ou symboliquement. « Assimilation : action de rendre semblable et *même identique* à quelqu'un ou à quelque chose soit par *intégration complète* dans un autre être ou une autre substance, soit par une comparaison procédant d'un acte de jugement ou de volonté » (*Trésor de la langue française*).

que cette arrivée massive, en un temps très bref, [...] de femmes et d'hommes ayant pour une très grande majorité une culture très différente de la nôtre, rend *toute assimilation inopérante voire impossible*[44].» La logique du discours est essentialiste: les nouveaux immigrés, eux aussi compactés en une catégorie unique homogène, sont jugés *a priori* inassimilables.

Marine Le Pen peut ainsi exalter dans son discours de Marseille «notre beau projet national d'assimilation des étrangers [porté] pendant des décennies de manière raisonnée mais aussi raisonnable» et célébrer ces «générations d'immigrés italiens, polonais, puis espagnols ou portugais», «nouveaux fils de France» qui ont embrassé le «travail d'assimilation douloureux à certains égards, certes, mais tellement beau et fructueux» et la «règle sacrée de l'assimilation à la française». Cette belle épopée est forclose pour les nouveaux arrivants extracommunautaires, relégués *a priori* à leur étrangeté irréconciliable. Il importe ici moins de souligner que la vision rétrospective idyllique des différentes vagues d'immigration européenne en France est contredite par l'historiographie[45] que

44. Marine Le Pen, «Discours de Nice», 11 septembre 2011. Jean-Marie Le Pen ne disait pas autre chose, mais sans les circonvolutions gênées de sa fille: «Il y a dans la délinquance et la criminalité des banlieues des raisons multiples et complexes qui tiennent d'abord à l'urbanisation féroce de cette grande région parisienne [...], au fait qu'on y a regroupé des populations qui ne sont pas assimilables ou ne veulent pas s'assimiler» (Jean-Marie Le Pen, France Inter, 13 février 1998).

45 Voir Gérard Noiriel, *Le Creuset français : histoire de l'immigration, XIXe-XXe siècle*, Paris, éd. du Seuil, 1988, et *Le Massacre des Italiens : Aigues-Mortes, 17 août 1893*, Paris, Fayard, 2010. À noter que l'argument numérique (les immigrés récents seraient arrivés trop nombreux trop rapidement pour être assimilés) est lui aussi mis à mal par l'histoire démographique de la France. Marine Le Pen déclare qu'il y a «une impossibilité mathématique d'absorber 200 000 étrangers légaux» par

de décrypter les ressorts imaginaires qui produisent ces deux récits antithétiques. Marine Le Pen a beau mettre en valeur une analyse strictement économique de l'immigration à la télévision et à la radio, ce sont bien des critères ethnoculturels qui expliquent sa différence d'appréhension de l'immigration européenne, chrétienne et intégrable, et de l'immigration récente, menace identitaire. Le Polonais catholique, porteur de la même civilisation chrétienne que les Français avec qui il partage d'ailleurs de nombreuses pages de son histoire, pourra avec le temps se fondre dans le corps national[46]. À l'inverse, les étrangers non européens (qui ne partagent souvent avec les Français que l'histoire coloniale) sont jugés inassimilables car leurs mœurs sont « en totale contradiction avec ce qui fait l'âme de la France, à [*sic*] ce qui fait l'âme française[47] ».

Le corollaire de cette vision unitaire de l'identité nationale est une philosophie différentialiste[48] qui ne conçoit la coexistence

---

an. Pourtant dans les années 1920 (de l'assimilation heureuse selon elle), le rythme d'entrées annuelles est de 300 000 immigrés par an (plus qu'aujourd'hui pour une population totale inférieure) ; la population étrangère double entre 1921 et 1931, de 1 550 000 à 2 890 000 immigrés, c'est-à-dire 6,6 % de la population française. Au recensement de 2008 ce taux était de 8,8 % (source : Insee).

46. « Cette immigration était une immigration européenne avec une culture qui est extrêmement proche de la nôtre » (Marine Le Pen, entretien avec C. Alduy, 22 avril 2013).

47. Marine Le Pen, « Discours de Marseille », 4 mars 2012.

48. Sur l'ethno-différentialisme comme doctrine de la Nouvelle Droite adoptée dans les années 1980-1990 par une partie du Front national, voir notamment Sylvain Crépon, « Du racisme biologique au différentialisme culturel : les sources anthropologiques du GRECE », dans David Bisson *et al.*, *Les Sciences sociales au prisme de l'extrême droite : enjeux et usages d'une récupération idéologique*, Paris, L'Harmattan, 2008, p. 159-189.

pacifique de cultures hétérogènes que sur le mode de la séparation géographique et de la mise à distance. « Nous croyons en la nation, qui n'est pas la fermeture, mais au contraire le respect de toute la *diversité* du monde, diversité qui n'existe que parce *qu'il y a une multitude de nations et de peuples dans le monde* qui, tous, ont le droit de défendre leur culture, leur identité, la civilisation dont ils sont issus comme nous avons aussi le droit et le devoir de le faire[49] ! » Marine Le Pen dépeint en termes positifs et légalistes (« respect », « droit », « toute la diversité du monde ») une écologie de la diversité des peuples que son père exprimait avec des images biologiques crues et qu'il appliquait aux hommes et aux « races » autant qu'aux cultures : « Il *y a une multiplicité de races et de cultures de par le monde* et il existe aujourd'hui une espèce de courant utopique [...] visant à établir sur notre planète un nivellement par la base, un métissage généralisé destiné à réduire définitivement les *différences* qui existent entre les hommes et en particulier ces différences raciales [...][50]. »

L'essence française ne pouvant changer sans s'altérer et disparaître, il n'y a que deux résultantes possibles de la rencontre entre deux cultures selon cette conception : l'absorption intégrale de l'une par l'autre ou le conflit ouvert. Avant d'en arriver à la confrontation, l'affirmation de l'identité de l'une suppose le reniement de soi de l'autre – que ce soient les Français qui perdent

49. Marine Le Pen, « Discours de La Baule », 26 septembre 2012 (notre italique).

50. Et Jean-Marie Le Pen d'ajouter : « Ceci est d'une stupidité condamnable car les races, dans leur *diversité*, ont été créées par Dieu et de ce fait ont certainement leur raison d'être [...]. C'est vrai pour les hommes comme ça l'est pour les chiens... » (Jean-Marie Le Pen, propos recueillis et cités par Jean Marcilly, *Le Pen sans bandeau*, Paris, J. Grancher, 1984, p. 192).

leur identité dans une France multiculturelle en une « dramatique assimilation à l'envers[51] » ou l'étranger qui doit renoncer à sa culture pour se « fondre » dans le corps national. L'assimilation n'est ainsi que le versant coercitif[52] mais pacifique d'une lutte à mort qui menace l'existence même de la France. Car pour Marine Le Pen, qui cite ici son père au mot près, « les sociétés multiculturelles deviennent toujours des sociétés multiconflictuelles[53] ».

Certes, elle parle de différences culturelles plutôt que raciales, mais le culturel devient chez elle une composante inaliénable, essentialisée et figée d'une identité transmise de génération en génération[54]. Comme l'explique Pierre-André Taguieff : « Le néo-racisme ne se réfère plus centralement à la race biologique et n'affirme plus directement l'inégalité entre les races. [...] Il présuppose à la fois l'incommensurabilité et la conflictualité des "cultures", annonce comme un destin le "choc des civilisations" et les conflits interethniques, et prône la séparation entre les groupes humains différents comme la seule politique réaliste conforme à la diversité culturelle de l'espèce humaine. Au déterminisme biologico-racial s'est substitué le déterminisme ethnoculturel[55]. » Marine Le Pen partage ici les

51. Marine Le Pen, « Discours de Tours », 16 janvier 2011.

52. Marine Le Pen parle pour l'assimilation de « rouleau compresseur républicain » (Marine Le Pen, « Discours de La Baule », 26 septembre 2012).

53. Marine Le Pen, « Discours de Nice », 11 septembre 2011 ; « Les sociétés multiculturelles sont toujours multiconflictuelles » (Jean-Marie Le Pen, Colloque de Paris, 1er décembre 2001).

54. Marine Le Pen pointe en effet aussi les enfants d'immigrés : « Combien de Mohamed Merah parmi les enfants de ces immigrés, non assimilés, [...] en rupture totale avec nos principes républicains ? » (Marine Le Pen, « Discours de Nantes », 25 mars 2012).

55. Pierre-André Taguieff, *La Couleur et le Sang : doctrines racistes à la française*, Paris, Mille et Une Nuits, 2002, p. 33.

thèses différentialistes de son père, bien qu'elle ait évacué toute notion de « race » de son discours.

Le complot

Ces mythèmes proposent ainsi une lecture cyclique simplifiée de l'Histoire : se suivent un état idéal – l'unité ancestrale de la France éternelle –, sa lente destruction puis l'espoir de son retour – le « sursaut » demandé. Ils proposent également un principe moteur à ce dessein. Loin d'être le fruit de la contingence ou de faisceaux de forces et de facteurs multiples, cet arc narratif est la résultante d'une causalité identifiable, simple, voire unique. Mieux : une intentionnalité cachée explique la ruine progressive de la France. Cette « causalité diabolique[56] » pour reprendre l'expression forgée par Léon Poliakov, qui n'est pas l'apanage de l'extrême droite, est à l'œuvre à des degrés divers chez Jean-Marie et Marine Le Pen.

Rationalisation et modernisation du mythe du complot

Il faut d'abord souligner les différences entre le discours du père et celui de la fille. Le premier n'a eu de cesse lors de sa longue carrière politique de dénoncer une succession de complots : complots idéologiques (communiste, « européiste » puis « mondialiste ») contre l'existence même du peuple français ; complots de factions, lobbies, « organisations secrètes » ou « sectes » précises (les syndicats, la franc-maçonnerie, « l'internationale juive », le « lobby de l'immigration ») ; complots ciblés contre sa personne ou son parti (« conjuration »

56. Léon Poliakov, *La Causalité diabolique. Essai sur l'origine des persécutions*, Paris, Calmann-Lévy, 1980.

du « comploteur » Mégret ; « complot politico-médiatique » contre sa candidature aux présidentielles ou dans l'affaire de Carpentras). Au-delà des conspirations ponctuelles, une vraie mythologie du complot structure sa vision de la causalité historique et du combat politique : « L'objectif sera de briser le complot contre la France car il existe bien un véritable complot contre la Nation et partant contre la République[57]. »

Soucieuse de sa crédibilité, Marine Le Pen prend soin de dépoussiérer et de rationaliser la paranoïa paternelle. À l'heure où les théories conspirationnistes prolifèrent sur Internet mais y sont aussi moquées et démontées, elle s'interdit un vocabulaire qui sent trop le délire de persécution : « complot » n'apparaît que quatre fois dans son corpus, et trois d'entre elles sont sur un mode ironique démystificateur, contre vingt-sept fois chez son père ; « complice », adjectif et substantif, plafonne à quinze occurrences, là où lui en abuse soixante-seize fois ; jamais elle ne mentionne les mots « occulte », « cabale », « conspiration », « conjuration », ni « l'internationale » juive ou communiste, là encore à la différence de son père.

Elle adopte un autre lexique, celui d'une dénonciation politique plus traditionnelle dont les connotations sont cependant toujours du côté d'un dessein néfaste et intentionnel : « complicité », « arrangement », « collusion », « manipulation », « connivence », « agissements », « intrigue », « ligue », « pacte » ponctuent sa vision d'un projet global de démantèlement et d'affaiblissement de la nation. Sont dénoncés « la collusion entre les élites politiques et les puissances financières », « les connivences mondialistes liguées de l'OMC et de la prétendue "Union européenne" », « la grande ligue des technocrates », « l'arrangement secret passé entre l'État UMP et les conseils

57. Jean-Marie Le Pen, « Discours du 1er Mai 2004 ».

généraux Parti socialiste [...] ». Le déclin même de la France est le fruit d'un calcul : « "déclin *organisé*" de la langue française », « affaiblissement *programmé* de notre identité », « abrutissement *organisé* du débat public », « pillage *organisé* de nos départements », « remplacement *organisé* de notre population », « destruction *voulue, programmée*, des nations, des peuples, des identités culturelles », etc. Elle se garde de désigner comme coupables les boucs émissaires traditionnels de l'extrême droite : à la place, elle stigmatise le « système », « l'UMPS », et une idéologie, le « mondialisme », dont les bras armés sont les grands organismes internationaux anonymes, Fonds monétaire international, Union européenne et Organisation mondiale du commerce, figures désincarnées qui ne se prêtent pas à l'appel à la haine. Poliakov fait le choix, pour son livre *La Causalité diabolique*, d'un sous-titre significatif : *Essai sur l'origine des persécutions*. Marine Le Pen quant à elle reprend le principe de la causalité unique, et, comme nous le verrons plus loin, ses métaphores diabolisantes, mais son discours n'encourage pas une logique de persécution d'un groupe ciblé.

Doit-on parler ici de nuance ou de rupture entre la fille et le père ? Cette atténuation de la logique complotiste est-elle à mettre sur le compte d'un effet de la dédiabolisation, c'est-à-dire de la normalisation du *style* du discours, ou correspond-elle à un réel tournant dans l'analyse du champ économique et politique ? L'abandon de la logique du bouc émissaire est remarquable et témoigne sur ce point d'une réelle transformation de l'idéologie du Front national et de ses débouchés politiques. Pour autant, si les mots et les cibles ont (partiellement) changé, le schéma explicatif reste identique, qui déchiffre dans la confusion du réel des forces agissantes maléfiques. Jean-Marie Le Pen parle du « complot mondialiste », sa fille du « projet », du « système », de l'« idéologie » ou de la « logique mondialiste » : autres mots, même combat, même explication univoque et totalisante.

On doit donc davantage parler d'une différence de degré que de nature dans la vision du monde des Le Pen père et fille. Dans son livre *L'Imaginaire du complot mondial : aspects d'un mythe moderne*[58], Pierre-André Taguieff distingue quatre degrés du système explicatif conspirationniste : la peur d'un complot imaginaire ; l'hypothèse d'un complot effectif ; l'idéologie du complot, c'est-à-dire la certitude que des groupes occultes omnipotents et malveillants contrôlent le fonctionnement de la société, « ce qui constitue la base fantasmatique de leur diabolisation[59] » ; enfin, le mythe du complot proprement dit, explication totalisante universelle selon laquelle les complots « ont fait, font et feront l'Histoire ». Jean-Marie Le Pen se situe du côté du mythe dans sa fonction explicative transhistorique : il croit aux « internationales » juives, communistes et franc-maçonnes ; il lit dans l'histoire universelle des héros en proie aux conjurations sournoises des anti-patriotes (Jeanne d'Arc doit « triompher [...] des cabales » ; il cite « la conjuration de Cassius », et lui-même est victime lors de la scission mégrettiste d'un « véritable complot, [d']une conspiration »). Marine Le Pen serait plutôt du côté de l'idéologie du complot, bien qu'elle ne renonce pas à exploiter les ressorts imaginaires et le style diabolisant du mythe[60].

58. Pierre-André Taguieff, *L'Imaginaire du complot mondial : aspects d'un mythe moderne*, Paris, Mille et Une Nuits, 2006.

59. *Ibid.*, p. 61.

60. Voir *infra*, « Héros et démons », p. 156.

Le « mondialisme » comme cause universelle

Dans son livre-programme de 2012, *Pour que vive la France*, Marine Le Pen se disculpe à l'avance de toute projection imaginaire : « Il n'est nul besoin de croire à un complot organisé », écrit-elle, « les forums internationaux comme […] le forum de Davos ne sont pas des lieux où se trament de sombres complots ». Elle a beau jouer de la dénégation, « le mondialisme » remplit cependant dans sa bouche la fonction explicative simpliste et totalisante que Girardet assigne aux théories du complot, « explication d'autant plus convaincante qu'elle se veut totale et d'une exemplaire clarté : tous les faits, quel que soit l'ordre dont ils relèvent, se trouvent ramenés, par une logique […] inflexible, à une même et unique causalité, à la fois élémentaire et toute-puissante[61] ». Tous les maux qui selon le diagnostic frontiste affligent la France découlent de l'emprise du « mondialisme » et des « mondialistes » : « C'est cette idéologie du mondialisme qui inspire très largement les dirigeants qui se succèdent à la tête de notre pays depuis quelques décennies. […] Cette conviction transpire de *tous* leurs discours et plus encore de *toutes* les politiques menées : course à l'Europe et à l'immigration, élimination des frontières et des protections, affaiblissement de l'État, arrogance des technocrates et rupture avec un peuple progressivement écarté, avec dédain, de la gestion des affaires du pays[62]. » Personnifié au besoin (« le mondialisme pour avancer a besoin de casser les structures de protection des peuples dont la famille […] est la première et la deuxième étant la nation[63] »), cet « ennemi » sème

61. Raoul Girardet, *Mythes et mythologies politiques*, *op. cit.*, p. 55.
62. *Pour que vive la France*, *op. cit.*, p. 34.
63. Marine Le Pen, Radio Classique, 9 janvier 2013.

« anarchie », « barbarie » et « désordre planétaire »[64]. Surgit alors le spectre d'une entreprise intentionnelle de destruction, voire de génocide : « Cette politique a été théorisée, définie, organisée, voulue et appliquée[65]. »

Aussi est-ce l'ennemi unique et obsessionnel[66] de la présidente du Front national : « Ma cible principale c'est le mondialisme. » Le coup de force rhétorique de Marine Le Pen (et de son père, dont elle hérite ici) est d'imposer par le langage l'existence d'un monstre idéologique baptisé « mondialisme » dont la main omnipotente serait partout. Affublé du suffixe « -isme » des idéologies discréditées, le « mondialisme » prend la place structurelle de l'ennemi historique du Front national qu'était le communisme. Pour bien enfoncer le clou, Marine Le Pen prend soin de le faire rimer avec « totalitarisme » et « islamisme »[67]. Alors que ce néologisme[68] est sans théoricien, sans acte de

64. « J'entends être la candidate de l'ordre républicain contre l'anarchie, la candidate des principes fondamentaux de l'État-nation contre le désordre planétaire du mondialisme, la candidate de la République contre la barbarie » (Marine Le Pen, « Discours de Marseille », 4 mars 2012).

65. *Pour que vive la France*, *op. cit.*, p. 99.

66. C'est le mot qui, après « UMP », « Sarkozy » et « euro », est utilisé par Marine Le Pen avec l'écart d'usage le plus important par rapport à l'usage courant tel qu'il est appréhendé par le corpus Google Books (plus de 44 milliards de mots). Elle utilise proportionnellement 288 fois plus « mondialisme » que ce corpus de référence.

67. « [...] Les deux totalitarismes du XXIe siècle que sont l'islamisme qui est le totalitarisme du tout-religieux et le mondialisme qui est le totalitarisme du tout-commerce » (Marine Le Pen, France 5, 7 octobre 2012).

68. Il faudrait faire l'histoire du mot « mondialisme » : forgé dans les années 1970 pour qualifier positivement un mouvement global d'ouverture et d'échange multipolaires né de la mondialisation, il est récupéré négativement par l'extrême droite à partir des années 1990

naissance et qu'aucun acteur institutionnel ni politique ne s'en réclame, à la différence du communisme avec qui elle le compare, le « mondialisme » embrasse tout. Ce concept fourre-tout a en effet l'avantage d'être aussi flou que globalisant. Dans la bouche de Marine Le Pen, il correspond le plus souvent aux effets économiques pervers de la mondialisation sur le plan économique (crise, dette), politique (perte de souveraineté) et social (chômage, immigration). Mais son extension ne s'arrête pas là : « Non, le mondialisme c'est aussi une idéologie qui va au-delà de la simple mondialisation et qui vise à *uniformiser* les cultures, à encourager le *nomadisme*, la circulation permanente d'hommes *déracinés* d'un continent à l'autre, à les rendre *interchangeables*, en somme, à les transformer en *anonymes*[69]. » Avec les verbes « viser à », « encourager », « rendre », « transformer », Marine Le Pen assigne au « mondialisme » un dessein de transformation de l'homme et en fait une force agissante. Loin d'être une manigance localisée, ce principe qui régit le monde entend placer sous son emprise toute activité humaine, mais aussi la nature même de notre être au monde. L'explication qu'offre le mythe du complot est globale, car le complot lui-même est universel dans sa visée : mondial dans ses applications, le projet est totalisant dans sa portée car il ne vise rien de moins que de changer l'homme pour le dénaturer.

---

pour remplacer l'ennemi communiste défunt. Aujourd'hui, le terme est aussi repris par l'extrême gauche altermondialiste dans une critique des conséquences de la mondialisation. Dans le corpus d'extrême droite, le terme désigne la menace identitaire, morale et civilisationnelle d'un monde où peuples, identités et marchandises sont mis à plat dans un marché unique. Voir Isabelle Hannequart, *Science et conscience de la mondialisation*, Paris, L'Harmattan, 2006.

69. Marine Le Pen, « Discours de Rouen », 15 janvier 2012 (notre italique).

Il faut ici décrypter les notions allusives de cette citation pour en comprendre les enjeux identitaires et la filiation idéologique. Chacun des termes en italique fait écho aux discours paternels et, au-delà, à un corpus d'extrême droite plus ancien pétri des concepts clés du nationalisme barrésien. Jean-Marie Le Pen lui aussi dénonce dans le mondialisme une « idéologie matérialiste [...] qui considère le monde comme une immense usine, dans laquelle l'homme est uniquement un producteur et un consommateur *interchangeable*, sans patrie, sans famille, sans *racines*, sans *terroir*[70] ». La « terre » et l'enracinement sont pour Jean-Marie Le Pen, qui reprend ici Barrès, les fondements de la nation[71] et de l'identité individuelle et collective. Ainsi, dans la citation précédente de Marine Le Pen, « nomadisme », « déracinés » et « anonymes » dessinent-ils l'image des *Déracinés* de Barrès coupés de ces « racines » et de cette « terre de France » constamment vantées dans ses discours[72].

Parallèlement, le refus d'« uniformiser les cultures » renvoie aux théories différentialistes de l'extrême droite, un différentialisme qui n'était pas que culturel chez Jean-Marie Le Pen. « La doctrine mondialiste, généralement présentée sous l'habillage des droits de l'homme, prône la destruction des nations, l'abolition des frontières, les mélanges des races, des cultures et des peuples[73] », lit-on dans le programme du Front national de 1993. La dénonciation du « mondialisme » chez Jean-Marie

70. Jean-Marie Le Pen, « Discours de Nantes », 11 février 2007.

71. Barrès, *La Terre et les Morts : sur quelles réalités fonder la conscience française*, Paris, Bureaux de La Patrie française, 1899 ; *Les Déracinés*, 1897.

72. Voir par exemple Marine Le Pen, « Discours de Châteauroux », 26 février 2012.

73. Front national, *300 mesures pour la renaissance de la France*, Paris, Éditions nationales, 1993, p. 15.

Le Pen a d'abord été, chronologiquement et idéologiquement, une dénonciation du métissage ethnoculturel. Ainsi confiait-il en 1984 : « Il y a une multiplicité de races et de cultures de par le monde et il existe aujourd'hui une espèce de courant utopique [...] qui prône un "mondialisme" visant à établir sur notre planète un nivellement par la base, un métissage généralisé destiné à réduire définitivement les différences qui existent entre les hommes et en particulier ces différences raciales [...][74]. » Marine Le Pen a supprimé toute référence aux « races », mais son opposition au « mondialisme » reprend sans cela le vocabulaire barrésien et identitaire de son père et il continue d'être fondé sur un refus de l'indifférenciation des cultures et des peuples, de « l'effacement des identités[75] », expression ô combien floue.

Le « complot mondialiste » de Jean-Marie Le Pen est ainsi réactualisé par sa fille : modernisé dans son expression, plus allusif, il devient la cible numéro un de ses dénonciations et le schéma explicatif global qui structure avec une remarquable cohérence son explication des forces antagonistes en présence.

Fonctions du mythe du complot

Vraie ou fausse, l'idée d'une vaste entreprise de destruction des nations et des identités est efficace. Car comme le souligne

74. Propos recueillis et cités par Jean Marcilly, *Le Pen sans bandeau*, *op. cit.*, p. 192.

75. « Je crois que face au mondialisme qui est profondément *destructeur*, face à l'effacement des identités, face à la volonté du *nivellement* de tous, face à la disparition des *frontières*, face à l'effacement de notre culture et de notre histoire, je crois qu'il n'y a de richesse que de nations » (Marine Le Pen, France 2, 23 février 2012. Notre italique souligne les échos avec les citations de Jean-Marie Le Pen).

Pierre-André Taguieff au sujet des théories du complot, ces « théories [sont] à la fois simples, fausses et utiles[76] ».

La première fonction du mythe du complot est de « donner le *pourquoi* imaginaire des malheurs du monde[77] », selon la belle expression de Michel Winock, c'est-à-dire de fournir un modèle d'intelligibilité simple de la complexité du réel. Cette fonction cognitive est décisive car elle répond d'une part à une forte demande de sens de la part de l'électorat frontiste[78] et de l'autre elle apporte une valorisation sociale compensatoire en conférant un savoir d'initié et une supériorité (subjective) dans le champ épistémique à ceux qui adhéreront à la théorie du complot. La période contemporaine se caractérise en effet par une complexification croissante des facteurs explicatifs qui permettent de comprendre les réalités socioéconomiques. Or, ce monde de plus en plus complexe valorise dans le même temps la connaissance comme agent de promotion et reconnaissance sociale non seulement au sein d'une économie de l'information et de la connaissance en pleine expansion, mais dans tous les domaines de la vie économique, où le niveau de diplôme et le capital culturel sont des facteurs déterminants pour la réussite professionnelle. Ainsi, la pression exercée sur les individus pour connaître et comprendre n'a jamais été si forte, alors que l'objet même de cette maîtrise cognitive est de plus en plus complexe.

76. Pierre-André Taguieff, *L'Imaginaire du complot mondial : aspects d'un mythe moderne*, *op. cit.*, p. 197.

77. Michel Winock, *Nationalisme, antisémitisme et fascisme en France*, Paris, éd. du Seuil, 1990, p. 113.

78. Demande de sens documentée sur le terrain par Sylvain Crépon, *La Nouvelle Extrême Droite : enquête sur les jeunes militants du Front national*, Paris, L'Harmattan, 2006, « Une prégnance de la quête du sens », p. 265-284.

Dans ce contexte, il est important de noter la corrélation qui existe entre faible capital culturel et vote frontiste : comme le remarque Nonna Mayer, « quelle que soit l'élection, la probabilité de voter Le Pen, père ou fille, diminue à mesure que le niveau d'études s'élève[79] ». Sans que l'on puisse assigner aux seuls mythes frontistes, dont celui du complot, la puissance d'attraction de Marine Le Pen, on peut faire l'hypothèse que les mythes explicatifs que le discours mariniste véhicule séduisent d'autant plus les moins diplômés qu'ils leur offrent non seulement un schéma d'analyse simple qui répond à leur quête de sens, mais aussi une valorisation compensatoire subjective, celle qui résulte du sentiment d'avoir percé les secrets d'un monde qui les exclut. La théorie du complot compense un sentiment d'impuissance et de déficit de sens par l'omniscience d'une explication totalisante. Au ressentiment succède la revanche symbolique.

À cette fonction explicative ou cognitive qui récompense l'auditoire s'ajoute une fonction légitimante qui valorise l'énonciatrice. Chez Marine Le Pen, la dimension occulte de complots tramés dans l'ombre par des sectes elles-mêmes secrètes a presque disparu, mais le secret revient sous la forme plus rationnelle du mensonge : « C'est un mensonge d'État

79. Au premier tour des présidentielles de 2012, le vote mariniste était quatre fois plus fréquent chez ceux qui n'ont pas dépassé le niveau du certificat d'études (26 % d'entre eux votent Front national contre 18 % au niveau national) ou du CAP (31 %) que chez les diplômés du supérieur (7 %). Source : Nonna Mayer, « L'électorat Marine Le Pen 2012 : un air de famille », TriÉlec 2012, 28 avril 2012. Voir de la même auteure, *Ces Français qui votent Le Pen*, Paris, Flammarion, 2002, p. 84-86 ; et « L'électorat Le Pen de père en fille », dans *Des votes et des voix. De Mitterrand à Hollande*, Vincent Tiberj (éd.), Paris, Champ social éd., 2013, p. 101-111.

qui traduit l'adhésion de nos gouvernants à un véritable projet clandestin donc antidémocratique d'installation massive d'une immigration de peuplement.» Dès lors, elle se positionne, comme son père avant elle, comme la voix de la vérité : non seulement la voix du «bon sens», mais celle d'une vérité enfin révélée au grand jour. Elle est celle qui libère de l'obscurantisme et du mensonge un peuple qu'on a trompé : «Car la France, et avec elle tous les Français, la France est dans la nuit. Elle est dans [...] la nuit du mensonge aux Français[80].» Si son père entendait «briser le complot», elle prend en charge «le combat de la vérité contre l'intrigue, de la liberté contre la manipulation». Dénoncer le faux pour s'arroger le vrai, telle est la posture messianique de Marine Le Pen lorsqu'elle porte au grand jour l'Épiphanie d'une vérité jusque-là occultée. Dans cette dialectique, la victimisation des Français aboutit à l'héroïsation de leur défenseure.

Le complot, qui attise les peurs, a également une fonction mobilisatrice : «Car c'est la guerre, mes chers compatriotes ; oui, c'est la guerre : l'ennemi mondialiste a remporté beaucoup trop de batailles[81]», prévient Marine Le Pen. Autre avantage politique de ces théories : elles discréditent à l'avance et une fois pour toutes les tenants du «système» accusés de mensonge et de trahison. La légitimité accrue de l'accusatrice signe le discrédit des accusés.

Forte de cette position éthique autant qu'épistémologique de détentrice et propagatrice d'une vérité cachée, Marine Le Pen acquiert une dimension héroïque, voire mythique : figure quasi prométhéenne, elle sort auréolée de son propre récit comme celle qui brave les dieux ou les diables pour leur dérober la

80. Marine Le Pen, Discours du 1er mai 2013.
81. Marine Le Pen, «Discours de Châteauroux», 26 février 2012.

vérité et l'offrir aux hommes. Car c'est l'une des fonctions du mythe que de voir son aura rejaillir sur celui ou celle qui le raconte et de réenchanter le monde, fût-ce sous le mode terrorisant d'un conte peuplé de héros et de démons.

HÉROS ET DÉMONS

Les paradoxes de la dédiabolisation

Ce récit mythologique a en effet ses héros et ses martyrs, au premier rang desquels Jeanne d'Arc et Jean-Marie Le Pen, notamment après l'affaire de Carpentras. Il a aussi ses démons et ses inquisiteurs. Le Front national est probablement le seul parti politique pour lequel une étude de démonologie s'impose, en raison à la fois de la dynamique diabolisation-dédiabolisation qui marque son histoire[82] et de l'ampleur de la dimension fabuleuse de son discours, peuplé qu'il est d'êtres légendaires ou maléfiques. Or, en dépit de ses efforts pour normaliser le discours public du Front national, Marine Le Pen continue de fictionnaliser la politique et de dépeindre ses adversaires sous les couleurs de païens idolâtres, de membres de sectes sataniques ou d'inquisiteurs dont elle serait la victime. Pourquoi risquer ainsi de se décrédibiliser ? Est-ce la trace indélébile d'un imaginaire légué par le père ou la stratégie d'une

82. Dès 1988, Jean-Marie Le Pen intitule l'une de ses *Lettres* « Suis-je encore le démon ? » pour constater à la suite des élections législatives que la dédiabolisation est en marche : « pour la première fois, on aura découvert, dans une partie de la droite classique, que le Front national n'était plus la Bête immonde ni moi-même le Diable incarné qu'on se plaisait jusqu'alors à dénoncer » (*La Lettre de Jean-Marie Le Pen*, 15 juin 1988).

professionnelle de la parole qui sait manier divers niveaux de langage pour des effets politiques calculés ?

La palme de la projection fantasmatique revient sans conteste au patriarche, qui dresse au fil des ans une fresque apocalyptique entre conte de fées, tragédie et Ancien Testament : il dénonce dans ses textes l'« imposture satanique » du « mécanicien diabolique » qu'est « M. Hanin-Beaufrère[83] », l'« hydre » mondialiste, « le carré diabolique de la destruction de la France menée par les politiciens de l'Établissement[84] » et annonce qu'« après l'ogre communiste, destructeur et assassin, vient le tour de la bête mondialiste, à l'apparence d'ange mais au cerveau de Satan[85] ». Cet univers digne de l'Apocalypse est peuplé de monstres et de figures grotesques ou fictionnelles : « la bête à deux visages au nom étrange et inquiétant d'UMPS » (« Discours de Valmy », 2006), « le bossu du Poitou » (Raffarin), le « Moloch supranational aux visées totalitaires » ou encore « les Tartuffes, les Basiles du Système, les Shylocks de laboratoire, les docteurs Knock et Jekyll, les valets de plume, les Tartarins du petit écran et les chacals du micro [qui] tournent depuis dans la sarabande et Satan [qui] conduit le Bal »[86]. D'une manière générale, Jean-Marie Le Pen lit les événements contemporains à travers le prisme d'une lutte ancestrale entre le Bien et le Mal qui s'exprime dans le vocabulaire de la prédication : « J'ai confiance dans l'instinct de notre peuple pour, à l'instar de saint Michel, combattre les démons du renoncement, du déclin, de la décadence, de la servitude[87]. »

83. *La Lettre de Jean-Marie Le Pen*, 15 février 1988.

84. *Programme du Front national*, 2002, p. 170.

85. « La Bête est revenue », *La Lettre de Jean-Marie Le Pen*, 1er décembre 1999.

86. *La Lettre de Jean-Marie Le Pen*, 1er novembre 1992.

87. *La Lettre de Jean-Marie Le Pen*, 15 novembre 1987.

Bien qu'elle évite le vocabulaire satanique, Marine Le Pen n'est pas en reste. Si Jean-Marie Le Pen intitule l'un des chapitres de son livre de 1984, *Les Français d'abord*, « Les premiers cavaliers de l'Apocalypse », elle reprend le flambeau en 2012 pour consacrer tout un chapitre de *Pour que vive la France* à « L'économie du diable ». Elle y stigmatise le « Léviathan moderne[88] » et le « Moloch jamais rassasié » que serait l'euro. La démonisation de l'adversaire passe par la métaphore filée d'une nouvelle idolâtrie, « le culte du veau d'or », sur l'« autel » duquel le peuple est sacrifié[89] : « Ils l'ont [l'euro] transformé en une sorte de divinité qu'il faudrait adorer pour elle-même. Certains adorent un gourou ou un démiurge, d'autres chez nous adorent l'euro ! La secte des adorateurs de l'euro[90] ! » Ailleurs, c'est « cette entreprise *diabolique* d'asservissement de la France et de son peuple », le « monstre européiste » ou le « monstre à trois têtes technocratiques "FMI-BCE-UE" » qu'elle fustige.

Cet étrange retour à des formes imaginaires archaïques chez celle qui se targue d'avoir modernisé le Front national peut à première vue surprendre. Plutôt que d'y voir une faille dans sa stratégie de normalisation, il faut au contraire souligner les bénéfices politiques potentiels de ces métaphores démonologiques. En premier lieu, elles lui permettent de retourner contre ses concurrents la diabolisation dont son parti a fait

88. *Pour que vive la France*, *op. cit.*, p. 108.

89. Cette métaphore parcourt livres, interviews et discours, et structure l'argumentaire de Marine Le Pen, que ce soit contre l'euro (« les marchés veulent encore plus de sacrifices humains sur l'autel de l'euro »), l'Europe (« Ils ont été sacrifiés sur l'autel de l'utopie européiste ») ou le mondialisme (« le peuple français n'a pas à être sacrifié sur l'autel d'une gouvernance mondiale » ; « Le mondialisme, c'est donc un Évangile »).

90. Marine Le Pen, « Discours de Metz », 11 décembre 2011.

l'objet depuis les années 1980 : cette stratégie dite « du miroir » consiste à retourner contre l'adversaire les accusations qu'il lui porte. Il s'agit de se défaire une fois pour toutes du qualificatif de « Diable de la République[91] » en le projetant sur l'adversaire : l'échange de rôles vaut dissociation définitive, d'autant plus que Marine Le Pen prend soin de rationaliser son accusation. Dans le chapitre sur « L'économie du diable », elle se fend d'une définition étymologique en épigraphe pour justifier la métaphore : « Diable : étymologiquement celui qui jette de part et d'autre, qui désunit, qui divise. (*Dictionnaire Belin des racines grecques*). » Quant aux accusations d'idolâtrie et aux moqueries contre « le parfum de religiosité qui plane sur [l'euro], avec des dogmes à ne pas transgresser et des critiques [...] immédiatement considérées comme blasphématoires[92] », elles permettent à Marine Le Pen d'apparaître à la fois comme la restauratrice de la vraie religion contre ces infidèles modernes et comme l'héritière des Lumières en combattant les superstitions. Toujours disqualifiante, la charge d'idolâtrie réveille dans l'imaginaire collectif le spectre des sectes, du paganisme, de l'antireligion, voire d'une religion satanique[93]. L'idolâtrie, c'est toujours la religion de l'autre, ici deux fois condamnable au nom de la vraie religion et au nom de la raison et de la morale. En dénonçant le fétichisme de la monnaie, Marine

91. Titre d'un documentaire d'Emmanuel Blanchard et Jean-Charles Deniau à l'occasion des 40 ans du Front national (diffusion le 19 septembre 2014, France 3).

92. Marine Le Pen, Vœux à la presse, 7 janvier 2014.

93. Lorsque à propos de Nicolas Sarkozy elle accuse : « Il vend son âme au marché financier, il vend son âme aux agences de notation [...] », elle sous-entend « il vend son âme au diable » puisque la finance est constamment démonisée dans son discours (Marine Le Pen, France 2, 5 janvier 2012).

Le Pen oblitère ses propres totems[94] (la nation, l'identité) et passe pour la voix des Lumières et de la vérité révélée (Satan étant Prince des Ténèbres et Seigneur du mensonge). Ainsi, la diabolisation de l'autre vaut dédiabolisation de soi, et Marine Le Pen s'offre même le luxe de démoniser ses adversaires rationnellement.

Prophètes et messies

Ces métaphores permettent aussi de capitaliser sur un imaginaire médiéval qui oppose saints et démons, puissances du Bien et du Mal : elles transfigurent le locuteur en prophète et en messie. La prescience est la qualité la mieux partagée entre les Le Pen père et fille : chacun a pour leitmotive d'avoir « prévu » tel ou tel aspect de la situation contemporaine il y a des années et de faire des pronostics à cinq ou trente ans du moment présent. C'est à cette faculté prophétique que Jean-Marie Le Pen attribue les succès récents du Front national : « Nous avons été rejoints dans nos analyses par des gens moins lucides que nous, moins perspicaces, moins aptes à la prévoyance et à la prévision[95]. » De la candidature de François Hollande aux

94. Là encore, on est dans une logique du miroir. Barthes en explique les ressorts à propos de la rhétorique du mythe bourgeois : « Le petit-bourgeois est impuissant à imaginer l'Autre. Dans l'univers petit-bourgeois, tous les faits sont des faits réverbérants, tout autre est réduit au même. [...] C'est que l'autre est un scandale qui attente à l'essence » (*Mythologies*, *op. cit.*, p. 226).

95. Jean-Marie Le Pen, interview avec C. Alduy, 22 avril 2013. Et d'ajouter un autre topos : « Il n'est jamais trop bon d'être trop en avance sur l'opinion. Le peuple n'aime pas trop qu'on lui dise trop tôt la vérité. Cependant c'était notre devoir de le faire. »

présidentielles de 2012, « prévu[e] dès 2007 », à l'implosion de l'UMP[96] en octobre 2012 ou à la crise de l'euro, Marine Le Pen a elle aussi tout « prévu » : « Nous sommes donc bien précisément dans ce que j'ai prévu[97]. » Ce monopole supposé de la clairvoyance[98] fait des Le Pen de nouveaux Jérémie quand ce n'est pas de nouvelles Cassandre : ce sont toujours de futurs cataclysmes qu'il s'agit d'annoncer, *vox clamantis in deserto*. Le don pour la prédiction va de pair avec le trope millénariste d'une catastrophe dont l'imminence requiert une mobilisation salutaire « avant qu'il ne soit trop tard[99] ». Marine Le Pen tire de ce sentiment d'urgence la nécessité historique de sa victoire future : « J'ai aujourd'hui le devoir d'accéder au pouvoir avant qu'il ne soit trop tard[100]. »

Un autre mythe affleure ici : celui du Sauveur. Jean-Marie Le Pen et sa fille ne sont jamais aussi charismatiques que lorsqu'ils s'inventent pour ennemis sectes, monstres et inquisiteurs. Seuls contre tous, puisque tous les autres sont marqués du signe de l'Autre absolu qu'est le diable, ils incarnent toujours le dernier espoir : « Face à leur soumission, moi seule incarne la

96. « [...] j'ai été celle qui a prévu cette implosion » (Marine Le Pen, Public Sénat, 4 décembre 2012).

97. Marine Le Pen, France Inter, 9 septembre 2012.

98. Du moins à leurs propres yeux : les Le Pen passent bien sûr sous silence les nombreuses prédictions qui se sont révélées fausses, comme la dislocation de l'euro (« Il n'est pas sûr que d'ici la présidentielle, l'euro existe toujours » [Marine Le Pen, LCI, 1er décembre 2012]) ou un futur tragique pour l'Italie, que Marine Le Pen voit suivre la pente catastrophique de la Grèce en 2011, alors que l'Italie fait figure de bon élève européen en 2014.

99. « Ainsi s'approche le point de non-retour au-delà duquel le laxisme de ces vingt-cinq dernières années [...] va produire ses pires effets » (*La Lettre de Jean-Marie Le Pen*, 1er janvier 1992).

100. Marine Le Pen, Interview, *Valeurs actuelles*, 18 juin 2014.

liberté[101] ! », « Je suis la seule à être capable d'être le leader[102] », etc. Cette perpétuelle dramatisation de la scène politique, où les idées s'incarnent en un combat fatal entre forces du Bien et puissances maléfiques, leur crée un rôle sur mesure, celui du Rédempteur. Tous deux invitent les électeurs à vivre l'Histoire comme une tragédie collective où se jouent à chaque moment la vie et la mort et de la nation et de l'individu. Cette peinture pathétique justifie en retour une morale du sacrifice et de l'obéissance. Dans une vision interclassiste typique des mouvements nationalistes, elle appelle un mouvement d'union nationale derrière le chef charismatique[103].

Ainsi grâce à la création d'un monde métaphorique imaginaire peuplé de démons et d'êtres légendaires, Marine Le Pen modèle sa *persona* de narratrice et d'héroïne de ses propres discours selon au moins deux archétypes. Jeanne d'Arc bien sûr[104], dont les exploits et la figure ont bercé son enfance (le manoir de Montretout où elle a vécu depuis 1978 est encombré d'effigies et de statuettes de la Pucelle d'Orléans)[105]. Mais aussi, grâce à la diabolisation de ses opposants, saint Georges

101. Marine Le Pen, « Discours de Toulouse », 2 mai 2012.

102. Marine Le Pen, RMC, 3 mai 2013. Elle martèle fréquemment cette expression « je suis la seule » l'utilisant jusqu'à sept fois en anaphore dans une seule phrase d'une interview sur Europe 1 en 2012.

103. Les leaders du Front national appellent tous deux au « rassemblement » et à une troisième voie : au « Rassemblement pour les libertés et la patrie » de 1981 du père répondent le Rassemblement Bleu Marine de la fille en 2012 et son appel en 2013 à un gouvernement d'union nationale.

104. Marine Le Pen fait elle-même la comparaison implicite en se déclarant « brûlée sur le bûcher médiatique pour islamophobie » (« Discours de La Baule », 26 septembre 2012).

105. Sur la récupération par l'extrême droite à la fin du XIXe siècle de la figure de Jeanne d'Arc, voir Michel Winock, *Nationalisme,*

terrassant le dragon. Selon la légende, le chevalier débarrasse de ce monstre la ville qui doit offrir en sacrifice à ce dernier ses jeunes gens pour le nourrir. Cette allégorie transparente de la chrétienté délivrée du paganisme peut servir à toute entreprise de libération par un sauveur d'un peuple menacé. On peut la rapprocher du mythe du Moloch auquel Marine Le Pen compare la nouvelle « idole du cours de la monnaie » et à qui on aurait « sacrifi[é] pendant des années, comme à un Moloch jamais rassasié, la souffrance des familles de chômeurs et l'avenir de millions de jeunes Européens[106] ». Marine Le Pen sera ce chevalier en armure prêt à terrasser l'ennemi, un ennemi que ses discours créent de toutes pièces sous les traits de monstres insatiables et de leurs serviteurs.

À cette fonction valorisante d'héroïsation du leader politique s'ajoute en effet une fonction plus proprement politique dont les enjeux sont vitaux pour un Front national élargi : en structurant en deux camps antagonistes irréconciliables les forces en présence (héros et démons, Bien et Mal, nation et mondialisme), la parole mythologique assure la bipolarisation du champ politique, une bipolarisation imaginaire qui non seulement place le Front national du côté de la France, du Peuple, du Bien, voire de Dieu, mais surtout entend accréditer l'idée que ce parti n'est pas d'extrême droite car les « vrais » clivages ne se situeraient plus entre la droite et la gauche, mais entre France et anti-France. Cette reconfiguration par le discours du champ idéologique et partisan valide l'idée d'une opposition unique et frontale entre les héros frontistes et leurs opposants, ces derniers n'étant plus, de par leur nature même, des interlocuteurs dans

---

antisémitisme et fascisme en France, Paris, éd. du Seuil, « Points Seuil », 1990, p. 141-160.

106. Marine Le Pen, *Pour que vive la France*, *op. cit.*, p. 60.

un débat démocratique, mais des suppôts du diable. Comme le dit Pierre-André Taguieff à propos du nationalisme identitaire : « On ne discute pas avec des démons, avec leurs représentants ou leurs complices, on ne dialogue pas avec eux ; on les combat, et ce afin de les supprimer. Car on ne saurait chercher à améliorer des ennemis démoniaques [...] situés hors du cercle des êtres convertibles en raison de leur radicale perversité[107]. »

Les bénéfices politiques d'une telle reconfiguration sont multiples. La diabolisation de l'autre divise le champ politique en deux camps absolument antithétiques. Dans cette vision manichéenne, le combat politique est envisagé non plus comme une confrontation d'idées entre une multitude de partis représentant des sensibilités différentes, mais comme une lutte essentialiste entre « patriotes[108] » et « mondialistes » qui annule à l'avance tout débat, tout compromis, toute alliance. En fusionnant tous ses adversaires en un unique parti préalablement diabolisé en monstre vorace, Marine Le Pen neutralise l'existence d'un pluralisme politique hors du Front national. Elle devient dès lors la seule opposante au « système[109] ».

107. Pierre-André Taguieff, « Nationalisme et réactions fondamentalistes en France... », art. cité, p. 64. Certes, à une exception près (Gaston Flosse rebaptisé « le diable avec des cornes »), Marine Le Pen ne déshumanise pas directement ses concurrents politiques (elle préfère les ridiculiser), mais elle récupère la rhétorique diabolisante de son père pour la diriger contre des entités (Union européenne, FMI) ou des concepts (mondialisme, euro) dont ses adversaires seraient les apôtres.

108. Il faut souligner que cette vision interclassiste qui gomme les conflits potentiels entre groupes sociaux pour construire le mythe de « la » France comme entité unifiée est elle-même typique de l'extrême droite.

109. « Moi je suis la meilleure opposante au système et c'est la raison pour laquelle d'ailleurs, monsieur, tout le système s'oppose à moi.

Avec l'arrivée de la gauche au pouvoir en 2012, Marine Le Pen surfe d'ailleurs sur un nouvel élément de langage, celui du Front national « premier parti d'opposition[110] » : « François Hollande a parfaitement compris que le Front national est son premier opposant, comme le peuple s'oppose à la caste[111]. » Ce positionnement « antisystème » entend capitaliser sur les désillusions de l'électorat de gauche comme de droite. Il réactive la formule « ni droite ni gauche, français » lancée par Samuel Maréchal en 1995, slogan qui vient des mouvances fascisantes de l'entre-deux-guerres[112]. Le Front national apparaît ainsi à la fois au-dessus des querelles de chapelles et contre tous les autres partis, position de surplomb et d'opposition qui lui confère l'autorité morale du rassembleur et l'attractivité politique de l'opposant « véritable ». Marine Le Pen peut alors

---

C'est parce qu'en réalité je suis la seule à m'opposer véritablement au système » (Marine Le Pen, LCI, 28 mars 2012).

110. Une partie des médias lui a emboîté le pas sans recul critique : lorsqu'un sondage Ifop de novembre 2014 place Marine Le Pen en tête des personnalités de droite parce qu'elle « s'oppose le plus dans ses propos et ses actions à François Hollande » ; ce thème est repris et déformé par de nombreux titres de presse et de sites d'information avec le titre : « Marine Le Pen première opposante à François Hollande ». Voir Michaël Hajdenberg, « Le *JDD* manipule un sondage au bénéfice de Marine Le Pen », *Médiapart,* 3 novembre 2014.

111. Marine Le Pen, Vœux à la presse, 7 janvier 2014.

112. Dont Drieu La Rochelle, qui signe un article « Contre la droite et contre la gauche » en 1934, Marcel Déat, Bertrand de Jouvenel, Thierry Maulnier et Jacques Doriot, fondateur du Parti populaire français (PPF), souvent cité comme l'inventeur de la formule qui circule cependant dès 1934-1935. Voir Zeev Sternhell, *Ni droite, ni gauche : l'idéologie fasciste en France* [4e éd. aug.], Paris, Gallimard, « Folio Histoire », 2012, p. 446 et p. 529-543. Sur le PPF comme « seul grand parti fasciste de masse qui se soit développé en France » dans l'entre-deux-guerres, voir Pierre Milza, *Les Fascismes,* Paris, Point/Seuil, 1985, p. 348-357.

redessiner la carte des affiliations politiques : elle ne serait ni d'extrême droite, ni de droite, ni de gauche, mais « au milieu du peuple » et « au centre[113] » : « Je suis en plein milieu du peuple français à le défendre. Je suis la France, c'est pour elle que je me bats. C'est vrai que je ne suis ni de droite ni de gauche[114]. »

Le Chef et le Peuple : « Je suis la France… »

« Je suis la France… » Cette affirmation péremptoire place au cœur de l'imaginaire frontiste un dernier mythe, celui de la relation en miroir entre le Chef et le Peuple. Jean-Marie Le Pen avait choisi « Le Pen le Peuple » comme slogan de sa campagne présidentielle de 1988 ; pour Marine Le Pen en 2012 ce sera « la voix du peuple, l'esprit de la France ». L'un comme l'autre ne fondent pas leur légitimité politique sur le simple contrat de représentativité entre élus et citoyens, mais sur un lien transcendant, direct et quasi mystique entre deux entités elles-mêmes mythiques, le « Chef » et le « Peuple ». Le leader est non seulement l'homme providentiel, le Sauveur dans sa fonction de « guide » (avec toutes les connotations que ce mot implique dans l'histoire politique européenne du XXe siècle), mais l'incarnation individuelle du souffle collectif, son « esprit » et sa « voix » : le Chef *est* le Peuple plutôt qu'il ne le représente.

Tous les discours des deux tribuns suivent le même parcours rhétorique : tableau sinistre de la France au bord de la catastrophe, appel à mémoire de la « vraie » France, glorieuse et résiliente, puis revendication du statut d'homme ou femme

113. « Nous ne sommes pas à la droite de la droite. On est au centre », entretien avec C. Alduy, 29 octobre 2012.

114. Marine Le Pen, TF1, 15 septembre 2011.

providentiel pour l'orateur, qui se présente à la fois comme miroir du Peuple et incarnation des valeurs de combat, de sacrifice et de droiture qui ont permis à la France éternelle d'échapper à l'anéantissement au cours des siècles. Le « Chef » est dès lors situé à l'intersection d'une volonté populaire et d'une vocation sacrificielle transcendante : il est « l'élu », au sens mystique, du Peuple et de la Providence. Selon ce schéma, Marine Le Pen serait donc investie d'une double légitimité, ascendante et descendante : métonymie du Peuple, dont elle émane (« une Française parmi les Français ») et dont elle est le double (pour les Français, voter pour elle, c'est « voter pour eux-mêmes[115] »), elle est aussi l'emblème de la France elle-même, qu'elle incarne (« Je suis la France ») et qui l'investit d'une mission sacrée.

Exemplaire est à ce titre l'invocation suivante de Marine Le Pen lors de son discours de l'Épiphanie à Saint-Denis début 2012 : « Au plus profond de mon cœur, je sais que la France éternelle nous appelle, nous attend ! [...] Je perçois furieusement son désir, son besoin de porter à sa tête des hommes et des femmes qui l'aiment profondément, qui lui seront pleinement dévoués. Je le sais au plus profond de mon âme, et je mènerai ces hommes et ces femmes au service de leur patrie ! [...] Aidez-moi ! Suivez-moi[116] ! » Elle reprend ici le vocabulaire et la rhétorique des grands mystiques : le « cœur », l'« amour », la « dévotion », l'« âme », l'intuition miraculeuse (« je sais »), la communion spirituelle quasi christique (« direct »). Or, c'est « la France éternelle [qui] appelle » : comme Jeanne d'Arc dont elle mime ici la légende, Marine Le Pen entend des voix et

115. Marine Le Pen, « Déclaration de candidature », Hénin-Beaumont, 13 mars 2012.

116. Marine Le Pen, « Discours de la galette des Rois », janvier 2012.

répond à l'appel non pas simplement du devoir, mais du destin et de la France, entité transcendante et atemporelle. Investie de cette mission, elle devient femme d'action, guide et leader qui « mène » et enjoint au « peuple » de la « suivre ».

Ce « lien charnel », cette « relation directe », ce « lien particulier avec [le] peuple »[117], qui confère au vrai leader un « instinct » de ses problèmes, Marine Le Pen le met en scène et le théorise. Il passe par l'appel direct au « peuple », dans ses meetings bien sûr, mais aussi dans le récit qu'elle fait de son propre discours chez les journalistes (« Moi, je leur dis : "Venez avec nous" » ; « Moi je viens leur dire… » ; « À tous ces Français de bonne foi et de bonne volonté *je leur dis* : "Venez, prenez place à nos côtés" »[118]) et dans ses propositions politiques, lorsqu'elle défend une démocratie directe référendaire et plébiscitaire. À l'infaillibilité du leader prophète et messie correspondent le « bon sens du peuple[119] », sa « lucidité », son « intelligence » du réel, à l'opposé des élites déconnectées[120]. Ce lien charnel à la source du vrai donne une légitimité inattaquable à celle qui se positionne comme le porte-parole et la dépositaire de la volonté populaire, non par vertu d'un processus politique électif, mais du fait d'une osmose entre le chef et « [son] peuple[121] », personnifié en un individu unique qui parlerait et

117. Marine Le Pen, respectivement Canal +, « Dimanche + », 30 janvier 2011 ; RTL, 8 décembre 2011 ; Public Sénat, 1er mars 2011.

118. Marine Le Pen, respectivement France 5, « C Politique », 7 octobre 2012 ; France 24, « Politiques », 17 mars 2011 ; « Discours de Six-Fours », 12 mars 2011.

119. « Écoute-t-on la voix du bon sens des peuples ? », Marine Le Pen, TF1, 15 septembre 2011.

120. Ceci est une résurgence de l'opposition maurrassienne entre « pays réel » et « pays légal ».

121. « Je veux que *mon* peuple soit libre » (BFM, 9 août 2011) ;

penserait d'une seule voix : « Moi j'écoute *une personne* : le peuple français. C'est lui que j'écoute. C'est pour lui que je me bats, ce sont ses intérêts que je défends et les intérêts de personne d'autre. » Ce lien métonymique entre le Peuple et son leader sanctionne une fois de plus le privilège de l'identique, de la ressemblance, logique identitaire où l'on ne conçoit la représentation politique que sur le mode de la reproduction du même, et non de la délégation ou du dépassement des identités individuelles au profit d'idées générales[122].

Étroitement lié au mythe du « Chef » est en effet celui du « Peuple », signifiant hautement ambigu et que Marine Le Pen feint de croire simple. Comme son père, elle entretient la confusion entre le peuple comme *demos*, source de la souveraineté démocratique, comme catégorie sociologique plus restreinte par opposition aux élites, aux nantis, aux riches, enfin le peuple comme *ethnos*, restreint aux « Français », qui, on l'a vu, sont eux-mêmes une catégorie exclusive. Ces trois dimensions s'entrelacent, ou plutôt les deux premières dissimulent sous un vernis démocratique ou social les fondements xénophobes que la dernière révèle. Marine Le Pen emploie majoritairement le mot « peuple » dans son sens politique de *demos* : « Le seul souverain légitime, c'est le peuple », se plaît-elle à répéter, et

---

« redonner confiance à tout un peuple, à *mon* peuple » (« Discours de Marseille », 15 septembre 2013).

122. Comme le dit Béatrice Turpin, « Avec le populisme, nous sommes dans [...] une représentation sans distance, une homogénéité entre le représentant et le représenté qui s'ajoute à cette homogénéité d'ensemble qu'est "le peuple" [...]. Ainsi le leader populiste ne manque pas de se présenter comme leader-miroir "homme du peuple, je serai toujours du côté de ceux qui souffrent parce que j'ai connu le froid, la faim, la pauvreté" (Jean-Marie Le Pen, 21 avril 2002) ou comme "porte-parole" du peuple [...] » (art. cité, p. 292).

de pointer de réels problèmes de représentativité du système électoral actuel, de fracture entre élus et citoyens, de légitimité d'instances non élues ou de souveraineté nationale. La définition sociologique est le deuxième sens implicite que Marine Le Pen ravive à chaque fois qu'elle insiste sur l'accent social de son « projet *populaire*, national et patriote », notamment pour opposer le « bas peuple » aux « élites », elles aussi considérées comme une catégorie homogène : « C'est pourquoi j'entends être [...] non pas la candidate d'un parti, mais la candidate de la légitimité et de la révolte *populaires*, de la souveraineté de l'État, du *peuple* et de la nation[123] ! »

Si elle confond volontiers les deux sens dans ses allocutions[124], c'est le glissement vers le troisième sens qui est le plus subreptice car Marine Le Pen louvoie sans cesse entre assertion d'une volonté de rassemblement de tous et redéfinition exclusive de l'appartenance audit « peuple français ». Elle peut donc, d'une part, affirmer : « Nous sommes là pour rassembler l'ensemble du peuple français, pour rassembler la communauté nationale. [...] Or cette communauté nationale, elle est diverse. Elle va accueillir des gens qui vont venir de droite comme de gauche, des gens qui auront des origines différentes, qui auront des religions différentes, qui auront des parcours différents[125] » et, de l'autre, contester la légitimité de la candidature d'Eva Joly au prétexte qu'elle n'est que naturalisée et possède la double

123. Marine Le Pen, « Discours de Marseille », 4 mars 2012.

124. « Notre modèle est *populaire* parce qu'il vise avant tout le bonheur des Français, de tous les Français et pas seulement des plus *fortunés* [définition sociologique]. Notre modèle est entièrement tourné vers le *peuple*, tout le peuple, qui doit participer plus activement à la vie publique [définition démocratique] » (Marine Le Pen, Vœux à la presse, Paris, 9 janvier 2013 [notre italique]).

125. Marine Le Pen, France 5, « C Politique », 7 octobre 2012.

nationalité, ou insister sur la défense exclusive des citoyens français, sous-entendu de souche: «[...] Une des premières libertés du peuple français, c'est d'avoir le droit de décider qui entre et qui se maintient sur le territoire. Votre droit dans votre appartement, c'est de savoir qui entre dans votre appartement et, si possible, qu'ils y entrent pas s'ils y ont pas été invités [*sic*]. Eh bien, la maison du peuple français, c'est la France et il a le droit, chez lui, de décider qui vient et qui reste[126].»

Marine Le Pen reprend donc les cinq principes fondamentaux du national-populisme de son père[127], tels qu'ils ont été analysés par Pierre-André Taguieff[128] : (1) *l'appel* politique *direct* au (2) peuple *tout entier*, «en principe sans distinction de classes, de tendances idéologiques ou de catégories culturelles[129]», (3) au peuple *authentique*, forcément lucide, de bon sens, incorruptible (4) pour un mouvement de «rupture salvatrice» sous l'égide d'un leader charismatique. Le cinquième principe est le seul sur lequel pèse une ambiguïté intentionnelle de la part de Marine Le Pen, ambiguïté vite levée lorsque la logique interne du discours est décortiquée: (5) l'appel à la «discrimination des individus selon leurs origines ethniques ou leur appartenance culturelle et la demande d'expulsion, plus ou moins euphémisée, [...] de groupes ethnoculturels désignés comme "inassimilables"[130]». Cette dimension ethnoculturelle

126. *Ibid.*

127 Voir Catherine Fieschi, *Fascism, Populism, and The French Fifth Republic: In the Shadow of Democracy*, Manchester, Manchester University Press, 2004; Cas Mudde, *Populist Radical Right Parties in Europe*, Cambridge, Cambridge University Press, 2007.

128. Voir Pierre-André Taguieff, *L'Illusion populiste : de l'archaïque au médiatique*, Paris, Berg, 2002, p. 135-144 (italique de l'auteur).

129. *Ibid.*, p. 136.

130. *Ibid.*, p. 143.

était statistiquement et stylistiquement plus affirmée chez Jean-Marie Le Pen : elle n'en demeure pas moins comme le sous-texte du discours populiste de sa fille.

MYTHE ET HISTOIRE

Après une dizaine d'années passées à suivre le Front national pour le journal *Le Monde*, Edwy Plenel et Alain Rollat diagnostiquaient en 1992 les raisons de sa progression : « L'ultime ressort de son ascension est [...] la déstabilisation du rapport de la France à son imaginaire, à sa mémoire collective [...]. Pour gouverner et mobiliser, pour obtenir l'adhésion autour de son action, il ne suffit pas de proclamer l'avenir, la modernisation, l'efficacité, l'immédiateté, il faut aussi incarner un passé dans le présent, mettre en scène un imaginaire collectif surgi de la longue durée[131]. » Aujourd'hui comme hier, la transmission et la réécriture de l'Histoire permettent au Front national de captiver les imaginations et de capter les votes. Mais il faut aller plus loin et décrypter comment ce passé transformé en mythe est aussi la négation de l'Histoire comme processus de transformation du réel. Comment un discours qui exploite en permanence l'histoire de France pour nourrir son argumentaire vide en définitive le passé de son sens et de sa nature de *passé*, et construit à la place une vision essentialisée et figée de la France qui exclut au lieu de rassembler dans une mémoire réellement collective l'ensemble des Français d'aujourd'hui.

Force est de constater qu'ici aussi Marine Le Pen s'inscrit dans la droite ligne de son père : le timide rééquilibrage de ses allusions historiques vers des figures de la modernité et de la

131. Edwy Plenel et Alain Rollat, *op. cit.*, p. XII.

République[132] ne correspond qu'à des modifications cosmétiques ou stratégiques. Les ressorts profonds et l'idéologie que le discours sur et par l'Histoire révèle sont identiques d'une génération Le Pen à l'autre. On distinguera ici la fonction idéologique de l'Histoire comme *thème* et les conséquences critiques de son traitement sur le mode mythologique. D'un côté, nous verrons que le passé est le fondement ontologique et axiologique explicite du discours frontiste ; de l'autre, que la manière dont il est aussitôt dissous en mythe lui renie toute historicité. Le passé est ainsi valorisé comme thème et détruit comme réalité contingente.

Le passé comme thème et comme valeur : une mystique de l'Histoire

La transmission du roman national est au cœur du programme et de l'idéologie du Front national. Si les discours de Jean-Marie Le Pen et de sa fille sont à ce point pétris de références historiques, si le récit comme mode discursif est l'un de leurs procédés argumentatifs préférés, ce n'est pas accident de style, mais au contraire symptôme d'une croyance profonde dans la valeur du passé et dans le passé comme valeur.

L'évocation et la glorification de l'histoire de France se justifient par un adage qui est au cœur du nationalisme barrésien et que reprennent à leur compte Jean-Marie et Marine Le

132. Marine Le Pen cite presque autant de Gaulle (19 fois) que Jeanne d'Arc (22 fois), alors que la proportion respective chez son père est de 80 contre 239 pour la Pucelle d'Orléans, loin devant toutes les autres figures historiques. Marine Le Pen s'abstient aussi d'énumérer tous les saints et rois de France et invoque à l'inverse Victor Schœlcher, Jules Ferry, Paul-Émile Victor, Émile Zola, Karl Marx et Hannah Arendt.

Pen : l'obligation morale qui échoit à chaque génération de transmettre le patrimoine historique et culturel de la France à la suivante, assurant ainsi par cette chaîne ininterrompue[133] de la mémoire collective l'unité, la permanence et l'identité spirituelle de la nation. « Notre pays est l'œuvre de centaines de générations qui nous ont précédés. [...] Le devoir sacré de chaque génération est de transmettre cet *héritage* après l'avoir *enrichi* et prolongé d'un projet collectif », proclame Marine Le Pen le 12 mars 2012 à Six-Fours. Et d'ajouter : « Je rendrai donc aux Français toutes les composantes de leur *patrimoine* au premier rang desquelles leur histoire glorieuse. » La métaphore économique du passé comme « héritage » et « patrimoine », avec (dirait Barthes) toutes les connotations petites-bourgeoises que cette « rentabilité » du passé suggère, conforte l'idée que le passé est une *valeur* et même un *capital* à faire fructifier. Cette conception d'une France d'héritiers qui se transmettraient de génération en génération un capital culturel et identitaire se fonde cependant sur un non-dit : une telle métaphore repose sur l'ascendance directe de génération en génération et exclut implicitement les nouveaux arrivants. Derrière le cliché[134] (« la

133. « Parce que nous croyons que nous sommes les *maillons d'une chaîne qui nous relie au passé* par notre histoire et au futur par notre volonté de destin, loin de le répudier, nous revendiquons l'héritage de nos héros [...] » (Marine Le Pen, Discours du 1er mai 2011). De même, Barrès en 1899 énonce : « Quand chacun de nous tourne la tête sur son épaule, il voit une suite indéfinie de mystères, dont les âges les plus récents s'appellent la France. Nous sommes le produit d'une collectivité qui parle en nous. Que l'influence des ancêtres soit permanente, et les fils seront énergiques et droits, la nation une » (*op. cit.*, feuillet 21).

134. Sur le cliché comme véhicule de normes doxiques implicites, voir Amossy Ruth et Elisheva Rosen, *Les Discours du cliché*, Paris, CDU-SEDES, 1982.

France millénaire», la «chaîne des générations»), le non-dit fonctionne à plein pour conforter des valeurs implicites: ici, que l'identité française s'hérite en ligne directe.

Si le passé est un patrimoine à transmettre, il est aussi source de valeurs au sens moral du terme. En tant que réservoir inépuisable d'exemples instructifs qui révèlent l'essence de la France, il est présenté comme une trame transparente où se lit le combat éternel du Bien et du Mal, des forces «patriotiques» et de l'anti-France. Le passé français est en outre lui-même uniformément exemplaire: «Comme dans toute histoire humaine, il existe dans notre épopée nationale des ombres. [...] Mais l'histoire de France est un bloc. Les lumières l'emportent sur les ombres[135].» Depuis toujours, le Front national promeut dans son programme électoral le refus de la «repentance» et du relativisme culturel, et le retour à un enseignement chronologique de l'histoire des rois et des grands hommes, à rebours des tendances de la science historique de la seconde moitié du XXe siècle. «L'histoire de France doit être enseignée dans sa chronologie et dans sa *gloire*», affirme Marine Le Pen, qui ne craint pas d'aligner une litanie de clichés: «Tous les enfants de France, quelles que soient leur couleur, leur origine, leur religion, doivent connaître les figures

135. Marine Le Pen, «Discours de Nantes», 25 mars 2012. Ou encore, dans *Pour que vive la France*, «Et de la France moi, je prends tout, des Gaulois aux Céfrans qui veulent devenir Français à part entière, de la monarchie à la République, de la colonisation à la décolonisation, des cathédrales à la loi de laïcité de 1905» (*op. cit.*, p. 169), écho au «Discours de Valmy» de son père qu'elle aurait contribué à écrire avec Alain Soral en 2006: «De Gergovie à la Résistance en passant par la monarchie capétienne et l'épopée napoléonienne, je prends tout! Oui tout! Car toutes ces actions héroïques, novatrices, audacieuses, participent du génie de notre pays.»

de Clovis, de Roland, de Saint Louis, de Richelieu, de Colbert, mais aussi de Robespierre, de Napoléon et de De Gaulle. Tous les enfants de France doivent connaître les quarante rois qui, en mille ans, firent la France[136]. »

On le voit, le passé comme fondement axiologique explicite du discours frontiste – comme source de capital identitaire et de valeurs – va de pair avec une fonction ontologique : c'est lui qui confère son être même et son sens à la nation et à l'individu. « Une Nation sans passé est une Nation sans avenir », proclame Jean-Marie Le Pen en 2007, ce à quoi sa fille fait écho cinq ans plus tard : « Nous nous projetons dans l'avenir, parce que nous savons d'où nous venons[137]. » Mémoire et commémoration ne sont pas simplement une œuvre de souvenir, mais de connaissance de soi et même de fondement du moi collectif et individuel. Le passé collectif est la vérité ontologique de l'individu présent, comme le suggèrent ces remarques sur l'enseignement de l'histoire : « Quant à l'étude de l'histoire de France [...] elle retrouvera sa place au cœur de l'apprentissage car un enfant doit savoir d'où il vient pour savoir *qui il est* et, plus tard, savoir où il va[138]. » L'éducation n'est pas là pour favoriser l'exercice de la pensée critique, mais pour conforter la primauté d'une identité collective héritée sur l'émergence d'une personnalité individuelle. Renier ce déterminisme, c'est s'exclure de la nation et s'interdire tout accès au sens.

De même, l'exemplarité du passé n'est pas seulement morale, elle est ontologique au sens où elle ancre l'individu dans une histoire qui le fonde en droit et lui ouvre une dimension

136. Marine Le Pen, « Discours de Nantes », 25 mars 2012.

137. Marine Le Pen, « Discours de La Baule », 26 septembre 2012.

138. Marine Le Pen, Présentation du préprogramme, 19 novembre 2011 (notre italique).

spirituelle dans la communion avec un peuple dont l'essence est hors du temps : « Ces récits nous instruisent autant qu'ils *enracinent* nos engagements dans l'Histoire, que dis-je dans l'Histoire, dans *l'âme* de notre peuple[139]. » Culte des moments fondateurs et des « pères » de la nation, panégyrique des héros patriotiques, communion spirituelle dans la commémoration, Marine Le Pen prône comme son père une histoire glorifiée, sublimée, sanctifiée... mythologisée. Une France mystique et mythique dont « l'âme », par définition éternelle, se lit à travers l'histoire.

Temps mythique, temps cyclique

Si le passé révèle l'âme de la France, en raconter encore et encore les mêmes épisodes clés, c'est participer au souffle vital de cette essence qui s'actualise identique à elle-même au gré des accidents de l'Histoire, eux-mêmes indifférents dans leurs détails car répétitifs dans leur leçon. Le roman national prend en effet dans la bouche des leaders du Front national la forme d'un cycle indéfini de dégénérescence et de redressement. Quelle que soit l'année, voire la décennie, tout alimente le même récit de décadence apocalyptique et justifie le même élan vers une « renaissance » qui n'est autre qu'un retour aux sources. Gloire et décadence, déclin et sursaut, se rejouent régulièrement à travers les siècles sans que jamais le cycle s'épuise et se réalise. Marine Le Pen l'exprime clairement : « L'histoire de notre pays est une lutte incessante entre les forces du déclin et celles du redressement, entre ceux qui se couchent et ceux qui osent dire non, entre les élites autoproclamées qui trahissent et le peuple

139. Marine Le Pen, Discours du 1er mai 2011 (notre italique).

qui se lève[140].» Ou comme le dit plus simplement Jean-Marie Le Pen: «Les circonstances sont nouvelles, mais l'Histoire est la même[141].» Le Front national offre ainsi le passé comme horizon: l'avenir, sous la forme d'un retour au *statu ante quo,* prend alors la forme close et cohérente d'un tout connu, qui fait sens et qui rassure.

La répétition est le *modus operandi* du fond et de la forme du discours frontiste: à une vision de l'histoire cyclique correspond une poétique du ressassement. La lecture du corpus de Jean-Marie et de Marine Le Pen est en effet d'une incroyable et fatigante constance. Mais c'est aussi la force de leur discours que de marteler sans discontinuer les mêmes idées, les mêmes exemples, exprimés dans les mêmes formules[142], preuves de la cohérence et de la permanence d'une vision du monde imperméable aux événements.

On doit souligner l'efficacité rhétorique de ce discours nostalgique: pathos, glorification, communion, peur du déclin sont de puissants ressorts affectifs. La puissance de suggestion de ce récit repose en outre sur l'homologie suggérée entre le collectif et l'individuel: Marine Le Pen parle de la France et les auditeurs entendent leur propre histoire. Garder son rang, rester soi-même, ne pas déchoir sont autant de thèmes qui, exprimés au niveau collectif, ne manqueront pas de résonner subjectivement chez les «oubliés de la mondialisation» qui ne voient dans les bouleversements apportés par la nouvelle donne économique que sujets d'inquiétude, causes de déclassement

140. Marine Le Pen, «Discours de Tours», 16 janvier 2011.

141. Jean-Marie Le Pen, «Discours de Valmy», 2006.

142. Jusqu'au quasi-plagiat du père par la fille: non seulement le titre *Pour que vive la France* de son livre de 2012 copie le *Pour la France* publié en 1984 par Jean-Marie Le Pen, mais elle lui emprunte même l'épigraphe de cet ouvrage, une citation de Verhaeren.

potentiel et brouillage de leurs repères culturels. Marine Le Pen offre à l'inverse stabilité et répétition du connu (et d'abord répétition d'un discours incessamment ressassé) : « Cette patrie charnelle qui est inscrite en chacun d'entre nous est notre bien le plus précieux. Un repère inestimable dans un monde en perpétuel mouvement[143]. » Et de fait, quoi de plus stable qu'un passé figé en un cycle répétitif et indifférent au changement ?

Négation de l'Histoire et impensé du discours

« La question qui se pose à notre génération de Français est de savoir si nous acceptons de sortir de l'Histoire. » À cette question rhétorique Marine Le Pen répond elle-même sans le savoir, car ses discours ont déjà fait sortir la France de l'Histoire, par le haut il est vrai, comme mythe atemporel plutôt que comme nation disparue.

Exploiter grands événements ou figures historiques pour en tirer des leçons pour le présent, et au passage s'offrir une ascendance héroïque fameuse, n'est pas l'apanage du Front national : hommes et femmes politiques de tous bords se créent des filiations illustres et accaparent l'histoire collective. La spécificité du discours frontiste est de construire ces exemples tirés du passé comme des archétypes qui illustrent l'un ou l'autre (ou tous) les grands mythèmes que nous avons relevés. Autrement dit, de détacher le passé du temps historique irréversible et singulier pour l'essentialiser et le statufier. L'Histoire n'apparaît comme objet du discours (thème) que pour disparaître aussitôt sous le mythe qui l'absorbe et le transfigure. Là est le paradoxe du discours frontiste : il s'inscrit sous le double signe

143. Marine Le Pen, Présentation du préprogramme, 19 novembre 2011.

de la passion pour l'Histoire comme récit et de la négation de l'Histoire comme processus.

L'anachronisme permanent du discours frontiste a non seulement une fonction rhétorique (il rallie à lui un auditoire nostalgique en quête d'un sens clos), mais il est aussi révélateur d'une certaine idéologie. Il faut donc se pencher sur les non-dits et l'impensé de ce récit partiel et partial de l'histoire de France et de sa transformation en mythe. Cette entreprise d'essentialisation de la France et de fétichisation d'un passé exempté *a priori* de tout examen critique, de quoi est-elle le signe ? Une autre manière de poser la question est de s'interroger sur la politique de cette mythification : à quel(s) courant(s) politiques(s) appartient la négation de l'Histoire comme processus historique ?

Le propre du mythe est selon le mot de Barthes de « transformer l'Histoire en Nature[144] » : d'abstraire les réalités humaines de leur réalité politique et historique contingente pour en faire des vérités atemporelles (« le génie de la France », « le peuple », etc.). Barthes encore : « Le mythe ne nie pas les choses, sa fonction est au contraire d'en parler : simplement, il les purifie, les innocente, les fonde en nature et en éternité, il leur donne une clarté qui n'est pas celle de l'explication, mais celle du constat [...]. En passant de l'histoire à la nature, le mythe fait une économie : il abolit la complexité des actes humains, leur donne la simplicité des essences, il supprime toute dialectique, [...] il organise un monde sans contradictions parce que sans profondeur, un monde étalé dans l'évidence, il fonde une clarté heureuse ; les choses ont l'air de signifier toutes seules[145]. » Or, figer en essences atemporelles et « naturelles » des catégories

144. Roland Barthes, *Mythologies*, *op. cit.*, p. 202.
145. *Ibid.*, p. 217.

aussi éminemment construites, datées et idéologiques que le sont les concepts de « nation », de « famille », de « communauté », de « civilité », de « bien », etc., c'est souscrire à un déterminisme qui perpétue les positions sociales traditionnelles, considérées comme un ordre naturel inégalitaire mais « de bon sens[146] ». Marine Le Pen trahit sa filiation idéologique lorsqu'elle cite en septembre 2010 Chateaubriand, ardent contre-révolutionnaire, pourfendeur de l'individualisme promu par la Révolution française et défenseur de la même vision d'un passé ancestral source de toute valeur : « Chateaubriand nous fait une description brillante et saisissante [de l'individualisme] : "on renverse la religion et la morale ; on renonce à l'expérience et aux coutumes de nos pères ; on brise les tombeaux des aïeux, seule base solide de tout gouvernement, pour fonder sur une raison incertaine une société sans passé et sans avenir [...]." » Cette sacralisation du passé caractéristique de la droite conservatrice et réactionnaire entend imposer comme des vérités indubitables, car ancrées dans le respect des traditions, un état ponctuel d'organisation sociale, érigé en absolu. Aux lendemains de la Révolution comme aujourd'hui, le mythe du passé se construit sur les ruines de l'Histoire : il naturalise valeurs et *habitus*, transforme préjugés en sens commun, universalise une idiosyncrasie de classe, d'époque ou de milieu.

Cette déhistoricisation de l'Histoire est aussi une dépolitisation du politique[147] : au lieu de concevoir l'Histoire comme la résultante d'un faisceau de tensions et de luttes qui produisent

146. Voir Luc Boltanski et Arnaud Esquerre, *Vers l'extrême : extension des domaines de la droite*, Paris, éd. Dehors, 2014.

147. « Le mythe est une parole dépolitisée. Il faut naturellement entendre : politique au sens profond, comme ensemble des rapports humains dans leur structure réelle, sociale, dans leur pouvoir de fabrication du monde ; il faut surtout donner une valeur active au préfixe -dé :

des situations singulières et historiquement situées, le passé est conçu comme un principe unificateur. Sous le regard idéalisant de la droite nationaliste, il devient un « tout » sans aspérités et non la somme de conflits politiques et de groupes sociaux distincts, hétérogènes et potentiellement antagonistes dans leurs intérêts.

Ainsi les Le Pen père et fille ne convoquent l'histoire de France que pour la vider de sa dynamique proprement historique. Derrière les mythes de la France éternelle, de la décadence et du sursaut national, derrière le mythe du « peuple » lui-même, arbitrairement unifié et expurgé des conflits inhérents aux appartenances de classe, aux divergences de cultures, d'affiliations religieuses, régionales ou sociales, c'est une construction imaginaire éminemment idéologique qui surgit, la « France éternelle », à la fois singulière et exemplaire, unique et universelle, enracinée dans une terre mais miraculeusement dégagée de toute contingence car porteuse de principes absolus (le Bien, la Justice, la Liberté, la Civilisation).

Ce refus du changement, cette neutralisation par le discours des processus de transformation historique et des conflits sociaux sont politiquement situés : ils appartiennent au corpus classique de l'extrême droite[148]. C'est toujours la France d'avant qui est appelée de leurs vœux par les leaders du Front national. Un « avant » immémorial, hors temps mythologique qui précède l'inévitable décadence qu'induit toute entrée dans l'Histoire et préserve la communauté nationale des nécessaires conflits

---

il représente ici un mouvement opératoire, il actualise sans cesse une défection » (Barthes, *Mythologies, op. cit.*, p. 217).

148. Voir Peter Davies, *The Extreme Right in France, 1789 to the Present : From De Maistre to Le Pen*, Londres, Routledge, 2002, et Jean-Pierre Azéma et Michel Winock, *Histoire de l'extrême droite en France, op. cit.*

qui ne manqueraient pas de menacer son unité idéelle. « La fin même des mythes, dit Barthes, c'est d'immobiliser le monde : il faut que les mythes suggèrent et miment une économie universelle qui a fixé une fois pour toutes la hiérarchie des possessions[149]. » Ici la hiérarchie de possessions symboliques autant que matérielles : possession de la nationalité française, des avantages sociaux, d'une position démographique, économique et politique dominante. En dépit de ses accents « progressistes » et d'une rhétorique tournée vers l'avenir, Marine Le Pen, comme son père avant elle, projette donc dans le futur un retour au passé, passé capétien ou mérovingien pour le père, âge d'or du plein emploi des Trente Glorieuses pour la fille. En ce sens, c'est un discours littéralement « réactionnaire » : « Opposé au changement ou qui cherche à restaurer le passé[150] ».

Conclusion – La force d'un imaginaire

Marine Le Pen n'est pas dans le *storytelling*, mais dans le mythe, immémorial, transcendant, saisissant, poétique parfois[151]. On doit lui reconnaître de se refuser à écrire comme d'autres politiciens un petit feuilleton personnel autour de sa

149. Roland Barthes, *Mythologies, op. cit.*, p. 229.

150. *Trésor de la langue française*.

151. « Certains des aspects de la propagande moderne relèvent d'une fonction plus poétique que politique, qui est de faire rêver le peuple aux grandeurs passées et aux lendemains meilleurs » (Jean-Marie Domenach, *La Propagande politique*, Paris, PUF, 1973, p. 87). Marine Le Pen use efficacement des ressorts pathétiques de l'évocation poétique : « La France s'enfonce dans les ténèbres de l'Europe, et avec elle le peuple français, tous les peuples d'Europe. La France est dans les temps obscurs, elle est dans la nuit, et plus rien ne semble solide sous ses pieds. Elle est prise au piège d'un brouillard épais, celui du désespoir d'un pays désenchanté » (Marine Le Pen, Discours du 1er mai 2013).

biographie[152]. Elle raconte l'histoire de France, *son* histoire de France, certes, mais un récit autrement captivant que les anecdotes d'ego qui alimentent la chronique politique. Elle peint du passé et du présent des fresques épiques haletantes avec leurs traîtres et leurs héros, leurs Ganelon et leurs Judas, leurs Roland et leurs Jeanne, chevaliers irréprochables qui se battront jusqu'au bout portés par « l'amour de la France ». Ce sont de belles histoires, des histoires dont le cours et le sens sont clos, clairs, lisibles. Des histoires qui proposent une « aventure » collective et assignent aux êtres des identités stables et univoques.

Le paradoxe du discours mariniste est d'un côté de manier une novlangue technocratique pour des discussions de politique économique parfois absconses, et, de l'autre, de se nourrir d'un récit mythologique et hyperbolique dans la lignée de celui de son père. D'un côté, Marine Le Pen martèle qu'elle se concentrera, elle, sur « l'économie *réelle* » ; de l'autre, elle dresse un portrait apocalyptique peuplé de démons tel le « monstre à trois têtes technocratiques "FMI-BCE-UE" ». Or, les deux côtés marchent ensemble : la normalisation du style a pour fonction de *signifier* « crédibilité » et « expertise » ; le sous-texte mythologique de susciter les peurs contre lesquelles elle s'offre comme recours. Plutôt que de conclure au mélange entre archaïsme et technocratisme, il faut parler avec Alain Bihr de la modernité d'un archaïsme[153]. Le mythe insuffle sens et

152. Elle a publié en 2006 une fois pour toutes une biographie qui explique son parcours (*À contre-flots*, Paris, Grancher, 2006). Depuis, elle évite en général le *storytelling* personnel dans ses discours ou interviews publics (à la différence, par exemple, de Nicolas Sarkozy).

153. Pour Alain Bihr, l'extrême droite est « organiquement liée à certaines contradictions et crises propres à la modernité capitaliste la plus récente ; ou [...] du moins ces contradictions et crises de la modernité

grandeur au réel là où une crise d'intelligibilité et de repères symboliques touche les sociétés contemporaines. Marine Le Pen parle à l'imaginaire autant qu'à la raison : ses contes emportent l'adhésion là où la comptabilité managériale de ses adversaires échoue. Ainsi le mythe empêche la dédiabolisation de faire sombrer son discours dans l'ennui : les belles histoires de Marine Le Pen la sauvent de ses propres obsessions de chiffrage.

sont susceptibles de réactiver les éléments archaïques véhiculés par l'extrême droite, de les rendre en quelque sorte à nouveau fonctionnels ». Or, cette crise de la modernité serait essentiellement une crise de sens : « un déficit chronique d'ordre symbolique dans lequel les sociétés capitalistes développées n'ont cessé de s'enfoncer [depuis les années 1880] » (« Le sol et le sang. L'immigration dans l'imaginaire du Front national », art. cité, p. 8 et 11).

III

Les conditions d'une réception favorable*

Marine Le Pen a non seulement été en mesure de récupérer l'électorat de son père, mais elle a aussi su le faire évoluer et prospérer pour atteindre, dès sa première élection présidentielle de 2012, des scores supérieurs à ceux de 2002, année mémorable où le Front national réussit à être présent au second tour de l'élection présidentielle, avec 16,86 % au premier tour pour Jean-Marie Le Pen contre 17,90 % pour Marine Le Pen en 2012 : pourquoi existe-t-il une telle réception du discours de Marine Le Pen dans la société française ? Comme tout phénomène de société, il n'y a pas d'explication unique : c'est une conjonction de facteurs multiples. La crise économique n'explique pas tout, la présence d'immigrés non plus, pas plus que la seule efficacité du discours et des propositions de Marine Le Pen. C'est vraisemblablement dans la rencontre entre ce nouveau discours et une situation sociopolitique difficile qu'il faut rechercher les raisons de la dynamique actuelle du Front national.

La lente maturation de la société française, du discours politique en général et des relations des médias avec le Front

* S. Wahnich remercie C. Alduy de ses relectures attentives et de ses suggestions pour cette partie.

national au cours des vingt dernières années permet de comprendre pourquoi le discours frontiste nouvelle mouture a pu devenir de plus en plus acceptable. La « dédiabolisation » n'est donc pas seulement une stratégie intentionnelle portée par Marine Le Pen : elle résulte aussi de l'évolution des éléments contextuels de réception de son discours. La situation économique et sociale, le manque de réponses appropriées des autres partis politiques aux demandes de l'électorat, mais aussi les discours des médias et l'évolution géopolitique favorisent l'émergence d'un courant frontiste.

UNE LOGIQUE GÉOGRAPHIQUE

Le raccourci qui relie selon un lien de causalité « situation socio-économique difficile » et « vote Front national » ne saurait tout expliquer. Ce lien est loin d'être mécanique : la cartographie des demandeurs d'emploi sur le territoire français[1] ne correspond pas univoquement à la carte électorale du Front national. Penser que le vote Front national est une simple réaction à la situation économique, que la crise financière mondiale de 2008 n'aurait fait qu'accentuer, est une simplification abusive[2]. Les causes du vote Front national sont plus profondes

1. Hervé Le Bras, *Atlas des inégalités, les Français face à la crise*, Paris, Autrement, 2014.

2. On soulignera d'ailleurs que Jean-Marie Le Pen a réalisé le score le plus élevé de toute sa carrière politique dans un contexte de croissance économique et de résorption du chômage : c'est lors d'une embellie économique avec un taux de croissance de 3 % et 900 000 chômeurs en moins en cinq ans que Jean-Marie Le Pen arrive au second tour de la présidentielle en 2002.

qu'une réaction au seul phénomène du chômage, même si ce dernier est systématiquement au cœur des préoccupations des Français dans les enquêtes d'opinion[3]. L'étude de la sociologie électorale du Front national aux élections présidentielles de 2012 et aux élections municipales et européennes de 2014 permet d'avancer l'hypothèse que le vote Front national est d'abord une réaction face à l'évolution sociétale plus large de notre pays. En effet, si l'on se penche sur les logiques géographiques, on s'aperçoit que la carte du taux d'immigration par département, celle de l'insécurité et celle des inégalités sont beaucoup plus proches de la carte électorale du Front national que ne l'est celle du chômage[4].

Le vote Front national semble être d'abord l'expression d'une fragilisation sociale. On observe en effet que les personnes les plus fragiles ou celles qui sont en voie de fragilisation d'un point de vue socio-économique ont tendance à voter Front national. Néanmoins, il convient de souligner que ce ne sont pas toujours celles qui sont les plus exposées aux risques de l'évolution sociétale qui apportent leur suffrage au Front national. En effet, la carte des inégalités sociales liées au niveau de diplôme correspond à la carte du vote Front national. Ce n'est pas nouveau[5] : c'est bien la France en voie de fragilisation qui vote Front national depuis 1988. Marine Le Pen a su récupérer l'électorat constitué sur ce terreau par son père au fil des années par une attention régulière à ce dernier dans les discours. Ainsi dans son allocution à

3. « L'emploi, première préoccupation des Français pour 2013 », *L'Express*, 2 janvier 2013 : 84 % des Français sont préoccupés par l'emploi (étude Harris interactive/RTL).

4. Maryse Souchard *et al.*, *Le Pen, les mots…*, *op. cit.*

5. *Ibid.*

Rouen en 2012, elle s'adresse directement à ces populations : « Parce que je vais au fond des choses, je ne peux que parler de la France des oubliés, ces oubliés de la mondialisation, les premières victimes d'un système qui méprise le salarié, qui méprise le travail, qui privilégie la rente à l'effort et enfonce les catégories populaires, les classes moyennes et les retraités dans une misère grandissante, au profit d'une toute petite caste de profiteurs, ceux qui ont déjà tout mais qui en veulent toujours plus. » Ce sont des personnes qui veulent se protéger des risques urbains et sociaux, d'une part, et des effets de la mondialisation et de la modernité, d'autre part.

Centres et périphéries

L'analyse sociologique du vote Front national éclaire les nouveaux comportements électoraux et explique les mécanismes mis en œuvre. Le premier phénomène à étudier est celui d'une logique urbaine qui oppose centres-villes et périphéries urbaines. Les villes-centres[6] françaises se sont « gentrifiées »[7] depuis les années 1990. On observe ainsi que les métropoles sont d'abord composées de catégories socioprofessionnelles supérieures, plus diplômées, et aux niveaux de revenus plus importants, au sein desquelles les résultats en faveur du Front

6. L'Insee définit la ville-centre de la manière suivante : « Si une commune abrite plus de 50 % de la population de l'unité urbaine, elle est seule ville-centre. Sinon, toutes les communes qui ont une population supérieure à 50 % de la commune la plus peuplée, ainsi que cette dernière, sont villes-centres. Les communes urbaines qui ne sont pas villes-centres constituent la banlieue de l'agglomération multi-communale » (source : www.insee.fr).

7. *Id.*, « Modification de la structure urbaine au bénéfice des catégories sociales supérieures ».

national sont significativement inférieurs à la moyenne nationale[8]. Compte tenu de leurs prérequis culturels et de leur « aisance » financière, qui leur confèrent une stabilité sociale, les habitants de ces villes ne semblent pas sensibles au discours du Front national. Les résultats sont éloquents. Ainsi, aux dernières élections municipales, le Front national a obtenu 6,20 % des suffrages à Paris, 8,22 % à Bordeaux, 9,87 % à Lyon et 10,98 % à Rouen[9], contre 17,90 % en moyenne nationale. En étudiant le vote Front national non plus seulement dans la ville-centre, mais dans l'ensemble des agglomérations concernées, on observe que le vote pour le Front national s'exprime de manière concentrique : il s'accroît à mesure que l'on s'éloigne du centre. En effet, on observe que les communes proches de la ville-centre n'ont que très peu voté Front national pour se prononcer surtout en faveur de François Hollande. En revanche, les villes de la deuxième couronne ont voté massivement Front national. Plus on est éloigné du centre de l'agglomération, plus on a le sentiment d'être oublié, déclassé, plus on a tendance à accorder sa voix au parti de Marine Le Pen.

D'aucuns ont appelé ce phénomène un « vote de relégation[10] ». Il s'agit en réalité d'un vote de protection. En effet, dans de nombreux cas, les électeurs de cette zone d'habitation viennent d'arriver et ont importé, en l'amplifiant, leur vote Front national. Ils résidaient dans des banlieues proches du centre dans les années 1990 et se sont sentis « chassés » par une détérioration de leur vie quotidienne[11]. Ils ont été contraints de

8. Christophe Guilluy, *La France périphérique, comment on a sacrifié les classes populaires, op. cit.*

9. Source : ministère de l'Intérieur.

10. *Le Figaro* du 25 avril 2012.

11. Christophe Guilluy, *La France périphérique, comment on a sacrifié les classes populaires, op. cit.*

se déplacer en plus grande banlieue, voire en province proche dans le cas de Paris, pour bénéficier d'un environnement social plus équilibré, notamment en termes de qualité des écoles pour leurs enfants. Souvent endettés, ces nouveaux habitants des villes de banlieue de la deuxième couronne parisienne sont fragilisés et trouvent dans le vote Front national une réponse politique à leur situation.

D'ailleurs, à Merdrignac en 2012, Marine Le Pen aborde le sujet de l'ascension sociale qui est l'un des enjeux phares de cette population : « Ce pacte sacré qui faisait le ciment de la nation, c'est celui d'une promesse ouverte à tous d'une possible ascension sociale. Abandonnés depuis longtemps par les pouvoirs successifs, les Français des milieux populaires furent les premiers à se sentir exclus de ce contrat social, les premiers oubliés, à comprendre très vite qu'il n'y avait pas d'avenir prévu pour eux et pour leur descendance. » À Marseille en 2013, visant cette même population fragilisée, elle réaffirme ses ambitions pour l'école : « Je veux une école qui transmette les savoirs. Je veux une école qui transmette notre histoire. Je veux une école qui apprenne le respect, à commencer par celui des enseignants… Une école de la tranquillité, de la sécurité, de la sérénité. »

L'exemple de l'Île-de-France est représentatif de cet électorat concentrique. Marine Le Pen obtient 6,20 % à Paris, 11,86 % en Val-de-Marne, 13,55 % en Seine-Saint-Denis, mais 15,60 % dans le Val-d'Oise et 19,65 % en Seine-et-Marne. Ces résultats démontrent en partie comment fonctionne le vote Front national : l'éloignement vers la grande banlieue pour se « protéger » de l'évolution sociale pour ceux qui n'ont pas les moyens d'habiter une ville-centre provoque un effet défensif, et son expression politique se traduit par une propension plus forte à voter Front national. L'importance de cette variable géographique de la distance par rapport aux métropoles a été soulignée par Jérôme Fourquet dans une note de la fondation Jean-Jaurès[12]. Il y démontre notamment qu'il existe un écart de près de 4 % de vote en moins pour le Front national par rapport à la moyenne lorsque l'on habite à moins de 10 km de la ville-centre, que cet écart est de 2,8 % en plus lorsque l'on habite à 30 km, puis cet écart a tendance à baisser et même à disparaître à partir de 60 km de la ville-centre.

Cependant, ce phénomène peut se mesurer à plus petite échelle. En effet, si l'on analyse la situation électorale de l'agglomération de Lyon ou de celle de Rouen, on s'aperçoit que le vote Front national est corrélé d'une part à la photographie sociologique de la commune et d'autre part à la distance vis-à-vis de la ville-centre. Autrement dit, plus la commune est riche et proche de la ville-centre, moins elle votera Front national. En revanche, plus la ville est pauvre, plus elle votera Front national. Enfin, plus elle est éloignée, plus elle aura tendance à voter de manière plus accentuée pour le Front national, même si ces villes sont parmi les plus riches de l'agglomération[13]. On peut pour preuve citer quelques exemples dans l'agglomération de Rouen. Bois-Guillaume est à 3,5 km du centre de Rouen : les revenus y sont largement au-dessus de la moyenne de l'agglomération, le nombre de diplômés est très important et le vote Front national à l'élection présidentielle de 2012 s'élève à 8,49 %. À Sotteville-lès-Rouen, ville plus populaire, située à 4,5 km de Rouen, des revenus plutôt bas, un nombre de diplômés plutôt bon, Marine Le Pen a obtenu 16,03 % en 2012. Petit-Couronne est dans la moyenne de l'agglomération en

12. Jérôme Fourquet, *Le Sens des cartes : analyse sur la géographie des votes à la présidentielle*, Paris, Fondation Jean-Jaurès, 2014.

13. Source : Insee.

termes de diplômes et de revenus, mais elle se situe à 11 km du centre de Rouen et elle a voté à 19,7 % Marine Le Pen en 2012. À Lyon, on retrouve un phénomène identique. Villeurbanne se situe à 4 km du centre de Lyon. Ville aux revenus plus bas que Lyon, elle a voté à 13,41 % en faveur de Marine Le Pen en 2012, c'est-à-dire moins que la moyenne nationale. La ville de Mions, beaucoup plus riche que Villeurbanne, a voté à 23,27 % en faveur de Marine Le Pen, mais se situe à 23 km du centre de Lyon.

Une logique régionale

Les résultats de l'élection présidentielle de 2012 ont également mis en lumière la percée du vote Front national dans l'ouest de la France. Comment expliquer cette percée dans des régions pourtant relativement épargnées par les phénomènes d'immigration ou par la violence économique de la mondialisation ? Le principal facteur d'explication semble être une réaction préventive des électeurs à l'égard de ce que les médias leur rapportent des dérives et des désordres dans d'autres régions françaises, voire dans le monde. Le discours de la presse sur les banlieues, sur les jeunes issus de l'immigration ainsi que sur l'islam contribue à une réaction surdimensionnée que l'on pourrait qualifier ici de « prudentielle ». En votant Marine Le Pen, cet ouest de la France se protège par anticipation. Il n'est alors pas étonnant d'avoir vu se développer durant l'année 2013 des rumeurs[14] dans certaines villes moyennes de l'Ouest telles que Niort, Limoges, Poitiers, dans lesquelles les maires socialistes étaient accusés par la population de faire venir

14. « Cette curieuse rumeur du 9-3 », *Sud-Ouest*, 16 octobre 2013 ; « Au Mans, la rumeur du 93 dérape sur le terrain politique », *Le Figaro*, 21 janvier 2014.

des « immigrés de Seine-Saint-Denis » pour « renforcer leur électorat » à la veille des municipales. En réalité, cette rumeur est le fruit d'un amalgame entre deux faits connus dans ces villes : d'une part, les scores très importants du Parti socialiste dans le 93, département associé dans l'imaginaire collectif à de fortes populations immigrées, de l'autre, l'apparition d'immigrés dans ces villes de l'Ouest qui n'ont pas l'habitude d'en accueillir. Ces rumeurs peuvent aussi prendre leur source dans la perception du discours du Parti socialiste au niveau national : celui-ci tendrait à faire des immigrés les principales victimes de la société à la place des ouvriers. Cette rumeur est symptomatique de l'inquiétude de ces habitants par rapport non pas à ce qui se passe véritablement dans leur commune, mais à ce qui pourrait s'y passer. De fait, nous sommes en présence d'une réaction face à un risque potentiel et non pas face à un quotidien vécu. Un risque[15] n'existe que par la conscience que l'on en a, et donc par sa visibilité symbolique. Cette visibilité est en l'occurrence d'abord celle qu'apportent les médias et les industries culturelles (cinéma, musique, séries). Nul doute que la couverture médiatique des difficultés rencontrées dans certaines banlieues, notamment celle d'Île-de-France, nourrit cette conscience et alimente l'inquiétude des spectateurs. Par conséquent, si le risque ne se concrétise pas réellement dans le quotidien de ces villes de l'Ouest, en revanche, les personnes qui le symbolisent dans l'imagination collective peuvent être perçues comme des signes annonciateurs de sa réalisation future. Les personnes d'origine immigrée, par leur simple présence, surtout si cette présence est nouvelle, et non par leurs faits et gestes, suffisent à créer une réaction qui aboutit, pour certains, au vote Front national. La « France en

15. Ulrich Beck, *La Société du risque*, Paris, Alto, 2001.

danger» de Marine Le Pen entre alors en «résonance» avec leur «quotidien» imaginaire et, dans ce cadre, les personnes «étrangères» n'ont pas besoin de venir de Seine-Saint-Denis pour qu'elles en deviennent le symbole.

C'est une même dynamique de «protection préventive» qui explique le repeuplement de certaines campagnes. Ainsi, les villages de Dordogne, du Lot et de la Lozère ont tendance à se repeupler de néo-ruraux qui cherchent à fuir les «violences sociales» des zones urbaines. On va restaurer les maisons, développer des rituels locaux, recréer des fêtes de village qui avaient disparu. On peut observer dans certains d'entre eux la (re)création de fêtes ancestrales (Saint-Hubert, fest noz...) au sein desquelles on ne consomme que les produits du village, summum de la «préférence locale». Cette valorisation symbolique du terroir, la redynamisation de fêtes que l'on pouvait trouver désuètes il y a vingt ans contribuent à renforcer une identité traditionnelle face à une évolution sociale des grandes villes que l'on veut non seulement éviter, mais empêcher d'arriver près de chez soi. Marine Le Pen a un discours alarmiste, elle qui déclarait, en s'adressant à cette population à Châteauroux[16], durant la campagne présidentielle: «Villages, bourgs, petites villes de province, tous désormais sont touchés par la délinquance du quotidien, les feux de voiture, les cambriolages et les agressions! Tous sont touchés par l'immigration qui accentue l'insécurité!» Marine Le Pen veut activer les peurs liées aux représentations des banlieues. Visiblement, elle a en partie réussi. Les résultats aux élections présidentielles ne se sont pas fait attendre. En 2002, dans le département de la Dordogne par exemple, Jean-Marie Le Pen obtenait 12,22 %[17] au premier tour,

16. Marine Le Pen, «Discours de Châteauroux», 26 février 2012.
17. Source: ministère de l'Intérieur.

Marine Le Pen a obtenu 17,01 % au premier tour de l'élection de 2012. En Lozère, on assiste au même phénomène : Jean-Marie Le Pen obtenait 13,58 % au premier tour, Marine Le Pen a obtenu 17,30 % au premier tour de l'élection de 2012. La volonté d'évitement est enclenchée.

L'IMPUISSANCE DES POLITIQUES

Face à l'intégration

Le vote Front national constitue également une réaction face à l'incapacité des politiques à réguler la société française aussi bien socialement qu'économiquement. Cette impuissance se traduit par l'évolution du discours des politiques.

Les hommes politiques ne parviennent pas à formuler un discours d'explication qui rendrait intelligibles leur propre action et surtout la situation de la France et des Français. Le discours sur l'intégration des immigrés par exemple a beaucoup évolué en trente ans. La présence de l'islam avec l'apparition du port du voile dans l'espace public, la construction de nouvelles mosquées[18] n'ont pas été accompagnées pédagogiquement par les politiques. Il conviendrait donc de mettre en œuvre une action pédagogique qui s'adresse à l'ensemble de la population et prenne chacun en considération. Il ne s'agira donc pas de mettre à l'index la « femme voilée » ou le « Français raciste ». Au contraire, une définition collective d'un équilibre devra être énoncée afin que la société française reste unie et ne se

18. En 2012, *Le Monde* dénombrait plus de 200 projets de constructions et 2 200 mosquées en activité (24 juillet 2012) pour environ 6 millions de musulmans.

découpe pas en autant de territoires qui, de plus en plus, n'ont rien à voir entre eux.

L'évolution du discours des politiques sur l'immigration et sur l'intégration est à ce titre édifiante. Un premier modèle de conceptualisation de la relation des immigrés à leur pays d'accueil est celui d'« assimilation » : ce modèle suppose que les nouveaux arrivants adoptent la langue, la culture et les mœurs du pays où ils s'installent, et abandonnent en retour à la sphère privée les traces de leur culture d'origine. On constate que la France a été plutôt « assimilationniste[19] » dans ses pratiques au cours de la seconde partie du XIXe siècle et jusqu'aux années 1960[20], même si l'on ne peut occulter les attaques xénophobes parfois violentes subies par les immigrés italiens ou polonais à la fin du XIXe siècle ou encore le discours antisémite et anti-immigration des années 1930. Cette assimilation apparaît en général avec la deuxième génération, qui, pour les personnes venant d'Europe, d'Asie et pour une bonne part d'Afrique, constitue une réussite jusque dans les années 1970-1980. À partir des années 1980, les instances dirigeantes parlent d'« intégration », plutôt que d'« assimilation »,

19. L'assimilation est un thème abordé entre les deux guerres, par exemple par Georges Mauco, avec de forts relents antisémites. C'est en 1950 que l'INED aborde le sujet avec l'UNESCO, étudiant « L'assimilation culturelle des immigrants », in *Population*, 5e année, n° 2.

20. Il faut noter que des populations étrangères de travail, transitoires et n'ayant pas vocation à s'installer, ont été accueillies avec une tout autre approche. Il ne s'agissait plus d'assimiler ces étrangers venus travailler de manière temporaire (Italiens, Espagnols ou Portugais saisonniers ; travailleurs maghrébins pendant les Trente Glorieuses), mais de les contenir politiquement et géographiquement dans des zones où ils pouvaient vivre selon leur culture d'origine, sans qu'une réelle mixité sociale avec la population d'accueil soit envisagée.

pour qualifier la relation souhaitée entre nouveaux arrivants et population d'accueil. Le droit à la différence est revendiqué et le mouvement SOS Racisme est l'un des porteurs majeurs de cette revendication. La création de l'expression « immigrés de la deuxième génération » est représentative de la définition même d'immigré. Jusqu'alors, la deuxième génération était perçue comme « assimilée » et n'était donc plus désignée par d'autres noms que celui de « Français ». À partir du moment où l'on reconnaît l'existence d'une « deuxième génération d'immigrés », le fait d'être né en France n'est plus suffisant pour être considéré comme Français à part entière : on reste un « immigré » qui s'intègre.

L'intégration[21] est définie par le fait que la personne immigrée ou issue de l'immigration adopte les mœurs de la collectivité nationale, mais conserve également sa culture d'origine, sans influencer sa société d'adoption. Cette situation est due au constat de la difficulté de l'assimilation d'une partie des personnes issues de l'immigration dans la France des années 1980. Sans que l'on s'en aperçoive à l'époque, céder sur l'obligation de l'assimilation est un premier échec et implique *de facto* une évolution du modèle français. L'idée d'intégration est sans doute un compromis entre les grands principes de la France assimilationniste et la réalité quotidienne. La notion d'intégration va permettre le développement de politiques prioritaires comme la création des Zones d'éducation prioritaires (ZEP) et la naissance de la politique de la ville. C'est le début d'une politique adaptée aux besoins réels et non d'une politique égalitaire au prétexte que tous les citoyens sont égaux par principe. L'effet induit de ce « droit à la différence »

21. Dominique Schnapper, *La Démocratie providentielle, essai sur l'égalité contemporaine*, Paris, Gallimard, « NRF/Essais », 2002.

est d'avoir déclenché des réactions de singularisation de la part des populations concernées. L'abandon de l'assimilation au profit de l'intégration, donc d'une certaine reconnaissance de la différence par l'État, permet sans à-coups l'apparition du voile dans l'espace public, en bref, une affirmation religieuse qui n'est pas interdite en tant que telle, mais qui ne faisait plus partie du quotidien des Français. En effet, les processions de l'Église catholique ont aujourd'hui presque disparu de l'espace public.

Cette intégration n'est pas un échec, contrairement à ce que beaucoup disent, car au moins 80 % des personnes issues de l'immigration sont intégrées au sens sociologique du terme[22]. Le problème est qu'en la matière ce n'est pas suffisant. Au fil des ans, une partie de la population, les plus jeunes, ceux qui sont nés en France notamment, ne semble pas parvenir à s'intégrer. La première cause de cet échec tient sans doute au manque d'action politique en faveur de la réussite scolaire. Trop de jeunes issus de l'immigration sortent sans diplôme ou avec de mauvaises qualifications. Ce manque de qualifications provoque un taux de chômage plus important encore que pour le reste des jeunes qui est déjà un des plus élevés d'Europe avec 23,4 % de chômeurs de moins de 25 ans en 2013[23]. La deuxième cause est le manque de représentation positive des immigrés et descendants d'immigrés durant des années. En effet, parmi les principales représentations collectives des jeunes issus de l'immigration, l'une provient du discours de

22. Voir Sylvain Brouard et Vincent Tiberj, *Français comme les autres ? Enquête sur les citoyens d'origine maghrébine, africaine et turque*, Paris, Presses de la Fondation nationale des sciences politiques, 2005.

23. Source : Eurostat, mars 2014.

Jean-Marie Le Pen et l'autre des « Guignols des infos », du rap ou du hip-hop, avec des jeunes parlant avec un accent « beur ». Cet accent est symptomatique de l'échec de l'intégration de ces jeunes et est devenu un frein pour l'emploi par sa connotation négative au regard du reste de la société française. Ce phénomène montre combien notre pays a failli et continue de faillir à intégrer une partie de sa jeunesse. Les jeunes de banlieue ont pris la place que nous avons bien voulu leur accorder.

Face à une opinion publique qui semble conclure à un relatif échec de l'intégration, les pouvoirs publics vont alors parler d'« inclusion ». Pour certains, l'inclusion[24] constitue un nouveau recul face à un modèle français. Il s'agit de s'assurer que la personne immigrée entre dans la société, en adopte le mode de vie, mais puisse également y importer le sien. Contrairement à l'intégration, ce modèle accepte que le nouveau venu change l'équilibre social, et c'est par la reconnaissance et la prise en compte par chacun de la culture de l'autre qu'un nouvel équilibre sociétal se met en place. Chaque personne qui participe à la société l'influence en retour. En France, nous sommes loin de cette conception. L'intérêt de l'inclusion est que la société reconnaît la spécificité et le mérite de chacun. Il est vrai que le système assimilationniste donne automatiquement plus de chances de réussite à ceux qui ont déjà la maîtrise des codes sociaux par rapport à ceux qui doivent les acquérir. Mais, dans le même temps, la revendication par certains d'une société d'inclusion peut, en France, se réduire à une mise en place non officielle d'une forme de communautarisme, avec des

24. Charles Gardou, *La Société inclusive, parlons-en !*, Toulouse, Érès, 2012.

revendications de plus en plus politisées. La réaction face à la « théorie du genre », les rumeurs concernant son enseignement à l'école, l'organisation de journées de retrait des enfants des écoles publiques en 2013 sont de bons exemples. En effet, l'inclusion implique la fin de l'égalité car la volonté d'uniformiser disparaît au profit de l'équité par la prise en compte des différences de chacun. Le mérite peut aussi, de ce fait, remplacer les privilèges sociaux qui sont nombreux en France, ce qui pourrait être positif. Mais le danger est que le pays fasse encore moins société qu'aujourd'hui. Un peu d'inclusion dans les politiques publiques pourrait être utile, notamment en ce qui concerne l'éducation. Trop d'inclusion provoquerait sans doute le blocage de la société française par le développement de logiques antagonistes entre des groupes définis par leur origine culturelle ou ethnique.

Face aux électeurs

Manquements démocratiques et manque de pédagogie

Le rapport des citoyens aux politiques est depuis de nombreuses années teinté de scepticisme et de suspicion. L'incapacité de ces derniers à résoudre les enjeux économiques et sociétaux se traduit par un éloignement et un manque de croyance de la part des électeurs ainsi que par l'apparition de phénomènes abstentionnistes. Cependant, malgré cette impuissance apparente, les Français attendent encore que les politiques résolvent leurs problèmes. À chaque élection, au rythme des alternances gauche/droite, le débat semble malgré tout mobiliser les Français. Sur ce sujet, le sondage « Le baromètre de la confiance politique » réalisé par le Cevipof[25] en janvier 2014 est révélateur. Même si la confiance envers le Premier ministre par exemple passe de 35 % en 2009 à 25 % en 2014, et que 87 % des Français affirment que « les hommes politiques ne se préoccupent pas de ce que les gens pensent », on observe qu'il existe néanmoins encore des attentes de la part de ces derniers. En effet, 57 % déclarent s'intéresser aujourd'hui à la politique, ce chiffre restant globalement stable avec même une petite embellie ces dernières années.

En réalité, les Français n'ont pas délaissé la politique. En revanche, ils déplorent que notre démocratie ne soit pas en bon état de marche. Ils sont aujourd'hui 69 % à le penser, alors qu'ils n'étaient « que » 48 % en 2009[26]. Les principaux acteurs de la vie politique française (partis, médias) font l'objet d'une véritable défiance de la part des Français : moins de 1 Français sur 4 (23 %) fait confiance aux médias et à peine 1 sur 10 (11 %) fait confiance aux partis politiques. Les deux principaux acteurs de la vie politique française sont ici sanctionnés alors même que d'autres acteurs publics tels que les hôpitaux obtiennent 79 % de confiance et la police 68 %.

Le personnel politique lui-même est très certainement responsable de ce climat de défiance à son égard : trop de discours de victimisation, d'impuissance et de dénonciation ; trop peu de discours pédagogiques ou explicatifs. Le Front national, et Marine Le Pen en particulier, en expliquant, comme on l'a vu, que devant l'apport de dérégulation de la mondialisation la nation est LE remède, a développé

25. Sondage OpinionWay/Cevipof auprès de 1 803 personnes inscrites sur les listes électorales, interrogées par système Cawi du 25 novembre au 12 décembre 2013.

26. *Ibid.*

un modèle explicatif clair avec des propositions simples. Les politiques proposent une explication du monde, et les citoyens se forgent une opinion critique. Aujourd'hui, seul le discours de Marine Le Pen semble remplir cette fonction explicative. Face à une mondialisation qui génère des dysfonctionnements comme ce fut le cas de la révolution industrielle au XIXe siècle, on aurait pu attendre du Parti socialiste une défense de la régulation sociale au niveau mondial ou du moins au niveau européen. Il ne fait rien en ce sens. De la même manière, alors que la mondialisation est d'abord comprise comme le fruit du libre-échange, le camp libéral à droite manque d'apport, de vision et d'explication du monde. En résumé, ce travail d'explication et de décryptage n'étant plus réalisé par les partis traditionnels « de gouvernement », ces derniers deviennent de plus en plus inaudibles, pour le plus grand bénéfice du Front national.

Résultat : 60 % des Français n'ont confiance ni dans la gauche ni dans la droite pour gouverner le pays, et « droite » et « gauche » ne veulent plus rien dire pour 73 % d'entre eux[27]. Marine Le Pen peut dès lors se positionner sur le « fructueux » créneau du « ni droite ni gauche ». L'attachement des Français au système démocratique est pourtant solide : 83 % d'entre eux continuent de penser que, si la démocratie peut « poser des problèmes », elle demeure la meilleure forme de gouvernement. Cet attachement à la démocratie explique tout l'enjeu de la dédiabolisation pour Marine Le Pen et le Front national. Sans dédiabolisation, pas d'accession au pouvoir.

27. Source : Sondage OpinionWay/Cevipof, *op. cit.*

Défiance et démocratie d'opinion

Les Français ont des attentes à l'égard de leur classe politique. Mais ces attentes déçues entament la légitimité de l'action publique.

Dans le fonctionnement contemporain de notre « démocratie d'opinion[28] », les électeurs ne patientent plus pour évaluer et juger les politiques publiques mises en œuvre. Le jugement se fait dès lors infiniment plus sur les annonces que sur les véritables résultats d'une politique, mesurés et évalués dans le temps. L'adhésion de la société aux annonces faites est donc primordiale et peut même influer sur la réussite ou non de ladite politique. Par exemple, une décision aussi importante que l'augmentation des impôts afin de combler le déficit a été contrecarrée par la diminution de la consommation des ménages et des entreprises, décisions individuelles parfaitement rationnelles, mais qui ont eu pour effet que le déficit de l'État ne s'est pas réduit et que, de surcroît, notre activité économique a ralenti. Cet exemple montre combien la parole du politique doit être crédible si l'on veut que ses décisions aient un impact.

En termes de légitimité de l'action publique, le cas de l'actuel président de la République, François Hollande, est exemplaire. La fragilité de sa position dans l'opinion publique et son manque de crédibilité nourrissent le discours de Marine Le Pen : seules 14 % des personnes interrogées par la Sofres pour *Le Figaro* en octobre 2014 font confiance dans le président, dont seulement 1 % « tout à fait » confiance.

28. Jacques Julliard, *La Reine du monde, essai sur la démocratie d'opinion*, Paris, Flammarion, 2008 ; Pierre Rosanvallon, *La Contre-Démocratie*, Paris, éd. du Seuil, 2006.

Pour mémoire, au 29e mois de son mandat, Nicolas Sarkozy obtenait 39 % de confiance (un pourcentage que les commentateurs de l'époque considéraient déjà comme faible), François Mitterrand obtenait lors de son premier mandat 38 % de confiance et 64 % lors de son deuxième mandat. Cette situation qui fragilise notre démocratie ne s'exprime pas, ou pas encore, par un antiparlementarisme virulent comme ce fut le cas dans les années 1930. Dans le même temps, Marine Le Pen, lentement mais régulièrement, améliore son image. En effet, si 68 % des Français n'avaient pas confiance en elle en 2009, ils ne sont plus « que » 59 % en 2014.

Les candidats à l'élection présidentielle de 2012 sont vraisemblablement collectivement responsables de ce désenchantement : contrairement à la campagne de 2007, lors de laquelle nous avions assisté à un véritable débat entre Ségolène Royal et Nicolas Sarkozy et, *in fine*, à un choix de société assez clair et clivant, les campagnes des candidats de 2012 à l'élection présidentielle se sont révélées plus démagogiques. Une élection doit mettre en avant des options politiques suffisamment différentes pour que le débat gauche/droite s'établisse et nourrisse notre système démocratique. Depuis la Révolution française, le clivage essentiel de la vie politique française est le clivage gauche/droite[29]. Le jeu de nos institutions et nos règles électorales structurent le débat politique selon cette ligne de fracture devenue « classique ». Historiquement, les seules périodes au cours desquelles ce clivage a pu être dépassé sont celles de crises majeures. Aussitôt le danger écarté, notre fonctionnement démocratique a repris sa binarité. La tentative

29. Jacques Le Bohec et Christophe Le Digol, *Gauche/Droite, genèse d'un clivage politique*, Paris, PUF, 2012.

de Marine Le Pen de décrire la France comme un pays en perdition se comprend d'autant mieux.

La logique du bouc émissaire

Les discours des candidats à l'occasion de l'élection présidentielle de 2012 ont été plus marqués du sceau de la dénonciation qu'à celui de la proposition. Le recours à la figure du bouc émissaire a fait florès. Face à la crise de 2008, au lieu de mettre en avant une analyse sur les solutions qui amèneraient *de facto* des réformes de structure, le débat a été biaisé par la mise en avant de coupables. Et selon les candidats, l'élimination de ces coupables allait résoudre, comme par magie, la crise et ses effets néfastes. Pour Jean-Luc Mélenchon, le manque d'impôt prélevé aux « riches[30] » était un des problèmes et, pour François Hollande, « la finance » était l'« ennemi » du peuple. Cette abstraction bien pratique évite de nommer des personnes précises, mais surtout elle permet de mettre en scène un acteur anonyme, omnipotent, et qu'il est difficile de contrer. Cette utilisation rhétorique est connue, elle fait appel à l'idée de complot sans le nommer et permet d'expliquer d'une phrase la cause de tous les maux des Français. Lors du discours du Bourget en janvier 2012, François Hollande déclare : « Mon véritable adversaire, il n'a pas de nom, pas de visage, pas de parti, il ne présentera jamais sa candidature, il ne sera jamais élu et pourtant il gouverne. Cet adversaire, c'est le monde de la finance[31]. » Tous les ingrédients du complot sont convoqués.

30. Discours de Jean-Luc Mélenchon à Clermont-Ferrand le 26 mars 2012 où il déclare : « Regardez dans les yeux les riches, et dites-leur non pas *I am not dangerous*, mais *I am dangerous*, je vais vous faire les poches ! »

31. *La Tribune* du 22 janvier 2012.

Il suffit d'éradiquer l'ennemi et tout ira bien mieux dans le meilleur des mondes.

Les candidats de droite n'ont pas été en reste. Nicolas Sarkozy s'est ainsi servi du même procédé de façon tout aussi démagogique avec la mise en accusation des « corps intermédiaires » pour expliquer les rigidités de la société française et l'échec de sa politique. De son côté, le bouc émissaire de Marine Le Pen est, sans surprise, l'immigration. Les riches, la finance, les corps intermédiaires et l'immigration ou la mondialisation ont été convoqués pour servir d'explication à la crise. La réception dans l'espace public de tels discours favorise ceux de Marine Le Pen.

Aucun camp politique n'est épargné par ces manquements d'éthique démocratique depuis 1984, date de l'apparition du Front national sur la scène politique. Face à la pression électorale qu'exerce le Front national, beaucoup de responsables politiques ont « dérapé » à un moment donné. Rappelons ici les expressions qui ont banalisé ou légitimé le discours du Front national : « les 101 Maliens expulsés » de Charles Pasqua (1986)[32], « la France ne peut accueillir toute la misère du monde » de Michel Rocard (1989), « le seuil de tolérance » de François Mitterrand (1989), « les bonnes questions et les mauvaises réponses » de Laurent Fabius, « le bruit et les odeurs » de Jacques Chirac (1991), « l'invasion migratoire » de Valéry Giscard d'Estaing (1991). Ce fut dans les années 1985-2000 autant d'abandons qui ont légitimé le discours de Jean-Marie Le Pen et apporté de l'eau au moulin du Front national.

Le jeu des petites phrases qui entrent en concurrence avec le discours de Marine Le Pen continue : « Si certains n'aiment pas

32. Maryse Souchard *et al.*, *Le Pen, les mots…*, *op. cit.*, p. 222.

la France, qu'ils ne se gênent pas pour la quitter », affirme Nicolas Sarkozy[33] qui plagie ici l'expression « la France, aimez-la ou quittez-la » de Jean-Marie Le Pen. Le « Kärcher » ou encore les « racailles » sont entendus dans la bouche de Nicolas Sarkozy alors ministre de l'Intérieur. Cependant, le point de rupture se situe sans aucun doute lors de son discours de Grenoble, le 30 juillet 2010. Alors président de la République, Nicolas Sarkozy a surpris chacun par la violence de ses propos et leur caractère répressif. Il déclare ainsi : « Nous allons réévaluer les motifs pouvant donner lieu à la déchéance de la nationalité française. Je prends mes responsabilités. » Il précise ensuite : « La nationalité française se mérite. Il faut pouvoir s'en montrer digne. Quand on tire sur un agent chargé des forces de l'ordre, on n'est plus digne d'être français. » Sur les Roms, il annonce : « Nous devons mettre un terme aux implantations sauvages de campements roms. Ils constituent des zones de non-droit qu'on ne peut tolérer en France. »

Ces discours mettent en lumière, en les reprenant, les thèmes chers au Front national, déchéance de la nationalité française, identité nationale, politique à l'égard des Roms... Ils contribuent à rendre plus audibles les idées du parti d'extrême droite pour les citoyens. Si des responsables démocratiques mais aussi des dirigeants au plus haut niveau de l'État reprennent les termes mêmes des thématiques frontistes pour parler de l'immigration, alors Jean-Marie et Marine Le Pen deviennent, au fil du temps, acceptables. C'est ainsi que des discours inaudibles dans l'espace public des années 1970-1980 deviennent presque *mainstream* aujourd'hui.

33. Le 22 mars 2006.

De l'usage politique de l'antisémitisme et de l'islamophobie

Jean-Luc Mélenchon est un acteur important de la banalisation d'une forme de discours politique démagogique. Le titre de son livre, *Qu'ils s'en aillent tous, vite la révolution citoyenne*[34], avec l'emploi du « ils » anonyme et global, rappelle l'antiparlementarisme des années 1930 : le système démocratique actuel ne vaudrait plus rien et il n'y aurait donc nul besoin de le respecter. Les manifestants du Front de gauche, un balai à la main, participent de la même logique. « Tout renverser, tout nettoyer ! » Le coup de balai que veut donner Jean-Luc Mélenchon appartient à une vision non démocratique au sens où il ne respecte pas le contrat républicain. Que l'on soit contre le système actuel est une chose, que l'on veuille non pas le faire évoluer, le changer, mais le « nettoyer » apporte une connotation révolutionnaire, voire « totalitaire ».

Le président du Front de gauche n'en est pas resté là. Dans sa critique de l'action du ministre de l'Économie Pierre Moscovici, il va jusqu'à manipuler les mythes véhiculés sur les juifs avant la Seconde Guerre mondiale. L'AFP, visiblement par un raccourci, envenime les choses et publie la phrase suivante sous la forme d'une citation de Jean-Luc Mélenchon : « Un ministre qui ne pense pas français mais qui pense finance internationale... » Devant le tollé d'un tel propos, Jean-Luc Mélenchon rectifie ses propos[35] en la phrase suivante : « C'est quelqu'un qui ne pense plus en français, mais qui pense dans la langue de la finance internationale. » Le stéréotype du juif riche et apatride est de retour. Cette

34. Jean-Luc Mélenchon, *Qu'ils s'en aillent tous, vite la révolution citoyenne*, Paris, Flammarion, 2010.

35. *Le Nouvel Observateur* du 25 mars 2013.

phrase, qui fleure l'antisémitisme de l'entre-deux-guerres, a été prononcée dans l'espace public et entendue par des millions de Français. Elle participe d'une nouvelle banalisation de la parole antisémite dans notre pays. Entre l'attaque ambiguë contre Pierre Moscovici et l'idée du coup de balai, le positionnement communicationnel de Jean-Luc Mélenchon ne favorise pas l'attachement à une démocratie représentative et respectueuse de tous.

Malheureusement, il n'est pas le seul. À droite cette fois, Christian Jacob se positionne pour dénoncer Dominique Strauss-Kahn. Avant même l'affaire du Sofitel en mai 2011, le député de Seine-et-Marne déclare sur Radio J, en février 2011, que Dominique Strauss-Kahn n'incarne «pas l'image de la France, l'image de la France rurale, l'image de la France des terroirs et des territoires, celle qu'on aime bien, celle à laquelle je suis attaché». Ici également, Christian Jacob convoque l'antisémitisme avec le mythe du «juif apatride» n'appartenant pas à la «terre de France» chère à Maurras, mythe, comme on l'a vu, fréquemment utilisé par Jean-Marie Le Pen et parfois par Marine Le Pen.

Dernier exemple. Nous sommes en pleine campagne interne pour l'élection du président de l'UMP. Jean-François Copé fait campagne et, dans son discours, le futur président de l'UMP dénonce une laïcité bafouée, lorsqu'il voit qu'un jeune s'est fait «arracher son pain au chocolat par des voyous sous prétexte qu'on ne mange pas pendant le Ramadan[36]». Cette anecdote sous-entend qu'il existe un problème de liberté publique en France à cause d'une religion, la religion musulmane en l'occurrence. En réalité, Jean-François Copé a déjà évoqué cette anecdote dans plusieurs allocutions: elle apparaît ainsi

36. Meeting de Draguignan, 5 octobre 2012.

dans son livre[37] et dans ses discours de campagne interne. À chaque fois, des journalistes sont présents, mais elle n'est pas reprise par la suite dans la presse. C'est lorsqu'un membre de son entourage twitte cette seule phrase que la polémique se déclenche. Le personnel de Jean-François Copé confond ici deux choses : premièrement, que le « tweett » n'est pas de la communication interne à l'UMP mais bien un outil de communication globale, deuxièmement, que twitter oblige à raccourcir le discours et que ce qui est dicible dans un long discours avec un contexte explicatif ne l'est plus en 140 signes. À partir de là, tout dérape et l'accusation du « pain au chocolat » comme élément à connotation islamophobe fait irruption dans l'espace public. Dans ce cas également, l'espace médiatique s'enflamme et de tels propos participent à la banalisation du discours du Front national.

Ce qu'il y a en commun entre ces différents propos tendancieux, c'est la libéralisation d'une parole discriminante, à la limite de la haine ou du ressentiment. Que cela vienne de la gauche avec Jean-Luc Mélenchon, ou de la droite avec Christian Jacob, le camp démocratique utilise parfois une rhétorique qui, elle, ne l'est guère. Ces propos habituent dès lors les Français à un discours qui réactive des mythes (« les juifs apatrides », le complot…) qui ont structuré le discours d'extrême droite depuis la fin du XIXe siècle. Comparés à ces dérapages du camp démocratique, les propos de Marine Le Pen apparaissent de moins en moins extrémistes, de plus en plus acceptables, et même parfois, en comparaison, modérés.

37. Jean-François Copé, *Manifeste pour une droite décomplexée*, Paris, Fayard, 2012.

Les affaires

Les « affaires » récentes de ces dernières années ont contribué à un climat délétère qui ne peut que renforcer des réflexes contre le personnel politique dit de gouvernement. Ces « affaires » sont de trois ordres : le manque d'éthique, l'intrusion de la vie privée dans la sphère publique ou encore l'action d'hommes politiques qui ne prennent pas en compte la réalité de la vie des Français.

En premier lieu, les problèmes d'éthique et de justice. Il va sans dire que l'affaire « DSK » constitue une sorte de « 11 Septembre » de la vie politique française. En premier lieu, les Français semblent sous le choc de voir l'un de leurs dirigeants menotté. Si cela se place dans une certaine normalité aux États-Unis, il n'en reste pas moins que notre vision, encore empreinte de monarchisme, ne nous permet que très difficilement d'admettre que nos grands élus puissent être des justiciables comme les autres.

Dans cet esprit, malgré ses mensonges sur son passé, sa maladie et ses deux familles, les Français gardent un bon souvenir de François Mitterrand. Ils ont également un bon souvenir de Jacques Chirac malgré les affaires de financement du RPR et les « frais de bouche » de la Ville de Paris. L'acceptation de ces comportements délictueux ou immoraux participe du fait qu'en France nous avons intégré que nos hommes politiques ne sont pas des individus « normaux ». Pour autant, cette attitude comporte des limites qu'ont atteintes les affaires « DSK » et « Cahuzac ». En effet, malgré la demande de compassion de chacun des deux protagonistes, usant du même discours de contrition, préparé par la même agence de communication, les Français n'ont pas été dupes.

Ces deux affaires judiciaires sont à rapprocher de l'attitude de Nicolas Sarkozy au lendemain de son élection à la présidence de la République en mai 2007. Il est évident que, juridiquement, son comportement n'était pas illégal. Pour autant, le rapprochement peut s'effectuer sous l'angle de l'éthique et de la communication politique car il a profondément heurté les électeurs, qui s'en sont souvenus pendant tout son mandat. Ainsi, promettre de passer un moment de retraite quasi religieuse, ascétique, en cas de victoire, et transformer cela en voyage sur le yacht privé d'un grand patron, au soleil, poursuivi par toute la presse *people*, est devenu le symbole de sa duperie envers les électeurs. Le ricochet a été d'autant plus violent que la fête de la victoire à la présidentielle de 2007 au Fouquet's avait déjà choqué. Dans le même esprit, la révélation en septembre 2014 de l'oubli du devoir de contribuable de l'éphémère secrétaire d'État du gouvernement Valls II Thomas Thévenoud a heurté les Français, choqués par ce manque flagrant d'exemplarité minimale que l'on attend d'un homme politique.

De surcroît, la confusion entre sphère privée et sphère publique ajoute un élément supplémentaire de discrédit de la classe politique, en raison de la visibilité qu'elle donne à ses travers. Ce phénomène est d'abord le fait des hommes politiques qui ont voulu s'ériger en « stars » en confondant les genres. Cette confusion a créé un retour d'opinion très violent, aussi bien pour Nicolas Sarkozy que pour François Hollande. Pour ce dernier, l'épisode, digne de Feydeau, de sa compagne et de sa maîtresse a montré une certaine légèreté d'être, au moment même où l'on demandait au président d'être présent pour les Français, à tous les instants. Savoir que François Hollande s'occupait autant de sa vie amoureuse a mis en lumière une face nouvelle du personnage. Obligé de se dissimuler, de se rendre en scooter à deux pas de l'Élysée et ainsi de mentir aux

Français, il a amplifié le désamour entre lui et les citoyens. Le succès du livre de Valérie Trierweiler, *Merci pour ce moment*[38], montre l'importance symbolique que cet épisode a déclenchée chez les Français.

Dans un autre ordre d'idées, le combat fratricide de Fillon/Copé est aussi devenu le symbole de la caricature en politique. Anthropologiquement, nous sommes en présence des frères ennemis, Caïn et Abel. Ce combat a montré au public que ces deux hommes politiques, au-delà de leurs qualités propres, ne se préoccupaient pas des Français, mais seulement de leur victoire interne. Cette attitude n'est pas nouvelle, mais la caisse de résonance qu'ont constituée les chaînes d'information en continu comme BFM-TV a changé la portée de ce combat. Le public a assisté en direct, durant soixante-douze heures, à cette lutte acharnée pour la présidence de l'UMP. Oubliant que BFM-TV était devenu un média regardé par sept millions de Français chaque jour, les deux antagonistes ont échangé des attaques par interviews interposées, et ce qui devait rester de l'ordre de la bataille interne est devenu public. Nul doute que l'image a été désastreuse pour les deux acteurs plus encore que pour l'UMP. Ce discrédit porté sur les deux seuls prétendants à la présidence de l'UMP, et donc, implicitement, à la succession de Nicolas Sarkozy comme leader charismatique de la droite, a créé un vide politique, comblé dès l'automne 2014 par les deux « revenants » que sont Alain Juppé et Nicolas Sarkozy. Ces comportements confortent ceux qui doutent de la sincérité du personnel politique[39] et il est évident que la multiplication

38. Valérie Trierweiler, *Merci pour ce moment*, Paris, Les Arènes, 2014.

39. Sondage Ifop/*JDD* : 85 % des personnes interrogées pensent que les politiques ne sont pas « proches des réalités quotidiennes des Français », *JDD* du 31 août 2014.

de ce type d'événements n'améliore pas l'image du camp démocratique. Il est alors facile à Marine Le Pen, leader incontesté d'un parti discipliné, épargnée par les affaires et la *pipolisation*, de se poser comme alternative et de prétendre incarner à l'inverse l'éthique en politique, le respect des électeurs et le sérieux professionnel.

Face à la société : violence symbolique et effet boomerang

La démocratie est bien l'enjeu. Ce n'est pas juste une affaire d'élection, c'est aussi une question d'attention et de prise en charge de la société dans son entièreté. Ces dernières années, les Français ont subi une forme de violence politique qui tient au manque d'écoute de ses gouvernants. Nier une partie des Français, qu'il s'agisse des jeunes de banlieue, des « sans-dents[40] » ou des habitants des petites communes de province, produit les mêmes effets. Le mépris[41] et la négation de l'autre enclenchent une violence en retour, que cette violence se traduise par des émeutes ou un vote extrême. Dans les deux cas se manifeste la volonté d'exister à part entière au sein de la société lorsque pouvoirs publics et hommes politiques échouent à prendre en compte une partie des citoyens.

Gouverner requiert d'être en mesure de dégager un consensus minimal entre les individus ou les forces en présence afin que les réformes voulues puissent devenir une réalité sociétale. Ainsi, la gestion de la réforme des retraites et le Grenelle de

40. *Merci pour ce moment*, *op. cit.*

41. Avichaï Margalit, *La Société décente*, Paris, Flammarion, 1996 ; Axel Honneth, *La Société du mépris*, Paris, La Découverte, 2004.

l'environnement offrent deux exemples contrastés d'un échec et d'une réussite en ce domaine durant le mandat de Nicolas Sarkozy. Le million de personnes défilant dans la rue contre la réforme des retraites et le manque de réponse de la part de la majorité de l'époque ont automatiquement créé une rancœur qui s'est traduite politiquement dans les urnes. À l'inverse, le Grenelle de l'environnement a évité des affrontements trop importants entre forces aux intérêts antagonistes par le truchement d'une méthode de concertation et sa mise en scène médiatique. La délibération collective qui a permis cette décision nous laisse penser que cette méthode de gouvernance est la bonne. Pour autant, elle réussit à la condition que l'engagement du politique soit réel. La posture d'écoute de ce dernier, autrement dit, la reconnaissance performative qui en découle, lui permet ensuite de reformuler les propositions et de dégager un consensus en réaffirmant l'intérêt général.

En démocratie, il est désormais impensable d'apporter une solution toute faite sans tenir compte de cette opinion publique qui sait, quand il le faut, se mobiliser. Les Français ont choisi François Hollande en mai 2012 justement parce qu'il paraissait plus à l'écoute et davantage en posture de respect des citoyens. Sa campagne, à l'occasion des primaires du Parti socialiste, a conforté certes une image d'autorité mais aussi de « non-domination », contrairement à la posture « post-charismatique » de Nicolas Sarkozy. Le président « normal » a gagné face à un président sortant très actif mais paraissant dans le même temps agité, agressif. Les Français ont choisi le calme et le consensus.

Contre toute attente, François Hollande n'est pas aussi calme et à l'écoute qu'il y paraît : il agit, dans un style différent, de manière aussi violente sur le fond, impliquant par là même une désaffection d'autant plus profonde que les espoirs suscités étaient grands. L'épisode du « mariage pour tous» est révélateur de cette dissonance. En effet, si le mariage entre personnes de même sexe ne semblait plus être un problème pour la majorité des Français[42], cela en est largement autrement s'agissant de la gestation pour autrui (GPA) et de la procréation médicalement assistée (PMA) qui touchent directement aux questions de la filiation. Il ne s'agit pas ici d'entrer dans le débat, mais de revenir sur le mode de gouvernance choisi. Ce n'est pas la première fois qu'une majorité politique va légiférer contre la majorité de l'opinion. Revenons un instant sur l'abolition de la peine de mort. Au moment où Robert Badinter fait voter à l'Assemblée nationale l'abolition de la peine capitale, une majorité de Français est pour son maintien. À cette époque, Robert Badinter, avec d'autres, a animé un débat, public, en faveur de l'abolition, et l'ensemble des Français connaissait l'argumentation des deux camps et n'a donc pas été surpris de ce vote d'ailleurs annoncé par François Mitterrand dans les médias avant son élection. Au contraire, la GPA-PMA n'a fait à aucun moment l'objet d'un débat à dimension nationale.

Au contraire, le processus mis en œuvre pour l'abolition de la peine de mort l'a été également pour le mariage entre personnes de même sexe: le débat a été posé il y a plus de quinze ans. La création du Pacte civil de solidarité (Pacs) en 1999 a été un premier pas. En réalité, lors de l'opposition au projet de loi Taubira de 2013, c'est bien la GPA qui a mobilisé les foules. Et c'est bien, selon nous, ce manque de pédagogie, de débat public et de respect du citoyen qui a provoqué une réaction face à la loi qui, au départ, ne comprenait ni la GPA ni la PMA. Les

42. Sondage Ifop-Atlantico, janvier 2013. 63 % des Français se disent favorables au mariage homosexuel, mais 53 % sont contre la PMA, sondage Ifop-*Le Pèlerin*, janvier 2013.

déclarations de quelques députés voulant inclure la GPA ont créé cette dynamique. Sans elles, les manifestations contre le « mariage pour tous » n'auraient peut-être pas rencontré un tel succès.

C'est ainsi que l'on observe que la politique s'avère être de plus en plus affaire de pédagogie. Pour le président Hollande, le fait de n'avoir pas reçu à temps une délégation d'opposants au projet de loi ou d'avoir évité d'engager un débat, provoque des réactions violentes en retour de la part des personnes engagées. Une réforme, qu'elle soit économique ou sociétale, s'explique par le débat qu'elle permet. Sans cette précaution, réformer dans notre société se révèle être une gageure car une partie même minoritaire, mais mobilisée, est alors en capacité de bloquer toute évolution, quelle que soit sa validité intrinsèque.

Les émeutes de banlieue de 2005 peuvent à ce titre être considérées comme le marqueur d'un tournant répressif de l'action de Nicolas Sarkozy au ministère de l'Intérieur, son mode de gouvernance est alors perçu comme imprégné de violence symbolique. Par voie de conséquence, ce mode de gouvernance fait que la violence du discours de Marine Le Pen détonne de moins en moins dans ce qui est devenu la norme du discours politique.

Les conséquences électorales de cette violence politique sont nombreuses et semblent favoriser une dynamique qui profite au Front national. La droitisation du discours politique en France facilite des reports de voix non seulement de la droite classique vers l'extrême droite, en raison d'une porosité idéologique[43]

43. Selon un sondage Ipsos de novembre 2013, une majorité d'électeurs de l'UMP juge les propositions du Front national convaincantes sur l'insécurité (59 %), la maîtrise de l'immigration (59 %) et le maintien des services publics de proximité (51 %).

de plus en plus nette, mais également de la gauche et de l'extrême gauche vers le Front national. En effet, on observe une désaffection de pans entiers de l'électorat de François Hollande de 2012, parce que ses électeurs sont choqués soit par son mode de gouvernance soit par ses manques de résultat. La promesse de « l'inversion de la courbe du chômage » qui n'a pas été tenue, les cafouillages gouvernementaux, des décisions en matière sociétale mal préparées ont eu raison de la fidélité d'un certain nombre d'électeurs. La loi sur le mariage pour tous a en outre réveillé une droite dure[44], porteuse de valeurs en partie compatibles sur certains points avec celles de l'extrême droite. Ces divers phénomènes se sont traduits aux dernières élections. Dans certaines villes[45], les électeurs Front national du premier tour, en forte augmentation par ailleurs, ont voté UMP au deuxième tour sans qu'il y ait eu d'accord entre les deux partis. De plus en plus, on observe une porosité entre les deux électorats.

Mais n'oublions pas non plus que le Front national bénéficie également du report de voix de gauche. Une étude statistique sur Brignoles[46] lors d'une élection cantonale partielle montre que 30 % des électeurs de gauche ont voté Front national au deuxième tour, permettant ainsi l'élection d'un conseiller général frontiste dans le Var.

44. La création de l'association « Sens commun » proche de l'UMP en est une démonstration.

45. Voir les résultats de Chelles, par exemple, en Seine-et-Marne : le Front national passe de 19,39 % au premier tour à 10,51 % au deuxième tour. L'UMP gagne ainsi la ville malgré la triangulaire.

46. Étude de corrélations statistiques effectuée par SCP Communication sur la cantonale partielle, novembre 2013. Cette élection a vu la victoire du candidat Front national, Laurent Lopez, avec 53,91 % des voix, le 13 octobre 2013.

LE MONDE DE LE PEN EN MARCHE

Une autre forme de légitimation apparente du discours de Marine Le Pen prend sa source dans les événements que nous avons connus ces dix dernières années. Ainsi que nous l'avons évoqué plus haut, nous assistons à un changement sociétal lié à la mondialisation. Cette mondialisation se traduit d'abord par un changement épistémologique. Le progrès technologique, notamment avec Internet, a transformé en quelques années notre perception du monde. Aujourd'hui, l'ensemble du globe reçoit à chaque instant la même information à travers les grandes agences de presse qui abreuvent les sites d'information gratuits et les grands médias.

Une France perçue comme « ethnicisée »

Ce changement de perspective influe aussi sur la perception que les Français ont d'eux-mêmes, et notamment de l'évolution sociologique et urbaine de la France contemporaine, avec l'émergence de quartiers « ethnicisés ».

Certains quartiers de villes défavorisées obéissent pour une part à leur propre logique. Des codes vestimentaires[47] et linguistiques différents, des espaces publics dominés par

47. Le fait par exemple de dire bonjour en serrant la main « à la française » et en levant cette main sur son cœur comme on peut le faire dans les pays musulmans est certes une sorte de compromis, mais aussi un signe de son appartenance culturelle ou religieuse alors qu'en France le système sociétal nous demande au contraire de la cacher. La tenue vestimentaire en pantalon de jogging avec une jambe plus levée que l'autre, la barbe pour certains, les cheveux rasés à l'iroquoise sont autant d'attributs identitaires.

les hommes, une présence de la religion plus visible. Ce phénomène semble rompre la logique d'intégration[48]. Cette affirmation identitaire ne poserait pas de problème politique si elle ne venait confirmer, dans l'imaginaire collectif, les stéréotypes véhiculés par le Front national. Ce qui alimente la crédibilité potentielle du discours actuel de Marine Le Pen, c'est en outre une évolution notable du rapport d'une partie de ces jeunes aux femmes et aux juifs dans la société française. La misogynie, la domination masculine sont de retour dans certains espaces publics[49]. Pour les jeunes filles, dans de nombreuses cités, mieux vaut s'habiller en pantalon large ou porter le voile. Le drame de Sohane[50] à Vitry, morte brûlée vive parce qu'elle a refusé les avances d'un garçon, a mis sur la scène publique l'acuité de la montée d'une misogynie banalisée.

De tels comportements, si médiatisés soient-ils, ne sont pas généralisés, loin de là. Cependant, les médias et les industries culturelles tendent à privilégier ces stéréotypes. Nombre de jeunes filles s'habillent comme elles le souhaitent y compris dans des villes où l'imaginaire collectif voudrait qu'y règne la « jungle ». Mais il est vrai que l'on peut constater dans les banlieues des grandes métropoles la présence d'un islam traditionaliste au quotidien, pétri de marqueurs tels que le voile (*hidjab*, *jilbab*) de plus en plus fréquemment porté, l'essor du commerce halal et la construction de mosquées. En

48. Didier Lapeyronnie, *Ghetto urbain*, Paris, Robert Laffont, 2008.

49. Fanny Arlandis, « La rue, fief des mâles », *Le Monde,* 4 octobre 2012.

50. Sohane Benziane (17 ans) est morte le 4 octobre 2002, brûlée vive par un garçon de 19 ans. Il a été condamné à vingt-cinq ans de prison pour « actes de torture et de barbarie ayant entraîné la mort sans intention de la donner ».

réalité, les Français découvrent que l'islam est la deuxième religion de France, d'une part, et que, d'autre part, les musulmans de France sont beaucoup plus croyants et pratiquants que les catholiques par exemple. Contrairement à l'Espagne ou au Portugal, le chemin de croix public n'est plus pratiqué par les catholiques de France.

Or, cette présence de l'islam au quotidien n'a pas été préparée dans la société française et aujourd'hui force est de constater qu'elle n'est pas accompagnée. Ce sont en fait souvent des initiatives privées et le secteur commercial qui prennent le relais à défaut d'avoir imaginé une politique publique intégrant l'islam dans notre société. En outre, chacun a pu voir les manifestations de liesse de jeunes nés et vivant en France supporteurs d'équipes de football de leurs pays d'origine lors de matchs importants. Tous ces éléments participent plus d'une logique d'inclusion que d'intégration. Or, ce type de coexistence « ensemble mais séparés », qui est la norme dans d'autres pays occidentaux, n'a ni été l'objet d'un consensus sociétal large, ni été réellement conscientisé : il s'est imposé, au fil des ans, sans que la société française soit préparée ni n'en débatte. Par conséquent, les annonces de Jean-Marie Le Pen dans les années 1990 dénonçant le risque du port du voile en France paraissent rétrospectivement « prophétiques », alors que sociologues, démographes et représentants politiques locaux avaient eux aussi analysé ces évolutions, sans trouver de relais dans la sphère publique et politique pour les expliquer rationnellement et objectivement.

L'affaire Merah

Ces dernières années, le discours des hommes politiques sur l'islam a évolué au gré des événements locaux et de la situation internationale. Or, lorsqu'un vocabulaire d'évitement ou une rhétorique guerrière sont utilisés, certaines déclarations peuvent à terme poser problème. La série de meurtres commis par Mohamed Merah en est un exemple. Les premiers jours de ce tragique épisode révèlent des réflexes interprétatifs obsolètes de la part de certains journalistes et hommes politiques. Mohamed Merah, qui a échappé à la vigilance des renseignements généraux, tue à Montauban et à Toulouse entre le 11 et le 15 mars 2012 trois militaires, puis un enseignant et trois enfants juifs à la sortie d'une école communautaire. En pleine campagne présidentielle, médias et politiques se posent la question : qui a pu commettre ces meurtres et surtout pour quel motif ? La première hypothèse de la presse se porte sur l'extrême droite en faisant un lien avec les attentats d'Anders Breivik en Norvège en 2011 car les meurtres semblaient être racistes, les soldats étant soit d'origine arabe, soit antillais. De surcroît, l'assassinat d'enfants juifs semble renforcer cette hypothèse. L'hypothèse d'un terrorisme islamique semblait pourtant statistiquement plus grande au regard de ce qui s'était passé en France ces dernières années[51]. Cette erreur d'interprétation dans les premiers moments du drame donne des armes à Marine Le Pen : non seulement son discours de victimisation est validé (le Front national ou ceux qui sont dans sa mouvance sont effectivement, à tort, accusés, renforçant l'idée d'une « persécution » injuste de ses membres), mais la révélation du profil du tueur, un jeune musulman de banlieue

51. Les derniers attentats meurtriers en France ont été commis par la mouvance arabo-islamique. L'attentat de la rue Copernic a été commis par le Front populaire de la libération de la Palestine (FPLP), les attentats du RER B à la station Saint-Michel en 1995 et celui de la station Port-Royal en 1996 par le Groupe islamique armé (GIA).

radicalisé, valide le discours anxiogène du Front national, qui, depuis des années, brandit la menace que constitue, à ses yeux, une population immigrée musulmane portée un jour à attaquer la nation mère[52].

Le deuxième fait singulier de cette affaire est que Mohamed Merah est sociologiquement et politiquement une « fabrication » française. Ce jeune, dont les parents sont originaires d'Algérie, est né à Toulouse, a étudié dans cette ville et y a commis ses premiers actes de délinquance. Mohamed Merah est une sorte d'archétype d'une dérive qui est liée à la situation sociale de ces jeunes des cités, issus de l'immigration. Ce n'est pas un terrorisme importé, mais le résultat d'une lente déstructuration sociale mélangeant échec familial et personnel et vide identitaire. Une des motivations de Mohamed Merah est sans doute liée à la surmédiatisation du conflit israélo-palestinien et à l'intervention de la France dans des conflits militaires qui l'opposent à des pays ou des groupes musulmans (Irak, Afghanistan, Mali).

Au moment où ce livre est écrit, la France est partie prenante de la coalition combattant l'État islamique « Daesh », qui a installé un « califat » à cheval sur la Syrie et l'Irak. De nombreux jeunes Français, qu'ils soient musulmans ou convertis à l'islam, issus de l'immigration ou bien nés de parents français, participent à ces actes de terreur rares comme bien d'autres jeunes Européens. Au-delà de la complexité de ce phénomène récent, on peut s'interroger sur le type de discours que les représentants politiques choisissent pour le décrire, et les effets de ce choix sur l'acceptabilité de la rhétorique

52. Jean-Marie Le Pen, fête Bleu, Blanc, Rouge, 2001 : « Notre pays en a déjà subi les attaques… Le risque pour la France est celui de la submersion et de la subversion à partir d'une folle politique d'immigration. »

et de la vision du monde de Marine Le Pen. L'une des peurs couramment énoncées est la multiplication d'attentats par des « loups solitaires » comme au Musée juif de Bruxelles[53]. Pour la première fois, nous sommes en présence de jeunes nationaux qui pourraient commettre des actes terroristes ayant pour dessein de satisfaire la stratégie d'une puissance étrangère. Pour décrire ce nouveau danger, le Premier ministre Manuel Valls a utilisé une vieille expression : celle d'« ennemi intérieur[54] », vocabulaire qui relève de la guerre. Il faut savoir que l'« ennemi intérieur » est une construction politique[55], et son emploi va souvent de pair avec une régression démocratique. Utilisée par le pouvoir soviétique[56] à partir de 1923, puis aux États-Unis par McCarthy durant la guerre froide, par la France au moment de l'époque coloniale ou par les Allemands pendant la guerre, cette expression induit un contrôle social accru et évoque la présence d'un danger de mort. Sans sous-estimer les risques

53. Le 24 mai 2014, Mehdi Nemmouche, né à Roubaix en 1985, tue 4 personnes au sein du Musée juif de Bruxelles. Il a été arrêté à Marseille le 30 mai et transféré à la justice belge où le procès est en cours.

54. En octobre 2014, Manuel Valls déclare au congrès du syndicat de police Alliance : « La menace terroriste est bien là, présente sur notre sol [...], en particulier dans nos quartiers populaires. Des dizaines d'individus sont, par leurs profils, susceptibles de passer à l'acte. Cet ennemi intérieur, nous devons le combattre » ; et il ajoute : « La menace terroriste est désormais le fait de Français nés sur notre sol [...] qui ont versé dans l'islamisme radical » et qui ont suivi « un processus qui mêle délinquance, criminalité, antisémitisme virulent et soif de violence » (*Le Nouvel Observateur* du 12 octobre 2014).

55. « Construire l'ennemi intérieur », *Cultures & Conflits*, n° 43, L'Harmattan, septembre 2001.

56. Roland Lew, « L'ennemi intérieur et la violence extrême : l'URSS stalinienne et la Chine maoïste », *Cultures & conflits*, n° 43, L'Harmattan, septembre 2001.

posés par ceux qui reviennent de Syrie, employer l'expression « ennemi intérieur » dans l'espace public, c'est représenter la France comme un pays au bord de la guerre, voire de la guerre civile. Aussi bien le concept d'« ennemi intérieur » que celui de « guerre civile » font partie des tropes classiques et récurrents de la rhétorique frontiste, de Jean-Marie Le Pen à Marine Le Pen elle-même. Ainsi Marine Le Pen parle-t-elle de « guerre civile » lorsqu'elle évoque la situation des Roms en France. Le 20 septembre 2013, le journal *Le Monde* titrait : « Marine Le Pen évoque une ambiance de guerre civile ». Le fait que la gauche utilise cette expression en la personne de Manuel Valls la légitime, et le discours du Front national devient, de ce fait, un peu plus crédible.

Mais ce n'est pas le seul moment où la situation peut légitimer le discours de Marine Le Pen. Les manifestations pro-Gaza de l'été 2014 sont également de bons exemples. En effet, plusieurs manifestations en faveur des Palestiniens de Gaza ont dégénéré violemment. Deux faits ont sans doute marqué les esprits. Le premier est l'importation du conflit israélo-palestinien à travers ses systèmes symboliques. On a pu voir à la télévision les drapeaux de la Palestine, du Hamas et de la Syrie flotter sur Paris, portés par des personnes parfois davantage habillées comme des djihadistes que comme des Parisiens. Ces images ont sans aucun doute choqué par l'ambiance guerrière qui en émanait, conférant de surcroît une certaine réalité au discours de Jean-Marie Le Pen. Les dérapages antisémites dont ont fait preuve certains manifestants constituent le second élément remarquable pour l'opinion publique. Ainsi la bataille rangée devant une synagogue de la rue de la Roquette lors d'une des manifestations a marqué les esprits. Mais l'événement paroxystique survient à Sarcelles et marque un tournant politique significatif. Sarcelles, peuplée de fortes communautés juive et musulmane, a souvent été montrée comme l'exemple d'une bonne cohabitation multiculturelle, à tel point qu'on a pu la surnommer « la petite Jérusalem ». La manifestation du 21 juillet 2014, par ailleurs interdite par les autorités, dégénère en haine antisémite : des manifestants crient « Mort aux juifs » et des commerces juifs sont saccagés. Ce climat mortifère semble faire écho aux prédictions de Jean-Marie Le Pen puis de Marine Le Pen sur le multiculturalisme source de haine. En résumé, le monde décrit par Jean-Marie Le Pen dans les années 2000 se met en marche, et, dans le même temps, l'ensemble du personnel politique ne semble pas en mesure de proposer d'explications plausibles ni de solutions à ces événements traumatisants.

L'ACCUEIL DES MÉDIAS[57]

Les Le Pen « chouchous » des médias ? Sans nul doute, à observer leur place incontournable dans le paysage médiatique français. Et pourtant, nombre de journalistes s'en défendront, car ils sont souvent peu enclins à titre personnel à soutenir les thèses du Front national. Mais la garantie d'une belle audience qu'apporte chaque intervention médiatique du père ou de la fille entre vraisemblablement en jeu dans les sollicitations du monde journalistique à l'égard des leaders du Front national. C'est ainsi que Jean-Marie Le Pen, dans

57. Cette partie du livre reprend les résultats du mémoire de master du département Communication politique et publique de l'UPEC de Lucile Bougon-Souffrin, *Marine Le Pen et les médias*, Université de Paris-Est-Créteil, 2014.

les années 1985-1990, a été neuf fois l'invité de « L'Heure de vérité ». Sa première apparition dans cette émission, le 13 février 1984, a rassemblé 12 millions de téléspectateurs, soit 42 % des parts de marché ! Sa fille n'est pas en reste. Elle est d'ailleurs parfaitement consciente de la relation qu'elle a construite avec les médias : sur LCP en février 2012, elle déclare sans ambages : « Ils savent que je fais de l'audience. Du coup, ils m'invitent souvent à la première d'une émission pour la lancer. »

Même s'ils sont tous deux d'habiles animaux médiatiques, le père et la fille n'adoptent toutefois pas tout à fait la même stratégie à l'égard des médias. Plusieurs facteurs expliquent bien évidemment ces différences : le changement de génération, l'évolution du paysage médiatique au cours des trente dernières années et les divergences entre les stratégies politiques personnelles de l'un et de l'autre.

Pour Jean-Marie Le Pen, chacune de ses apparitions dans les médias constitue un événement fort, un marqueur, dans une stratégie de stratification. En provoquant souvent un scandale avec une « petite phrase », il s'assure une couverture médiatique maximale. Ces petites phrases entrent alors dans notre mémoire collective et font date. Ainsi, sa déclaration sur le « point de détail » se déroule en septembre 1987 à la veille d'enclencher sa campagne à la présidentielle de 1988. Le calembour « Durafour crématoire » lance sa rentrée politique de septembre 1988. Jean-Marie Le Pen sait se faire rare dans les médias, mais à chaque intervention provoque un mémorable coup d'éclat. Cette relative rareté lui permet aussi de se positionner comme victime du système « politico-médiatique », tout en s'assurant un impact extrêmement fort à défaut d'une présence soutenue. En 2001, un an avant l'élection présidentielle qui le verra accéder au deuxième tour, Jean-Marie Le Pen n'apparaît que

34 fois[58] dans les médias, preuve que la quantité n'est pas toujours utile.

Marine Le Pen, dans le cadre de son opération de dédiabolisation, définit une tout autre stratégie. Pour se « normaliser », il faut appartenir au paysage médiatique et répondre à ses codes. Finis, les petites phrases nauséabondes et les jeux de mots antisémites ou racistes, Marine Le Pen adopte un langage plus « politiquement correct ». Plutôt que le scandale, elle recherche désormais le « buzz ». En contrepartie, elle est omniprésente. En analysant les archives de l'INA[59], on s'aperçoit qu'en 1989 Jean-Marie Le Pen apparaît 75 fois à la radio ou à la télévision, et sa fille 581 fois en 2011 (près de 8 fois plus). Sur une plus longue période (ce qui permet de « gommer » les pics liés aux élections présidentielles), il apparaît qu'entre 1983 et 1997 Jean-Marie Le Pen intervient 75 fois par an en moyenne ; entre 1998 et 2010, sa présence se renforce : 191 fois par an en moyenne. Mais sa fille fait nettement la course en tête : entre 2011 et 2013, elle apparaît 842 fois par an en moyenne ! Un changement de dimension et, très nettement, de stratégie.

Certes, entre 1983 et 2013, le paysage médiatique français a connu de très importantes mutations. Les chaînes d'information en continu sont apparues avec le succès qu'on leur connaît. La TNT a multiplié les chaînes télévisées donc les occasions d'intervenir dans l'espace public, puis, au-delà de ce phénomène technologique et médiatique, force est de reconnaître que Marine Le Pen est particulièrement bien accueillie dans les

58. Il s'agit du nombre d'occurrences dans les archives de l'INA pour cette année. À titre de comparaison, François Hollande, alors président du Parti socialiste, apparaît 197 fois en 2001.

59. Voir Lucile Bougon-Souffrin, *Marine Le Pen et les médias*, *op. cit.*, p. 54.

médias : en 2007, année de campagne présidentielle, Nicolas Sarkozy, alors président de l'UMP, obtient 1 029 occurrences, près du double des 518 occurrences de Jean-Marie Le Pen, président du Front national. En 2010, Marine Le Pen fait jeu égal avec ses principaux rivaux politiques : Jean-François Copé, président de l'UMP, obtient 481 occurrences alors que Marine Le Pen, présidente du Front national, en obtient 581 et le Premier secrétaire du Parti socialiste 676, alors que les résultats à l'élection présidentielle de 2007 allaient du simple au triple en faveur de l'UMP par exemple. Ce ne sont donc pas les résultats électoraux qui expliquent cette évolution. Marine Le Pen réussit alors son œuvre de banalisation, elle devient un leader politique comme les autres et prend tout naturellement sa place dans le concert politico-médiatique français.

Cette normalisation de la présence médiatique du leader frontiste semblerait montrer que Marine Le Pen et l'idéologie qu'elle véhicule ne seraient désormais plus des enjeux pour notre démocratie. L'évolution du discours des journalistes à l'égard du président du Front national en est une preuve supplémentaire. En effet, si l'on compare la manière dont les journalistes présentaient Jean-Marie Le Pen et comment ils le font désormais pour Marine Le Pen, on comprend tout le chemin parcouru. En 1998, Jean-Marie Le Pen n'est certes pas un nouveau venu sur la scène médiatique française (sa première « Heure de vérité » remonte à 1984), pourtant, Michel Field, lors de l'émission « Public » du 8 février 1998 présente Jean-Marie Le Pen de la manière suivante : « Démagogique ? Peu lui importe, Le Pen ne veut pas convaincre par des idées, il veut s'imposer, depuis trente ans, il s'acharne. Pour lui, l'électeur ne comprend rien au projet politique, il faut le flatter, exalter ses faiblesses, ses lâchetés, l'effrayer enfin pour se poser en sauveur, seul contre tous. » La présentation dure encore longtemps sur le même ton. Si on analyse très rapidement les propos de Michel Field, Jean-Marie Le Pen est dépeint comme un démagogue sans foi ni loi. Les verbes « imposer », « acharner », « flatter » ou « effrayer » montrent une connotation non démocratique. Le présentateur pose dès le départ le décor et l'enjeu de l'émission : le rapport du Front national à la démocratie.

En ce qui concerne Marine Le Pen, le même exercice se déroule très différemment. Dans « Des paroles et des actes », longue émission consacrée à la politique, la journaliste Nathalie Saint-Cricq commence son intervention ainsi : « Marine Le Pen, on a l'impression quand on vous connaît que vous êtes tombée dans la politique toute petite comme Obélix dans son chaudron. On a aussi l'impression que vous avez une sorte de jubilation quand vous êtes sur les tréteaux, quand vous êtes en meeting ou alors quand vous êtes sur un plateau de télévision[60]. » Le ton est diamétralement opposé. D'abord, ce n'est pas « Le Pen » mais « Marine Le Pen »… L'absence du prénom utilisée par Michel Field créait une sorte de tension que l'on ne retrouve absolument pas avec Marine Le Pen. Ensuite, le discours n'est pas sur les idées de Marine Le Pen mais de l'ordre de l'intime avec l'emploi du « quand on vous connaît », qui semble nous suggérer implicitement qu'elle mérite d'être connue. Être la fille de son père transforme le fait d'être une héritière en un atout et une chance, qu'on lui reconnaît et qu'il faudrait porter à son crédit. Comparée à Obélix, personnage des plus familiers et emblématiques de la bande dessinée française, Marine Le Pen s'humanise en devenant plus proche et plus sympathique. Sans compter sur l'image subliminale du Gaulois, certes isolé, mais courageux et dans son bon droit, résistant encore et

60. Marine Le Pen, « Des paroles et des actes », France 2, 11 avril 2012.

toujours à l'infâme occupation romaine. Enfin, le côté populiste est certes légèrement souligné par Mme Saint-Cricq (« les tréteaux »), mais de façon plutôt positive grâce à l'emploi du mot « jubilation » qui accrédite l'idée d'une réelle sincérité de Marine Le Pen dans son combat politique.

L'engouement des médias pour le personnage politique de Marine Le Pen n'est pas nouveau. Elle apparaît la première fois le 15 mars 1993 dans un reportage réalisé par France 3. Mais c'est en 2002 qu'elle crève l'écran lors du second tour de la présidentielle. Une nouvelle Le Pen fait le « show », crée de l'audimat, amuse la galerie... Cette dynamique s'inscrit tellement en faveur de Marine Le Pen que le CSA[61] a dû rappeler à l'ordre BFM-TV tant le temps de parole qui lui était consacré lors des dernières élections municipales était disproportionné : le Front national a effectivement occupé 43,23 % du temps de parole sur cette chaîne alors que l'UMP en a disposé de 18,67 % de temps et le Parti socialiste de 14,77 %.

Lorsqu'une journaliste ne joue pas le jeu de la banalisation, Marine Le Pen se rebiffe et tâche de discréditer son interlocuteur. Anne-Sophie Lapix[62] questionne avec insistance Marine Le Pen sur le bilan des municipalités Front national de 1995 et sur leurs déboires judiciaires ; Marine Le Pen lui assène plusieurs « Oui, madame la commissaire politique », insinuant ainsi que la journaliste a un parti pris anti-Front national qui discrédite l'ensemble de l'interview. On est bien loin du sympathique et bienveillant Obélix... Sur France Inter, Marine Le Pen récidive : elle prend les devants face à Patrick Cohen[63]

61. Conseil supérieur de l'audiovisuel, le CSA « rappelle à l'ordre » BFM-TV le 19 mars 2014. Source : www.csa.fr.

62. Marine Le Pen, « Dimanche + », Canal +, 28 avril 2013.

63. France Inter, 26 juin 2013.

qui aborde le sujet de la ville de Vitrolles et de Bruno Mégret ; « On vous appelle radio bolcho », déclare-t-elle comme pour délégitimer la question. Ces réflexes de défense rappellent ceux d'un certain Jean-Marie Le Pen… Mais force est de constater que Marine n'a guère besoin d'y avoir recours tant elle fait désormais partie intégrante du paysage médiatico-politique français. Elle y a acquis ses lettres de respectabilité et montré « patte blanche ».

Le point d'aboutissement de cette longue entreprise de normalisation du Front national semble bien avoir lieu le soir des élections européennes[64] : anticipant les résultats, le Front national s'autoproclame « premier parti de France ». Les médias reprennent le slogan sans trop sourciller[65] (alors que l'honnêteté oblige à souligner que l'abstention massive réduit fortement la représentativité de ce scrutin). Dans ce contexte de forte abstention, le Front national a su, mieux que les autres partis, mobiliser ses électeurs et donc s'imposer dans les urnes ; le Front national a ainsi mobilisé 73 % de ses électeurs de la présidentielle alors que l'UMP n'en a mobilisé que 40 % et le Parti socialiste à peine 26 %… En effet, les électeurs du Front national n'expriment pas une opinion comme une autre. Leur vote exprime une réaction contre une situation qu'ils considèrent comme urgente. De plus l'Union européenne est un des acteurs de la mondialisation dénoncés par Marine Le Pen. La mobilisation des électeurs Front national a donc été plus facile par rapport au reste du corps électoral, car les élections européennes, manquant de visibilité, provoquent en

64. Les élections européennes se sont déroulées le 25 mai 2014.

65. *Le Figaro* du 26 mai 2014 s'interroge sur « les électeurs qui ont fait du Font national le "premier parti de France" ». *Paris Match* titre le 1er juin 2014 : « Le Front national, premier parti de France ».

général une abstention importante. Grâce à cette mobilisation spécifique des électeurs du Front national, on observe souvent une corrélation entre forte abstention et scores importants pour le parti d'extrême droite.

Mais le coup de semonce que constitue cette « pole position » du Front national à une première élection nationale ne doit pas être minimisé : les affirmations encore partiellement fausses d'aujourd'hui (« le Front national, premier parti de France ») peuvent devenir, d'évidence, la réalité de demain.

LA FORCE DE L'IDÉOLOGIE

Le bagou médiatique de Marine Le Pen fait certainement beaucoup dans ses succès électoraux, mais il ne fait pas tout. La force de Marine Le Pen réside aussi dans le schéma explicatif du monde qu'elle propose aux Français. Face au chômage, à la crise financière, à l'immigration, à l'insécurité, au manque de pouvoir d'achat, elle apporte des explications simples et des solutions claires : l'ensemble des problèmes rencontrés par les Français est, d'une manière ou d'une autre, lié à la mondialisation, rebaptisée « mondialisme » pour se démarquer des autres offres politiques et en renforcer le caractère inhumain. Marine Le Pen construit ainsi une véritable logique explicative globale à travers la tension qu'elle met en scène entre mondialisme et nation. Certains croiront dans l'intervention de l'État ou dans la lutte des classes ; d'autres dans l'économie libérale et la main invisible d'Adam Smith ; Marine Le Pen croit dans la nation. En mars 2012, lors d'un meeting tenu à côté de Perpignan, elle explique cette nouvelle construction idéologique : « À la logique droite/gauche, à la logique socialisme/libéralisme qui a prévalu jusqu'à présent avec son paroxysme en 1981, s'est substitué un autre clivage. Nos élites médiatiques et politiques ne s'en sont pas encore aperçues. Pourtant, la chute du Mur et le naufrage du communisme, le ralliement idéologique des socialistes à l'ultralibéralisme et à la dérégulation capitaliste ont scellé ce nouveau clivage, celui qui oppose désormais de manière fondamentale et irréductible les partisans de la nation aux mondialistes. De toute évidence, ce sera le choix qui devra être proposé aux Français lors du second tour. Les mondialistes de droite et de gauche caressent sans trop se cacher le projet d'un empire universel régi par les lois […] du marché[66]. »

Sa première cible est clairement le libéralisme économique : c'est le jeu du marché laissé à lui-même qui serait cause des principaux déséquilibres du monde actuel. Les délocalisations sont mises en avant comme responsables du chômage, en oubliant bien sûr les investissements des pays étrangers en France. Elle critique alors le libre-échange en dénonçant sa logique « mercantiliste ». À Six-Fours dans le Var, elle déclare[67] : « La délocalisation des productions, c'est-à-dire la recherche des coûts de fabrication les moins chers par la migration des activités est intrinsèque à cette logique productiviste et mercantiliste. » Mais le libéralisme économique ne se limite pas au libre-échange des marchandises. Marine Le Pen va comparer l'immigration à une sorte de délocalisation à l'envers. Ainsi, selon ses propos, plutôt que de délocaliser la production, les travailleurs vont être relocalisés avec pour corollaire la baisse du pouvoir d'achat des salariés français, directement concurrencés par des travailleurs immigrés moins exigeants sur leur niveau de salaire. C'est ainsi que le 1er mai 2011, elle déclare : « C'est la destruction voulue, programmée,

66. Marine Le Pen, « Discours de Bompas », 11 mars 2012.
67. Marine Le Pen, « Discours de Six-Fours », 12 mars 2011.

des nations, des peuples, des identités culturelles, c'est la marchandisation de tout et de tous. C'est cet esclavage des temps modernes, le transfert de populations d'un continent à l'autre, constituant ainsi l'armée de réserve du capitalisme qui permet aux grands patrons d'exploiter les travailleurs français. Elle permet de baisser les salaires grâce à cette délocalisation de l'intérieur qui écrase le pouvoir d'achat mais qui se montre tellement bénéfique pour les super-profits des actionnaires.»

Ce positionnement idéologique antilibéral lui permet de se rapprocher, en les récupérant, des thèses défendues par l'extrême gauche. La dénonciation de l'action du patronat ne se fait pas attendre. Ainsi, à Saint-Laurent-du-Var en 2010, elle déclare: «La disparition de l'État, c'est-à-dire l'effacement de la loi au profit du laisser-aller – laisser-faire.» Ce faisant, elle va devoir adopter des concepts contradictoires en utilisant la vulgate «marxiste[68]» contre le capitalisme avec le fonds de commerce idéologique traditionnel du Front national qui est anticommuniste, afin de conserver l'équilibre intellectuel de son système explicatif. Lors de ses vœux à la presse le 5 janvier 2012, Marine Le Pen dénonce la confusion du pouvoir avec la sphère économique en déclarant: «Cela n'étonnera pas en réalité, quand on sait que le pouvoir Sarkozy est étroitement lié aux puissances d'argent et au grand patronat, qui sont les premiers demandeurs d'immigration, pour faire pression à la baisse sur les salaires en France.»

Afin de renforcer son argumentation, elle dénonce la trahison des responsables politiques, des «élites», nouvelle version de la «démission des clercs» évoquée en son temps par Julien

68. Voir, partie I, «Le gauchisme», p. 54.

Benda[69]. À l'université d'été du Front national à Marseille en 2013, elle précise sa façon de penser à ce sujet : « Ce n'est pas le peuple français qui est faible, ce sont nos élites qui l'affaiblissent. Ce n'est pas le peuple français qui désespère, ce sont nos élites qui nous désespèrent. Le peuple français n'a pas peur, ce sont nos élites qui nous font peur. Ce n'est pas le peuple français qui manque de courage, ce sont nos élites qui le découragent. »

Pour Marine Le Pen, la France, trahie par ses élites, est en danger de mort à cause de la mondialisation qui appauvrit les Français et les déshumanise en transformant les citoyens en consommateurs que seule la nation peut sauver. Le 1er mai 2013, elle précisait d'ailleurs cette idée : « Cette mondialisation sauvage veut le choc des civilisations, abrutissant les individus par des idéologies extrémistes, fondamentalistes et meurtrières, pour qu'ils oublient leur conscience politique et leur humanisme ! Pour qu'ils oublient ce que c'est que d'être un homme, ce que c'est que de vouloir vivre en paix, en prospérité, avec le reste de l'humanité ! »

Face à la complexité d'un monde dont la logique nous échappe, nous avons tous besoin d'une explication. Que cette dernière soit étayée par des faits plutôt que forgée sur la force des mythes ne la rendra pas plus crédible, ou plus utile socialement et psychologiquement. Ce qui importe est de trouver une logique explicative cohérente, stable, qui embrasse la complexité des situations pour en offrir une image simple et nette. C'est ce que s'efforce de faire Marine Le Pen, à la différence, pour l'instant, des partis politiques de gouvernement.

69. Julien Benda, *La Trahison des clercs*, Paris, Grasset, 2003, publié pour la première fois en 1927.

Ainsi que nous l'avons démontré, les raisons du succès de Marine Le Pen participent de facteurs très différents mais qui, conjugués, expliquent la bonne réception du discours du Front national dans la société française.

L'évolution géographique et sociale constitue le premier élément à prendre en compte, car, en vingt ans, la France a beaucoup évolué. L'organisation spatiale de notre pays se répartit de plus en plus en fonction des inégalités sociales et, même si l'on prône la mixité, force est de constater qu'une certaine partition socioculturelle est d'ores et déjà en marche.

Le deuxième élément tient dans le constat que, au-delà des alternances politiques, les problèmes de fond demeurent et que face à ces derniers on peut observer une certaine impuissance des politiques mises en œuvre. Poursuite du chômage de masse, fragilisation du système éducatif, création de ghettos urbains, ces difficultés que tous les Français rencontrent ou qu'ils craignent de rencontrer provoquent des stratégies de protection qui entraînent de plus en plus de formes d'exclusion. Au regard du manque de réponses précises des politiques, le débat se révèle de plus en plus caricatural et les manquements démocratiques de plus en plus nombreux. Cette situation sociale et politique favorise l'acceptation de l'argumentation mariniste, car cette « violence » du discours politique est aujourd'hui partagée et elle n'est plus l'apanage du Front national. Face à cette ambiance discursive, la société française réagit. Elle exprime un racisme et un antisémitisme de plus en plus prononcés, mais aussi un communautarisme qui, petit à petit, s'instaure avec des événements tragiques symbolisant cet état de fait. Cette montée des tensions, décrite en partie par Jean-Marie Le Pen il y a dix ans, donne sans doute une certaine légitimité au discours actuel de sa fille, d'autant plus que la vie politique de notre pays est émaillée de diverses affaires liées à des enjeux d'argent ou même de mœurs.

De surcroît, contrairement à son père, Marine Le Pen est aidée par l'accueil que lui réservent un certain nombre de médias. Cet accueil la dédouane de s'expliquer sur la teneur de ses propositions qui restent, sur le fond, identiques à celles de son père. Sa capacité d'intervention au sein des médias participe, il va sans dire, de son succès. Pour autant, les médias ne font pas tout, et force est de constater que Marine Le Pen a su réécrire la vision du monde du Front national au sein de laquelle la peur du « mondialisme » et du communautarisme occupe une place de choix. Ainsi, son discours intègre une logique, sa logique. Marine Le Pen porte dans ses discours une force explicative absente des discours du reste de la classe politique, laissant les citoyens orphelins d'un autre discours d'explication. Visiblement bien analysé par Marine Le Pen, l'ensemble de ces éléments offre une réelle résonance des arguments frontistes au sein de la société française.

Conclusion

Le double discours de Marine Le Pen

> « Au travail spectaculaire des éveilleurs doit maintenant, à compter de ce jour, succéder celui des bâtisseurs. »
> Marine Le Pen, « Discours de Tours », 16 janvier 2011

> « La puissance des mots est si grande qu'il suffit de termes bien choisis pour faire accepter les choses les plus odieuses. »
> Gustave Le Bon, *Psychologie des foules* (1895)

Cintrée d'une redingote noire et chaussée de bottes de cuir, Marine Le Pen rayonne : lors d'un vote historique qui a tourné au plébiscite en sa faveur, elle vient d'être élue présidente. En guise de remerciements, et pour réaffirmer les principes que son arrivée au pouvoir, selon elle, symbolise, elle commence par citer l'article 2 de la *Déclaration des droits et des devoirs* [*sic*] *de l'homme et du citoyen* de 1789 : « Le but de toute association politique est la conservation des droits naturels et imprescriptibles de l'homme. Ces droits sont la liberté, la propriété, la sûreté et la résistance à l'oppression. »

Cette scène n'est pas de la politique-fiction : elle a lieu non en 2017, mais le 16 janvier 2011. Élue avec plus de 67 % des suffrages par les adhérents du Front national, Marine Le Pen succède alors à son père à la tête du parti d'extrême droite et pose les bases d'un véritable plan de bataille pour la conquête du pouvoir : « Chers amis, c'est de ce moment que datera l'irrésistible ascension de notre mouvement vers le pouvoir. De ce congrès commencera un effort sans précédent pour transformer le Front national. [...] Au travail spectaculaire des éveilleurs doit maintenant, à compter de ce jour, succéder celui des bâtisseurs. Il faut maintenant faire du Front national un outil [...] pour reprendre le pouvoir des mains de ceux qui ont traîné notre si beau pays jusqu'ici, dans l'état où il se trouve aujourd'hui[1]. »

« Irrésistible ascension » ? Et jusqu'où ? Entre 2011 et 2017, un certain nombre d'échéances électorales auront permis de prendre la mesure de l'efficacité de la stratégie politique mise en place par la nouvelle présidente du Front national. Refonte de l'organigramme, recrutement de cadres locaux, débauchage de figures de l'extrême gauche ou de la droite classique comme autant de gages de crédibilité et de dynamisme[2], formation des candidats frontistes, rédaction d'argumentaires, créations de « syndicats » d'étudiants, d'enseignants, de cadres ou de policiers : Marine Le Pen aura pris au sérieux son rôle de

1. Marine Le Pen, « Discours de Tours », 16 janvier 2011.

2. Au premier rang desquels figurent Florian Philippot, actuel numéro 2, Gilbert Collard, mais aussi d'autres « prises » telles que Bertrand Dutheil de La Rochère, venu du Mouvement des citoyens (MDC), Paul-Marie Coûteaux, souverainiste proche de Philippe Séguin puis de Jean-Pierre Chevènement avant de devenir eurodéputé sous les couleurs de Philippe de Villiers. Voir Abel Mestre et Caroline Monnot, *Le Système Le Pen : enquête sur les réseaux du Front national*, Paris, Denoël, 2011 ; David Doucet et Dominique Albertini, *Histoire du Front national*, Paris, Tallandier, 2013, p. 299 *sq.* ; Romain Rosso, *La Face cachée de Marine Le Pen*, *op. cit.*, p. 241-270.

« bâtisseur », portant le nombre d'adhérents à jour de cotisation de 40 000 en 2011[3] à 83 000 en 2014[4].

Mais elle s'est également attelée à un autre chantier tout aussi crucial et qui explique en partie ses récentes victoires électorales : la rénovation du discours frontiste. Ce sont les processus de construction et l'architecture de ce nouvel édifice sur lesquels nous voudrions revenir, afin de répondre à une question jusqu'ici restée en suspens, celle du sens politique de ce nouvel échafaudage discursif en partie hétéroclite et de sa traduction éventuelle en actes et en lois si Marine Le Pen parvenait à être élue à la tête du pouvoir exécutif. Cela nous amènera à faire le bilan des invariants et des transformations du discours frontiste tel qu'il est incarné par ses leaders depuis quarante ans, et à nous interroger sur l'issue de la « bataille des mots » engagée par Marine Le Pen. En définitive, le regard du sémiologue pourrait aussi offrir quelques pistes sur les modalités d'une nouvelle forme de réponse politique que les autres partis pourraient opposer à cette forme retorse de discours qu'est le nouveau code mariniste s'ils veulent contrer son offensive sémantique et électorale. C'est donc une démarche

3. « Les partis politiques, revue d'effectifs », *Journal du dimanche*, 6 janvier 2012.

4. Chiffres certes invérifiables, mais à mettre en regard des pertes drastiques du Parti socialiste sur la même période : ses effectifs d'encartés pourraient tomber à moins de 100 000 adhérents selon les projections tirées du budget prospectif du parti (source : « Adhésions au PS : c'est la Berezina », Europe1.fr, 30 octobre 2014). À titre de comparaison, 268 341 adhérents UMP étaient habilités à voter pour désigner le président de ce parti le 29 novembre 2014 (source : *Guide électoral de l'UMP*, http://www.u-m-p.org/congres-2014/guide-electoral) et un peu moins de 29 000 ont élu le successeur de Jean-Louis Borloo à la tête de l'Union des démocrates indépendants (UDI) le 13 novembre 2014.

rétrospective et prospective qui s'impose ici pour, d'une part, dessiner la cohérence de l'ensemble discursif que Marine Le Pen a construit, et, de l'autre, montrer en dernier ressort en quoi le système idéologique et le programme de gouvernement qu'elle propose sont, en dépit des rénovations de surface, dans la lignée de la famille politique de son père, une extrême droite nationaliste et xénophobe[5].

Un nouvel édifice discursif

Lors de son discours d'investiture, Marine Le Pen prophétise : « Le Front national sera naturellement la maison commune des Français, la grande maison des amoureux de la France [...], un parti renouvelé, ouvert et efficace. » Plus loin elle évoque le « temps des bâtisseurs ». Que construit-elle ? Met-elle à bas certaines structures obsolètes, ou remise-t-elle simplement dans les pièces du fond les objets disgracieux, quitte à claquemurer certaines salles irrécupérables ? Si l'on nous permet de pousser un peu plus loin la métaphore, il semble bien que, derrière la rénovation de façade, une inspection plus minutieuse révèle que charpente et fondations restent celles du manoir paternel[6]. Marine Le Pen a ajouté des étages supplémentaires (le volet économique et la vision étatiste) à la « maison » Front national, dépoussiéré le vocabulaire, repeint l'ensemble d'une palette moderne (les valeurs républicaines, le « féminisme ») et moins

5. Voir entre autres Jean-Yves Camus, *L'Extrême Droite aujourd'hui*, Paris, Milan, 1997 ; Nicolas Lebourg, « Marine Le Pen est-elle d'extrême droite ? », Tempsréel.nouvelobs.com, 7 février 2012.

6. Pour l'anecdote, et parce qu'elle symbolise peut-être aussi cette difficulté à rompre avec l'héritage paternel, Marine Le Pen n'a quitté la propriété familiale qu'en 2014.

criarde, ouvert les portes pour laisser entrer de nouveaux transfuges, mais les soubassements (les valeurs et principes fondamentaux) et la structure (l'articulation des thèmes en une vision du monde cohérente) sont encore ceux de la génération précédente.

Plus concrètement, il suffit de répondre à une question simple pour mesurer ce qui fait la force, et l'ambiguïté, du nouveau code frontiste introduit par Marine Le Pen : « Dit-elle la même chose que son père ? », interrogions-nous dans les premières pages de ce livre. La réponse vient en trois temps, qui, du point de vue du *sens* politique de l'offre frontiste, n'en font qu'un : 1) oui, elle dit la même chose, mais, souvent, autrement ; 2) non, car elle ajoute de nouvelles thématiques que n'avait pas développées son père (l'économie, le protectionnisme, l'État stratège) ; 3) non, car elle passe sous silence certaines obsessions paternelles (l'antisémitisme, le racisme biologique). Dans cette fausse dialectique où Marine Le Pen ne contredit en fait jamais son père[7], elle ne se distingue de lui qu'en marchant à côté de ses pas, soit qu'elle explore un domaine laissé jusque-là en friche par le Front national (l'économie), soit qu'elle évite de s'aventurer sur un terrain glissant. Pour le reste, elle est dans la répétition du contenu seul, lorsqu'elle rafraîchit le vocabulaire du patriarche, ou bien du contenu et du style (« la nationalité, ça s'hérite ou ça se mérite », « les

7. On nuancera ce point en notant l'évolution des positions du Front national sur le Moyen-Orient. L'actuel conseiller géopolitique de Marine Le Pen, Aymeric Chauprade, est partisan d'un soutien à Israël, et à ce titre en conflit avec une aile antisioniste représentée par Le Pen père et Bruno Gollnisch. Marine Le Pen, elle, reste floue sur le sujet. Voir Magali Balant, *Le Front national et le Monde. Le discours du Front national sur les relations internationales sous la présidence de Jean-Marie Le Pen*, Sarrebruck, Éditions universitaires européennes, 2011.

sociétés multiculturelles sont des sociétés multiconflictuelles », etc.). Ni révision, ni amendement, ni condamnation : au mieux, Marine Le Pen ne parle pas de la même chose que son père ; au pire, elle le cite dans le texte pour dénoncer « l'immigration massive » ou « la classe politico-médiatique ». Souvent, la différence tient au seul choix des mots : femme de sa génération, elle ne parle pas le même sociolecte[8] et elle s'est aussi forgé un style propre, tout en choisissant soigneusement un vocabulaire politique « porteur » (« République », « liberté », « laïcité », etc.) et de nouveaux mots codés (« communautarisme » pour « immigrés »).

Ainsi, c'est la somme de ses silences et de ses ajouts qui donne l'impression d'un renouvellement du discours chez Marine Le Pen. Cependant, si l'on devait schématiser[9] l'aire de recoupement entre les mots du père et ceux de la fille et la placer le long d'un axe qui figure le caractère plus ou moins tabou ou acceptable[10] du vocabulaire employé, l'intersection

8. Appartiennent ainsi à un sociolecte générationnel des termes tels que « bling-bling », « bio », « bobard », « buzz », « internautes », « casting », « com' », « Facebook », « hybridation », « Ipads », « logiciel », et, dans un savoureux retour métapoétique sur ses propres procédés d'écriture, « copier-coller ». Du côté de l'idiolecte propre à Marine Le Pen, on relèvera quelques rares néologismes (« voyoucratie », « dépensionite », « enfumeur », « enfumage ») et, pour la bonne bouche, « chocolat » !

9. Ce schéma vise à figurer le déplacement lexical et notionnel des discours de Marine Le Pen par rapport à ceux de son père : contrairement aux autres graphes, qui tous traduisent mathématiquement des données statistiques, il représente visuellement une idée (celle de l'aire de recoupement entre les leaders).

10. « Acceptable » et « tabou » renvoient aux normes morales, politiques et linguistiques de la société française des quarante dernières années telles qu'on peut les déduire des textes de lois et des enquêtes

entre les deux corpus serait autrement plus large que les minces croissants où ils n'ont rien en commun (figure 9).

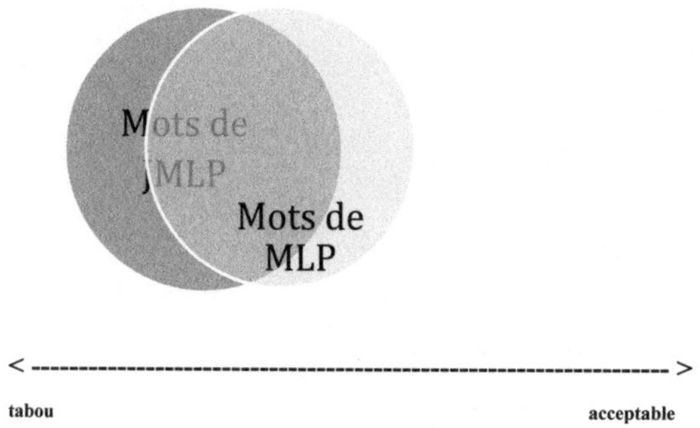

Figure 9. Intersection des aires lexicales des discours respectifs de Jean-Marie et Marine Le Pen

Si l'on éliminait en outre la variable stylistique (le choix du vocabulaire) pour s'intéresser cette fois aux notions seules, quelle que soit leur désignation, l'aire de recoupement serait encore plus conséquente, car, comme on l'a vu, Marine Le Pen procède par allusions ou substitutions lexicales pour dire les mêmes choses que son père dans une forme plus policée (figure 10). Une fois que l'on a décrypté le nouveau code frontiste et traduit « communautés » par « immigrés non européens », « laïcité » par « éradication de la présence musulmane dans l'espace public », et compris que la « diversité

---

d'opinion (on est obligé de faire abstraction du possible déplacement du curseur de l'acceptabilité de certains mots ou notions au fil des ans afin de pouvoir comparer les deux leaders). Du côté du vocabulaire acceptable se situerait le lexique républicain, démocratique, universaliste ; du côté du tabou, l'antisémitisme, le racisme affiché, l'homophobie, la misogynie, l'antirépublicanisme, la violence comme forme d'action politique, etc.

des cultures» recouvrait d'un voile pudique un différentialisme ethnoculturel hérité de la Nouvelle Droite, les notions qui structurent le discours de Marine Le Pen calquent étroitement celles de son père.

Figure 10. Intersection des aires notionnelles des discours respectifs de Jean-Marie et Marine Le Pen

Or, cette aire à l'intersection des deux corpus correspond justement aux fondamentaux du Front national : un rejet de l'immigration, un nationalisme fermé, la préférence nationale, la violence comme menace et justification d'un rassemblement national interclassiste, les mythes de l'Unité, de l'Âge d'or, de la Décadence et du Complot. Marine Le Pen ajoute à la marge des vocables connotés positivement pour recentrer en apparence son discours, mais le sens profond, hors variations stylistiques, est fondamentalement le même que celui de son père.

On se rappellera la formule de Gustave Le Bon : «La puissance des mots est liée aux images qu'ils évoquent et tout à fait indépendante de leur signification réelle. Ceux dont le sens est le plus mal défini possèdent parfois le plus d'action. Tels, par exemple, les termes : démocratie, socialisme, égalité, liberté, etc., dont le sens est si vague que de gros volumes ne suffisent à le préciser. Et pourtant une puissance vraiment magique s'attache à leurs brèves syllabes, comme si elles contenaient la solution à tous les problèmes[11].» Marine Le Pen a compris la leçon. Elle a ainsi adopté un ensemble d'expressions qui étaient étrangères au patriarche ou connotées négativement chez lui: «laïcité», «droits des femmes», «droits de l'homme», «nationalisations», «service public», «protection sociale», «fonctionnaires», ou même l'adjectif «républicain», que Jean-Marie Le Pen n'adopte comme valeur positive qu'à partir de 2007, sous l'influence de sa fille[12]. Consciente des connotations de chaque vocable dans l'imaginaire collectif, elle s'affranchit des lignes de partage politique traditionnelles pour capter les termes dotés d'une légitimité morale positive, abandonnant dans le même temps certains slogans au passé encombrant (la «préférence nationale») au profit de reformulations plus énergiques («priorité nationale»).

Il faut donc parler du leurre de la «dédiabolisation», au double sens d'illusion et d'appât, voire de piège: seules la mise en sourdine des mots et thèmes les plus controversés de Jean-Marie Le Pen et l'adjonction d'un vocabulaire emprunté au camp républicain permettent à Marine Le Pen de décaler le centre de gravité de son discours vers un point d'acceptabilité plus proche de la norme environnante. En effaçant les aspects les plus rédhibitoires du lepénisme ancienne manière, tout en parlant une langue républicaine et démocratique à laquelle l'écrasante majorité des Français continue d'être attachée et en développant un volet économique fondé sur l'idée de

11. Gustave Le Bon, *La Psychologie des foules*, *op. cit.*, p. 60.

12. Avant cette date il parle de manière positive d'« ordre républicain » dans un esprit sécuritaire, mais pas de « valeurs républicaines ».

« protection » des Français, elle lève le dernier obstacle qui empêchait la candidature frontiste d'apparaître crédible dans la course à l'exécutif. Cette stratégie discursive[13] a déjà porté ses fruits : témoins, des succès records dans l'histoire du Front national aux récentes élections municipales[14], européennes[15] et sénatoriales[16] de 2014. Elle crée aussi des marges de progression dans des électorats jusque-là réfractaires – les femmes, les fonctionnaires ou cet Ouest catholique longtemps terre de mission pour le Front national. La « dédiabolisation », qui consiste à n'éliminer définitivement qu'un (mince) pan de l'idéologie paternelle, l'antisémitisme, est ainsi un artifice rhétorique d'une

13. Bien entendu, le discours de Marine Le Pen ne saurait expliquer à lui seul la progression électorale du Front national, notamment aux élections locales, et ce, en dépit d'une discipline assez rigide dans l'application des argumentaires envoyés par le QG parisien aux équipes locales. Cependant, dans un parti aussi hiérarchisé et discipliné que le Front national, et dans le contexte d'une Ve République qui favorise les écuries présidentielles, et donc le leader ici incontesté du parti, la voix de Marine Le Pen est décisive dans la réception du message frontiste.

14. Aux élections municipales des 23 et 30 mars 2014, le Front national remporte dix villes (douze si l'on ajoute Béziers et Camaret-sur-Aigues, soutenues officiellement par le Front national) et fait élire 1 546 conseillers municipaux (contre 60 en 2008). Lors de la précédente « vague » frontiste aux municipales de 1995, le Front national avait remporté trois mairies (Orange, Toulon, Marignane), rejointes par Vitrolles en 1997, et 1 075 postes de conseillers municipaux.

15. Voir Joël Gombin, « Une France coupée en deux : les résultats des européennes du 25 mai en cartes », *Slate.fr*, 25 mai 2014, et Joël Gombin, « Le vote Front national aux européennes : une nouvelle assise électorale ? », note 9, Fondation Jean-Jaurès, ORAP, 9 septembre 2014.

16. Pour la première fois de son histoire, le Front national remporte deux sièges de sénateurs aux élections du 28 septembre 2014. Voir Abel Mestre, « Sénatoriales : le Front national a ratissé bien au-delà de ses grands électeurs », *Le Monde*, 29 septembre 2014.

remarquable efficacité politique : une grande économie de moyens (un silence) permet un rendement électoral maximal.

La cohérence d'un double discours

Ainsi, Marine Le Pen hérite ou emprunte. On cherchera en vain une idée originale dans ses discours : ce qui l'est, c'est la recombinaison d'éléments d'origines diverses en un patchwork qui se révèle, à l'examen, d'une cohérence surprenante. Paradoxe de la communication politique moderne, celle qui pourfend le « métissage » des cultures est elle-même dans l'hybridation des sources et le dialogisme[17] : elle réussit la gageure de voler à l'extrême gauche et au Programme commun des années 1970 des formules porteuses, tout en citant son père avec ferveur, et ce, sans trahir en définitive le socle idéologique de sa famille politique, celui d'un nationalisme généralisé. Jean-Marie Le Pen était l'homme d'une langue simple, une. Sa fille, héritière d'une idéologie d'arrière-garde dans un monde postsoixante-huitard qui l'a aussi façonnée, manie le copier-coller et le « shopping » idéologique et lexical.

Plus postmoderne qu'antimoderne dans ses pratiques, elle a compris qu'un Front national puissant doit s'appuyer sur un électorat hétérogène, où chacun pioche dans le programme frontiste les mesures ou les valeurs qui lui importent[18]. Celle

17. Cette notion a été développée par Bakhtine pour caractériser le style de Dostoïevski puis de Rabelais. Elle décrit comment certains textes se font l'écho de discours sociaux, littéraires ou philosophiques hétérogènes dont ils accueillent l'idéologie et les tics de langue.

18. Sur cette « postmodernité » paradoxale (et toute relative) de la construction du discours mariniste, voir Nicolas Lebourg et Joseph Beauregard, *Dans l'ombre des Le Pen. Une histoire des numéros 2 du*

dont le discours projette inlassablement l'image d'une unité idéale de la France n'hésite donc pas, en stratège averti, à segmenter en autant de publics distincts son électorat. Alors qu'elle refuse de considérer toute « diversité » au nom d'un principe politique supérieur, celui d'un peuple homogénéisé, uni et un, elle ne s'interdit nullement dans le quotidien de la pédagogie politicienne de repérer des « communautés » à cibler. Cette stratégie de segmentation lui permet d'investir un espace politique de plus en plus large en déclinant son programme à différentes sauces sociologiques[19].

On peut parler ici de double discours à plus d'un titre. Marine Le Pen manie tout d'abord le double langage en adaptant ses argumentaires selon les auditoires. Sur l'immigration par exemple, elle parlera dans les grands médias nationaux de « politique dissuasive » et mettra en avant une rationalité comptable. C'est aux militants et sympathisants des meetings et des universités d'été qu'elle réserve la logique xénophobe copiée de Jean-Marie Le Pen : l'allusion au « grand remplacement » de Soral et l'insistance sur le risque de

Front national, op. cit., p. 379 : « Désormais au Front national aussi on fait son "marché". On n'est pas tenu d'intégrer une vision du monde. » Les auteurs mettent en rapport « cette attitude postmoderne au sein du parti de l'antipostmodernité » avec « l'état de nos sociétés atomisées socialement, culturellement, économiquement, où chacun se fait sa vision solitaire du monde en hybridant des normes et idées éparses » (*ibid.*).

19. Ainsi, dans les zones désindustrialisées du nord de la France où les délocalisations s'accumulent, le protectionnisme économique, quand bien même il entre dans une logique nationaliste, peut séduire pour ses retombées espérées sur l'emploi. Voir Nicolas Lebourg, « Comment Marine Le Pen manie les masses. Trois armes : sinistrisme, segmentation et triangulation », art. cité, et Sylvain Crépon, *Enquête au cœur du nouveau Front national, op. cit.*, sur l'électorat populaire du Nord-Pas-de-Calais.

« submersion démographique » et de conflits multiethniques. Cette souplesse d'adaptation, qui fait de son discours un texte caméléon dans ses formes mais inébranlable sur le fond, est sans conteste un atout. Cible mouvante, difficile à cerner et à contrer, elle déroute ses adversaires, notamment de gauche, qui ne sauraient guère argumenter contre les principes de « justice sociale » ou les mesures de hausse du pouvoir d'achat qu'elle leur emprunte. Ce dédoublement du discours en deux argumentaires parallèles, l'un explicite, économique et rationnel, l'autre, réservé à la base, xénophobe et pulsionnel, s'accompagne d'un doublage de mots apparemment neutres par un arrière-plan idéologique tacite. C'est la rhétorique de l'allusion, qui double certaines attaques anticapitalistes de leur ombre antisémite ou qui charge des mots communs (« terre », « famille », « ancêtres », etc.) du poids d'une longue tradition politique antirépublicaine. C'est aussi, et c'est une nouveauté propre à Marine Le Pen, le doublage des mots de la République qu'elle accapare d'un sens second, contestable ou abusif, qui infléchit subrepticement leur signification originelle vers une interprétation politique tendancieuse. L'exemple le plus flagrant est celui de la « laïcité », redéfinie dans un sens restrictif et instrumentalisée comme une arme contre les populations d'origine immigrée. Ce double langage correspond enfin à la dualité inscrite au cœur de la stratégie de dédiabolisation elle-même, tiraillée entre les impératifs de la normalisation et ceux d'un positionnement antisystème. Cependant, alors que Marine Le Pen se campe en personnalité en lutte contre « le Système » tout en revendiquant un discours « de bon sens » et non pas extrémiste, c'est l'inverse qui est vrai : elle use et abuse du système médiatique et de la langue de bois politicienne, alors que le fond de son discours demeure extrême dans ses valeurs et ses implications politiques.

En dépit de ce double langage[20], Marine Le Pen ne se contredit jamais, à la différence de certains de ses adversaires politiques. En effet, son discours, loin d'être schizophrène, est « étagé » : les mots et les argumentaires sont choisis en fonction du public, mais les référents et les mesures proposées restent les mêmes. La pédagogie change, mais il s'agit toujours d'amener l'auditeur à accepter un programme qui, lui, ne varie pas. Paradoxalement, ce double discours non seulement ne nuit pas à Marine Le Pen, mais il lui a permis d'articuler une cohérence formelle et notionnelle plus forte que celle de son père. En empruntant à la gauche une critique du libéralisme économique et une thématique sociale plus appuyée, Marine Le Pen parvient à une forme de nationalisme généralisé encore plus homogène – politique et culturel, mais aussi économique et social. Jean-Marie Le Pen était conservateur sur les questions sociétales et politiques, mais libéral sur les questions économiques. Marine Le Pen, elle, peut décliner ses slogans uniformément dans tous les domaines : « Le bouclier patriotique, c'est une triple

20. Doit-on alors parler de duplicité ou d'ambivalence ? De duplicité, si l'on prête à Marine Le Pen une maîtrise totale de son discours et un certain cynisme ; d'ambivalence, de classe et de génération, si, dans une lecture charitable, on pointe qu'elle hérite peut-être par sa naissance de modes de pensée incompatibles et qu'elle juxtapose : celui d'une génération née après 1968 et celui de la famille politique de son père. Fille de Mai 68 malgré elle, élevée de son propre aveu dans un milieu bohème et très libre de mœurs, la jeune femme qui grandit sous Mitterrand intègre la culture et les valeurs dominantes de sa génération (voir Christiane Chombeau, *Le Pen, fille & père, op. cit.*, et Marine Le Pen, *À contre-flots*, Paris, Grancher, 2006). À lire l'ensemble de ses allocutions, il ne fait cependant guère de doute qu'au lieu d'un inconscient xénophobe qui continuerait d'habiter son discours malgré elle, il faut parler d'un discours double, qui cache sous un argumentaire technocratique et « patriotique » une phobie de l'étranger.

protection : économique, sociale, et culturelle » ; « protection aux frontières, [...] protection pour leur emploi, [...] protection pour les entreprises françaises »[21]. Elle porte ainsi la dernière pierre à l'édifice nationaliste lepéniste en construisant un nationalisme total – économique, politique, social et culturel : « Et vous percevez là toute la cohérence de mon projet présidentiel : protectionnisme économique et protectionnisme social, patriotisme économique et patriotisme social [...][22]. » Rimes et parallélisme parfait scellent en une forme symétrique tous les pans du projet mariniste.

Crise du sens et imaginaire frontiste

Si le discours de Marine Le Pen trouve un tel écho dans la société française d'aujourd'hui, c'est sans doute qu'il apporte dans le même temps une forme et un sens pour appréhender réalités individuelles et collectives. Elle offre tout d'abord à ses électeurs un miroir où lire leur propre destinée, c'est-à-dire qu'elle remplit l'une des fonctions premières de l'homme politique, celle de « représentation ». Elle donne forme à leurs peurs et à leurs épreuves, accordant ainsi une reconnaissance sociale, politique et médiatique aux « oubliés » et aux « invisibles » qui se reconnaîtront dans ses propos. En parlant au sujet de la France de « déclin », d'« asphyxie », de « long et sombre tunnel », ou de « peur de l'avenir », elle traduit au niveau de l'histoire collective un sentiment de déclassement, d'angoisse, d'incertitude, d'insécurité culturelle aussi, que son public éprouve peut-être à titre individuel. C'est la rencontre

21. Marine Le Pen, France 2, 8 juin 2012.
22. Marine Le Pen, « Discours de la galette des Rois », 6 janvier 2012.

d'un discours et d'un ressenti – des mots de l'une et des maux des autres – qui scelle le pacte identificatoire entre citoyen et « représentant » élu.

Cette qualité représentationnelle se transcende également chez Marine Le Pen en force de projection imaginaire : son discours n'acquiesce au réel que pour le transfigurer tout aussitôt en mythe. Marine Le Pen capitalise ici sur la force des structures mythologiques qui informent la vision du monde de son parti. La « modernité » du discours sécularisé et à l'occasion technocratique de Marine Le Pen ne l'empêche en effet nullement de reconduire dans le même temps le grand roman national de l'extrême droite : la « terre et les morts » et les « déracinés » de Barrès, le « pays réel » et le mythe de l'unité de Maurras.

L'un des atouts de Marine Le Pen est alors d'offrir non seulement un *discours* qui exprime les maux de ses contemporains, mais aussi un *récit* apte à combler ce « déficit de sens » qui caractérise les sociétés atomisées et anomiques nées de la révolution industrielle. Au-delà d'un programme de mesures concrètes, elle offre tout à la fois un modèle explicatif du monde moderne, une ontologie qui ancre l'individu dans des déterminismes familiers (famille, peuple), un système de valeurs simples (l'ordre, l'équité, le sacrifice, etc.), en apparence universelles et atemporelles, et une communauté exclusive et protectrice qui promet lien social, solidarité de groupe et mission transcendante (sauver la France)[23].

23. Ce sont les fonctions explicative, ontologique, axiologique, et « religieuse » du mythe. On entend « religieux » au sens étymologique du terme : la « religion », du latin *re-ligere*, relier, est ce qui crée un double lien, horizontal avec la communauté de croyance et vertical avec une transcendance qui fonde la foi.

Avec Marine Le Pen, on entre au royaume des Essences : la « France éternelle », le Peuple, le Bien, la Nature peuplent son univers. Elle propose ainsi de croire à nouveau en une transcendance, certes sécularisée, mais qui permettrait de dépasser les vicissitudes du quotidien individuel en un destin collectif, messianique, de retour au giron des Idées et des identités stables. La force de séduction propre à cet imaginaire, c'est d'offrir des formes de discours closes et stables qui replient le réel sur du connu et l'avenir sur du passé. La fonction esthétique du mythe – le fait qu'il offre une forme fermée et appréhendable – est inséparable de sa fonction explicative : dans le mythe, la forme fait sens, elle crée de l'unité à partir d'un déséquilibre, et c'est cette unité même qui est recherchée comme garante d'un monde plein, stable, où êtres et choses sont à leurs places naturelles.

C'est la rencontre de ce discours et d'une situation sociopolitique, économique et géopolitique marquée par une profonde crise de sens qui le rend attractif : démonétisation de la parole politique, déficit démocratique d'instances supranationales perçues comme surpuissantes et déconnectées du quotidien des citoyens, précarisation des classes moyennes et populaires, désindustrialisation et crise économique contre lesquelles les politiques menées semblent impuissantes, relativisme généralisé et guerres de mémoire, situation internationale de « clash des civilisations » et émergence de mouvements islamistes qui recrutent jusque dans de petits bourgs de province français[24] sont autant de facteurs d'incertitude qui

24. Le 19 novembre 2014, un Français, Maxime Hauchard, est identifié sur une vidéo de décapitation collective diffusée par l'État islamique : il vient d'une famille catholique française du petit bourg de Bosc-Roger-en-Roumois dans l'Eure.

contribuent à une réception favorable d'un discours frontiste qui promet stabilité, unité, et sens univoque de l'Histoire et des êtres.

Ainsi, les structures mythologiques profondes sur lesquelles s'appuie le discours de Marine Le Pen entrent en résonance avec un inconscient collectif plus large qui aspire à ressaisir le monde dans l'unité d'une vision rassurante. Elles font cependant directement écho aux fondamentaux historiques du Front national. Ce qui frappe ici, c'est alors la pesanteur des invariants qui charpentent la rhétorique frontiste. Au-delà de l'émergence ou de l'effacement au fil des ans de certains thèmes, les mêmes archétypes narratifs, les mêmes personnages, les mêmes mythes façonnent une vision du monde manichéenne où s'opposent une communauté nationale agressée et diverses figures de « l'Autre » nécessairement menaçantes, schéma binaire qui consolide l'identité du groupe d'identification en exagérant l'antagonisme avec ses ennemis.

Alors que les modes de discours ont profondément évolué depuis 1972 sous l'influence conjuguée de plusieurs vagues de nouveaux médias (télévision, câble, Internet, réseaux sociaux), de bouleversements épistémologiques (déconstructionnisme, postmodernisme, etc.), politiques et historiques (chute du bloc soviétique, « fin des idéologies »), la mythologie politique du Front national survit avec une étonnante ténacité, sans nuire, bien au contraire, au succès électoral du parti. Il faut donc convenir que cette forme d'« archaïsme » identitaire, pour reprendre la formule d'Alain Bihr, converge avec les aspirations d'une partie de l'électorat.

Comme l'avait compris Maurice Barrès : « On ne fait pas l'union sur des idées, tant qu'elles demeurent des raisonnements ; il faut qu'elles soient doublées de leur force sentimentale[25]. » Marine Le Pen est peut-être aujourd'hui la seule personnalité politique à offrir aux électeurs un roman national et un imaginaire qui donnent du sens à l'engagement politique et créent de l'identité sociale symbolique. Certes, elle peut distribuer à peu de frais ce capital identitaire à ceux qui voient l'espoir d'acquérir capital social, culturel et économique leur échapper en leur offrant le giron d'une communauté unie par ses rituels, ses croyances, ses symboles, ses ennemis aussi. Il n'en demeure pas moins que l'un des défis que représente le discours frontiste est cette force du mythe : car comment apporter une réponse politique à un imaginaire ?

Des paroles, et demain des actes

La première réponse serait peut-être de revenir aux réalités concrètes que ce discours annonce : de regarder précisément comment ces belles paroles se traduiront en actes si Marine Le Pen parvenait au pouvoir. Car il est un autre type de textes que produit à intervalles réguliers la présidente du Front national : des programmes électoraux. Or, cet autre corpus a le mérite de mettre au jour, dans une lumière crue, une filiation idéologique univoque : ces programmes sont, parfois mot pour mot, la répétition de ceux de Jean-Marie Le Pen.

La première partie de ce livre s'est penchée sur le flottement qui existe dans le discours de Marine Le Pen entre certains « signifiants[26] » connus (« laïcité », « République », « droits »,

25. Barrès, *La Terre et les Morts*, *op. cit.*, feuillet 21.

26. On distingue en linguistique pour chaque signe un « signifiant » (sa forme écrite et sonore) et un signifié (son sens) : ce qui désigne et ce qu'il désigne.

« Français ») et le sens réel qu'elle leur assigne. Une autre distinction utile dans l'analyse du discours politique est celle entre signe et référent : entre le mot et la chose. Dans la mesure où le discours politique s'assigne non seulement de proposer un modèle d'intelligibilité de la société, mais aussi de changer le réel, il est nécessaire de pouvoir anticiper quelle sera la traduction concrète des arguments électoraux proposés. Comment se traduira dans la vie de tous les jours la « priorité nationale » ou cette « liberté d'expression » qui interdira cependant à certaines entités de détenir des organes de presse et permettra inversement que toute parole discriminatoire ou haineuse ait libre cours ? Plus fondamentalement, dans quel régime politique entrerions-nous si Marine Le Pen appliquait demain l'ensemble des changements constitutionnels impliqués ou explicités par son programme ?

En dépit d'un volet économique plus étoffé et réorienté vers un interventionnisme étatique et un jacobinisme assumé, Marine Le Pen reprend la quasi-totalité des mesures proposées par son père depuis des décennies[27], notamment toutes celles qui ont trait à l'immigration, à la remise en ordre de la société (éducation, armée, justice, insécurité, famille, natalité, peine de mort) et à la réorganisation des institutions politiques et des traités internationaux. Une fois de plus, les différences sont

27. Elle élimine notamment quelques mesures, comme la suppression de l'ENA et des IUFM, qui pourraient rebuter inutilement les catégories sociales qu'elle entend conquérir (catégories socioprofessionnelles supérieures, monde enseignant). Elle supprime également une proposition qui date de 1973, le « suffrage universel intégral », où l'on voterait non seulement à titre individuel mais également par famille en fonction du nombre d'enfants, ainsi que les propositions d'abrogation de l'impôt sur le revenu et de l'impôt de solidarité sur la fortune (ISF), peu compatibles avec le tournant « social » du Front national.

purement de style : là où, dans son programme présidentiel de 2002, le père se fend d'un long préambule épique sur les affres où la France est plongée, la fille, en 2012, distribue un épais rapport technocratique qui liste des « points » thématiques par ordre alphabétique. Jean-Marie Le Pen avait l'honnêteté, et la faiblesse tactique, d'expliciter sans détour les fondements axiologiques et idéologiques de ses propositions : dans son manifeste, chaque mesure est intégrée dans une discussion détaillée des principes moraux et politiques qui fondent sa vision du monde. Marine Le Pen, elle, désidéologise son programme en laissant implicite la logique d'ensemble. La forme de l'abécédaire, qui égraine des mesures allant des « Anciens Combattants » à la « Sécurité » en passant par « l'Euro », la « Fiscalité », et « l'Immigration », signale un refus apparent de hiérarchiser et, notamment, de tout ramener à l'immigration, comme son père le faisait.

Pourtant, le détail des propositions est identique d'un programme à l'autre : n'est-ce pas que la copie repose sur les mêmes fondements idéologiques que l'original ? Jean-Marie Le Pen présente en 2002 un programme d'extrême droite xénophobe ; Marine Le Pen, en 2012, reconduit ce programme : comment ne pas conclure que son positionnement politique, en dépit du « repackaging » technocratique et pragmatique et du slogan « ni droite ni gauche », est identiquement d'extrême droite ? Il faut donc relire le programme de Marine Le Pen à la lumière de l'explication de texte anticipée qu'en a faite son père dans ses propres programmes précédents pour décrypter le sens des mesures qu'elle propose. Deux points – la politique démographique et les changements constitutionnels envisagés – suffiront pour montrer combien le lissage stylistique de Marine Le Pen ne doit pas faire illusion sur la teneur concrète et les valeurs sous-jacentes de son programme politique. « Le diable est dans les détails », dit-on, et, ici, il est surtout dans leur articulation. Il suffit de relier les éléments épars du programme de 2012 du Front national pour voir la logique sous-jacente d'un projet de France ethnique.

Une France aux Français

Marine Le Pen avance des arguments économiques pour justifier des mesures de réduction drastique de toute immigration, légale ou illégale : le coût des allocations familiales et indemnités chômage, la pénurie de logements, et un marché du travail déjà saturé interdiraient d'accueillir davantage de nouveaux venus. Cette logique comptable de bon aloi est en apparence dénuée de connotation raciale. Pourtant, la même logique devrait conduire à vouloir réduire l'offre sur le marché du travail et limiter les dépenses du régime de sécurité sociale. Or, dans le même temps, Marine Le Pen reprend la politique nataliste vigoureuse de son père et exclusivement réservée aux Français nés de Français[28]. L'objectif n'est pas le renouvellement des générations *en France*, mais bien le renouvellement des générations *françaises* nées de parents *français*. Ou, comme le disait plus explicitement Jean-Marie Le Pen en présentant les mêmes mesures dans son programme de 2007 : « Assurer le maintien de la population française de souche. » Nous ne sommes plus dans une logique simplement démographique ni économique, mais ethnique voire racialiste. Contrairement à ce que la forme fragmentée de l'abécédaire de Marine Le Pen suggère, démographie et lutte contre l'immigration sont

28. On est ici dans le copier-coller : « Les allocations familiales seront exclusivement réservées aux familles françaises » (*Programme du Front national*, 2002), repris en 2012 par « Les allocations familiales [seront] réservées aux familles dont un parent au moins est français ».

intimement liées dans sa conception de la société idéale. Son père avait l'honnêteté intellectuelle de mettre les points sur les « i » : « Il manque, en effet, chaque année au moins 100 000 naissances françaises : [...] La persistance de ce déficit, déjà incompatible avec la survie de la nation, s'accompagne en outre de l'installation sur notre sol de populations immigrées dont le taux de natalité (entre 2,8 et 4,8) est, en moyenne, double de celui des femmes françaises de souche[29]. » Une même conception biologique de la citoyenneté française informe les propositions de Marine Le Pen, mais le raisonnement reste dans le non-dit, l'implicite, et se cache derrière le paravent d'une logique économique[30] : on passe avec elle à la technocratisation d'une logique ethnique.

Vers un nouveau régime ?

Un autre point qui risque de passer inaperçu dans la présentation sous forme d'abécédaire est le nombre de modifications de la Constitution promises par Marine Le Pen. Dans le programme officiel seul, on ne dénombre pas moins de onze révisions constitutionnelles déclarées, auxquelles il faudrait ajouter des propositions faites lors de déclarations publiques et les nécessaires révisions constitutionnelles que le principe

29. *Programme du Front national*, 2007.

30. Marine Le Pen s'inquiète moins de la natalité que de la descendance française des Français : « D'après une étude de l'Insee de 2009, il faudrait s'enorgueillir du taux de natalité en 2008 « jamais atteint en France », de 2,2 enfants par femme [...] ; or, ces statistiques sont basées sur les "femmes accouchant en France". Si l'on ne prend en compte que les *femmes de nationalité française*, on tombe alors à un taux de fécondité de 1,8 [...]. Sur 832 799 naissances enregistrées en 2010, seules 667 707 étaient issues *de deux parents de nationalité française* » (*Programme 2012 du Front national* [notre italique]).

même de la « priorité nationale » impliquerait. Parmi ces révisions, on notera la suppression du Sénat, l'abrogation du pouvoir constituant du Parlement, le référendum d'initiative populaire, un budget militaire sanctuarisé[31], des restrictions sur la constitution des corps intermédiaires, et la « Renégociation de la Convention européenne des droits de l'homme, et notamment de son article 8 qui est utilisé par les associations de promotion de l'immigration pour accroître l'immigration vers la France[32] ». À tel point qu'on est en droit de se demander si le « républicanisme » affiché de Marine Le Pen s'applique bien à la Ve République elle-même, ou uniquement aux moyens pour accéder au pouvoir, quitte ensuite à largement altérer les fondamentaux de la démocratie française actuelle.

« Je vais changer la Constitution », annonce-t-elle sans ambages dans ses discours. Elle oublie cependant d'expliquer que c'est aussi, et peut-être surtout, parce que les mesures phares de son parti sont à ce jour anticonstitutionnelles, et non parce que la démocratie française est en souffrance, qu'elle aura besoin d'un changement de régime pour appliquer ses mesures. Dans son programme de 2007, Jean-Marie Le Pen était plus explicite : l'une des mesures promises est, logiquement, « inscrire dans le préambule de la Constitution le principe de préférence nationale ».

Le programme en pièces détachées de Marine Le Pen forme un tout cohérent qui a pour objectif, comme celui de son père et avec les mêmes moyens, de réserver aux seuls Français « de

31. « Je reconstituerai un arsenal militaire à la hauteur des ambitions que je nourris pour la France et je graverai dans le marbre de notre Constitution cette limite minimale de 2 % du PIB pour notre budget militaire » (Marine Le Pen, « Discours de Marseille », 15 septembre 2013).

32. *Programme politique du Front national*, 2012, p. 13.

souche» un large ensemble de droits sociaux et politiques, voire des pans entiers de l'économie[33]. Rappelons cependant que le préambule de la Constitution de 1946, qui fait partie depuis 1971 du «bloc de constitutionnalité» de la Ve République, garantit l'universalité des droits sociaux, que les personnes concernées soient des citoyens ou non: «Nul ne peut être lésé dans son travail ou son emploi en raison de ses origines, de ses opinions ou de ses croyances.» La «priorité nationale», mesure clé sur laquelle tout l'édifice programmatique du Front national repose, s'inscrit en porte-à-faux avec les principes fondateurs de la démocratie française: ce n'est rien de moins que l'article *premier* du préambule de la Constitution de 1958, qui garantit «l'égalité devant la loi sans distinction d'origine, de race ou de religion», qui devrait être réécrit pour rendre le programme de Marine Le Pen applicable. Outre le problème de crédibilité et d'efficacité d'un programme économique et social qui suppose, pour commencer à être effectif, des changements constitutionnels drastiques et longs à mettre en place, se pose la question du régime politique impliqué par de telles transformations. Marine Le Pen a beau se réclamer de la *Déclaration des droits de l'homme et du citoyen* de 1789 dans son discours d'investiture de 2011, si l'on prend au mot son

33. Il est en effet question d'étendre les emplois dits de «souveraineté», aujourd'hui un petit nombre de postes réservés aux Français pour des questions de sécurité nationale, à d'autres sphères. Cette idée, laissée dans le plus grand flou, rappelle d'autres temps où la préférence nationale fut appliquée à certains métiers: en 1940, sous Vichy, les professions de fonctionnaire, de médecin, d'architecte, de vétérinaire, d'avocat, d'administrateur furent ainsi restreintes aux citoyens «nés de père français». Voir, par exemple, la loi du 16 août 1940 «instituant un Ordre national des médecins et limitant l'accès aux professions médicales aux citoyens nés de père français» (*Journal officiel*, 19 août 1940).

projet pour le traduire en actes, ce sont ces mêmes droits que l'application concrète de son programme remettrait directement en cause.

Du sens des mots et de leur usage

On peut se représenter le champ électoral comme un marché où se rencontrent offres et demandes politiques. Dans ce schéma simplifié, les partis politiques proposent d'un côté leur système d'explication du monde et leurs solutions ; de l'autre, les électeurs choisissent ceux qui répondent le mieux à leurs propres besoins ou désirs (de sens, de protection, de liberté, de droits, etc.). La difficulté est cependant, pour le citoyen, d'interpréter ce qui est réellement offert par ce qui est toujours avant tout un *discours* politique et non un objet tangible, et, pour les acteurs politiques, de comprendre ce que leurs concitoyens réclament, ou pourraient désirer si on le leur proposait. Les interprétations offertes à ce double problème d'exégèse raisonnent d'ordinaire en termes de *contenu* de l'offre et de la demande (« moins d'immigrés », « plus de pouvoir d'achat », etc.). Nous faisons l'hypothèse que la *forme* et les *structures profondes* qu'une analyse sémiologique peut mettre au jour importent tout autant pour cerner ces deux versants de la transaction politique.

C'est en effet l'un des enseignements de ce travail de décryptage du discours de Marine Le Pen que de conclure à l'interdépendance des questions de forme et de fond pour expliquer tant l'efficacité de son discours que son contenu effectif. Face à ce signe à première vue fuyant qu'est Marine Le Pen, qui hésite entre modernité et archaïsme, héritage paternel et rénovation politique, programme économique « gauchisant » et valeurs identitaires d'extrême droite, l'analyse de l'ensemble des niveaux de structuration du discours, du mot aux archétypes narratifs et au système idéologique, montre que son attractivité sur le « marché » des offres politiques tient en grande partie au travail sur la forme de ses propositions : leur cohérence formelle, le style de sa pédagogie politique, le choix des mots et des mythes.

Les acteurs qui opèrent sur ce « marché » politique dans le camp de l'offre s'interrogent avec raison sur les raisons du succès de la concurrence. Après l'électrochoc du 22 avril 2002, qui voit arriver Jean-Marie Le Pen au second tour des élections présidentielles, la tentation a été, d'abord à droite[34], puis parfois à gauche, de « voler » la recette lepéniste en concluant de son relatif succès que l'offre politique qu'il mettait en avant répondait à une réelle demande de la part de l'électorat, notamment sur l'insécurité et l'immigration. En 2014, face à la perspective bien réelle que Marine Le Pen se qualifie pour le second tour des élections présidentielles de 2017, les partis de gouvernement cherchent de nouveau à entendre ce que disent les citoyens de leurs aspirations lorsqu'ils votent Front national. L'interprétation semble toujours concerner des thèmes ou des solutions concrètes (stopper l'immigration, abroger l'Aide médicale de l'État [AME], renégocier les « diktats » de Bruxelles), c'est-à-dire des contenus isolés d'une logique d'ensemble et du récit qui les porte. Pourtant, on peut aussi faire l'hypothèse que ce qu'offre Marine Le Pen, et ce que demandent les électeurs, c'est aussi et surtout un système global d'explication du monde, un récit et un projet stables et

34. Voir Aurélien Mondon, *The Mainstreaming of the Extreme Right in France and Australia : A Populist Hegemony ?*, Farnham, Ashgate, 2013 ; Gaël Brustier et Jean-Philippe Huelin, *Voyage au bout de la droite*, Paris, Mille et Une Nuits, 2011.

cohérents, et un représentant dont la parole n'a pas été démentie par les actes.

L'un des griefs souvent faits aux présidences de Nicolas Sarkozy et de François Hollande est leur versatilité : volatilité permanente du premier, qui a assumé au fil des ans, selon les publics, des positions contraires sur de nombreux sujets ; volte-face entre les promesses du candidat et les mesures de l'élu pour le second. Plutôt que de copier, comme cela semble se profiler[35], le programme et les thématiques du Front national, un réel travail de refondation idéologique à gauche et à droite, qui parviendrait à une nouvelle synthèse cohérente apte à expliquer le monde du XXIe siècle et à offrir à la France un modèle économique et social pertinent, performant, et positif pour l'ensemble des Français, aurait le grand avantage de repousser le Front national sur son aire de jeu d'origine, à l'extrême droite, plutôt que de le placer, par les discours qui l'attaquent ou par les programmes qui le singent, au centre du débat.

35. En novembre 2014, les trois candidats déclarés à la primaire qui désignera le candidat aux présidentielles pour l'UMP se déclarent tous – comme le Front national – en faveur de la suppression ou d'une révision de l'AME, tous dénoncent le coût de l'immigration, proposent de réduire l'immigration légale, d'imposer des quotas en fonction des professions et des provenances, de revoir les conditions d'accès à la nationalité française et aux allocations familiales, et de revoir les critères du regroupement familial. Sur ces sujets, ou celui des Roms, le Premier ministre Manuel Valls semble aussi pencher pour la fermeté, voire la stigmatisation, lorsqu'il déclare que ces populations « ne souhaitent pas s'intégrer dans notre pays pour des raisons culturelles ou parce qu'[elles] sont entre les mains de réseaux versés dans la mendicité ou la prostitution » (*Le Figaro*, 15 mars 2013) ou qu'elles « ont des modes de vie extrêmement différents des nôtres et qui sont évidemment en confrontation » (France Inter, 24 septembre 2013).

L'offre politique de Marine Le Pen présente un certain nombre d'atouts : elle répond à des demandes différentes sans se contredire, séduit par la forme autant que par le contenu, sollicite la rationalité autant que les pulsions individuelles et l'inconscient collectif, et offre des formes (ou « emballages ») diversifiées d'un même produit, un nationalisme xénophobe qui peut prendre dans sa bouche le visage d'une démocratie relégitimée (la valorisation de l'État-nation) ou d'une logique économique pour temps de crise. De ces atouts, ni le nationalisme ni la xénophobie ne sont nécessairement les arguments les plus puissants. À quelles demandes légitimes le discours de Marine Le Pen répond-il, que le camp républicain pourrait mieux servir ? Est-ce vraiment « moins d'immigration » que les électeurs du Front national désirent, ou bien plus de sens collectif, de sécurité de l'emploi, ou de justice sociale ? L'une des forces du discours de Marine Le Pen est justement de ne plus être unidimensionnel. Il serait dommage que ceux qui sont tentés de la copier n'empruntent qu'une caricature monothématique et non les ressorts de son succès.

En plus d'être une remarquable machine de guerre politique, le double discours de Marine Le Pen peut aussi être lu comme un symptôme de la société française d'aujourd'hui. Un socle commun de valeurs démocratiques est à présent assumé par une écrasante majorité des Français, y compris au Front national : l'universalisme, la laïcité, l'égalitarisme, la démocratie parlementaire, les droits de l'homme, la condamnation du racisme, le tabou sur l'antisémitisme. Bien plus, ce sont certaines valeurs « de gauche » qui semblent participer de l'élargissement de l'électorat Front national : l'idée de justice sociale, de méritocratie, un féminisme *a minima* (droits à la contraception et à l'avortement), un attachement aux acquis sociaux et au système de protection sociale à la française. Marine Le Pen a accepté que les principes républicains, démocratiques et égalitaires soient un horizon indépassable sans lequel il n'est pas de succès possible, ni même de dialogue avec l'immense majorité des citoyens. C'est donc que les succès électoraux les plus récents du Front national dessinent une histoire des idées plus complexe que celle d'une « droitisation » univoque du champ politique : parallèlement à la pénétration, voire à la banalisation, de certaines idées du Front national, d'autres thématiques, vocables ou discours, portés historiquement par le camp républicain ou la gauche, continuent d'être du côté des valeurs porteuses et mobilisatrices. L'allégeance au moins de façade du Front national à un *ethos* humaniste, démocratique, voire égalitariste et « de gauche » signale une victoire idéologique partielle du camp républicain – et annonce peut-être aussi, du fait que Marine Le Pen « nationalise » ces concepts tandis que les autres semblent les abandonner, la défaite électorale future de ce même camp.

Les partis républicains s'offusquent que Marine Le Pen accapare la « République ». Pourquoi ne pas se féliciter au contraire de voir derrière cet « hommage du vice à la vertu », ou de la pensée réactionnaire aux Lumières, un réel besoin démocratique de la part du corps électoral et agir en conséquence pour redonner sens au système démocratique français ? Pourquoi ne pas réinvestir cet espace sémantique et politique, et redonner corps aux principes que Marine Le Pen dévoie ? De même, le « sinistrisme » de Marine Le Pen ne montre-t-il pas à la gauche que les valeurs que cette dernière a portées de longues années, de protection et de justice sociale, continuent de compter ? Le Front national a imposé les termes du débat sur l'immigration[36] :

36. Et notamment ses chiffres. On pourrait mettre par exemple une réalité concrète devant le mot « immigration » et rappeler qu'une

ne pourrait-on envisager de reformuler ce dernier dans une perspective qui permette à la société française telle qu'elle est, et non telle que la rêve le Front national, de construire un nouveau consensus démocratique qui donne une place à chacun ? Tout un travail de redéfinition d'un ensemble de vocables qui structurent le modèle républicain français est ainsi à entreprendre : au camp démocrate de se ressaisir des mots « égalité », « laïcité », « démocratie » et de leur donner un sens tangible.

La gageure du jeu démocratique, c'est ce « saut » interprétatif, « pari » presque pascalien où l'électeur, le bulletin à la main dans l'isoloir, doit faire semblant de *croire* les paroles des candidats et leur accorder sa confiance dans un acte de foi conditionnel certes, mais nécessaire à l'exercice démocratique. Il doit « faire comme si » les paroles des candidats allaient se traduire par des actes qui leur correspondent. Croire que les mots avaient du sens, que les paroles mènent aux actes. L'abstention est cette crise de foi où le citoyen a cessé de croire dans le lien entre paroles et actes politiques.

Il est dès lors urgent que la classe politique et les acteurs du débat démocratique redonnent du sens aux mots : qu'ils retrempent leur propre discours aux sources d'une vision claire, sincère et lisible du monde contemporain, qu'ils s'efforcent

---

immigration de 200 000 entrants par an, chiffre que ressasse Marine Le Pen dans ses interventions, correspond en réalité à un solde migratoire de seulement 100 000 personnes (il y a des sorties), et, surtout, à l'un des taux de migration le plus faible d'Europe avec 2 ‰ contre 8 ‰ pour la Suède par exemple. Marine Le Pen a bien compris que marteler « 200 000 immigrés par an » aura plus d'impact que dire « 2 pour 1 000 » : pourquoi ses adversaires n'utilisent-ils pas de même la force symbolique des chiffres ? Voir François Héran, *Le Temps des immigrés. Essai sur le destin de la population française*, Paris, éd. du Seuil, 2007.

de faire correspondre aux mots des réalités tangibles, dans le diagnostic comme dans les résultats, et, surtout, qu'ils se réapproprient sur leur propre terrain les mots de la cité qui sont en passe d'être confisqués par le Front national, au lieu de valider le sens que celui-ci leur a donné. Si l'offensive sémantique de Marine Le Pen sur la laïcité ou les valeurs républicaines n'est que de l'ordre du toilettage cosmétique au regard du programme effectif du Front national, elle n'en altère pas moins, et profondément, le sens des mots qui scellent le pacte démocratique. La bataille des idées n'est pas encore perdue. Encore faut-il choisir ses armes – ses mots – pour la mener.

Paris, 22 novembre 2014

Annexe I

Le corpus

Entre janvier 2011, date de son investiture à la tête du Front national, et janvier 2014, limite chronologique de notre corpus, Marine Le Pen est intervenue plus de 2 000 fois dans les médias français. On ne pouvait dès lors envisager de collationner un corpus exhaustif de la moindre phrase prononcée en public. Cela n'aurait d'ailleurs pas servi notre propos, qui est d'analyser la logique interne du *discours* de Marine Le Pen. Or, un seuil minimal de longueur de texte est nécessaire pour qu'il y ait discours. Une phrase, une formule, si puissantes soient-elles sur la scène médiatique, ne suffisent à former discours. Aussi n'avons-nous retenu que les interventions qui dépassaient 800 mots, ou environ cinq minutes de parole. Seules les interventions *publiques*, destinées à être diffusées et effectivement accessibles au public, ont été retenues : aucun entretien privé, aucun « off », aucune communication interne n'entre dans le corpus, bien que ces textes aient pu être utilisés en complément d'analyse.

Quant aux sources des textes retenus, elles constituent un échantillon représentatif des principaux canaux que privilégie Marine Le Pen pour s'exprimer en public : discours publics (1er Mai, université d'été du Front national, meetings), entretiens télévisés ou radiophoniques, éditoriaux ou entretiens dans la presse écrite. Les médias retenus offrent un échantillon représentatif de la presse, des chaînes télévisées satellitaires et câblées et des radios où intervient Marine Le Pen : TF1, France 2, France 3, France 5, France 24, Canal +, BFM-TV, LCI, LCP, Public Sénat pour la télévision ; RMC, RTL, France Inter, Europe 1, Radio France internationale, France Info, Radio Classique pour la radio. Enfin, le type d'émission a lui aussi été panaché afin de représenter aussi bien les « matinales » que les émissions de *prime time*, les interviews ponctuelles au sein d'un journal télévisé ou bien les émissions entièrement dédiées à Marine Le Pen (« Des paroles et des actes », « Dimanche + »).

La liste du corpus complet des textes de Marine Le Pen est disponible sur le site www.decodingmarinelepen.stanford.edu.

Annexe II

Les logiciels informatiques de traitement de textes

Les interventions de Jean-Marie et de Marine Le Pen ont été retranscrites et numérisées, puis analysées à l'aide de différents logiciels d'analyse de corpus textuels. Nous présentons ici ceux qui nous ont été les plus utiles.

Termino

Le logiciel Termino a été développé par le centre ATO de l'Université du Québec à Montréal. Ce logiciel est d'abord un logiciel de terminologie. Son grand avantage est que le repérage des mots ne se faisant pas avec l'aide d'un dictionnaire, tous les vocables sont acceptés et classifiés, ce qui permet par exemple de conserver les néologismes.

Termino ramène les verbes à l'infinitif, les noms et adjectifs au singulier pluriel. Cette lemmatisation est pour une part limitative, car nombre de détails du texte disparaissent. Cependant, l'avantage de Termino est de faire apparaître immédiatement des résultats globaux qui rendent possible une vue d'ensemble rapide de grands corpus. Enfin, la possibilité qu'a Termino de repérer directement les groupes nominaux complexes (GNC) s'est révélée très utile : ces groupes nominaux complexes (tels que « sécurité sociale », « recul de la laïcité ») sont une bonne approximation des sujets que traitent les textes. Leur repérage automatique permet alors d'appréhender de quoi parlent les discours.

Cependant, Termino n'est pas un logiciel de lexicologie et il ne compte pas les mots qu'il classifie. Cette fonctionnalité a été développée par Laurent Mérat, directeur informatique de SCP Communication. Les résultats statistiques en termes de taux de fréquence (en ‰) utilisés dans la première partie de cet ouvrage sont tirés de ses calculs.

Hyperbase

Hyperbase est un logiciel universitaire d'exploration documentaire et statistique des textes développé par Étienne Brunet à l'université de Nice Sophia-Antipolis en collaboration avec le CNRS. Il s'est enrichi depuis sa création en 1989 d'une vaste gamme de fonctionnalités qui en fait un instrument de recherche et de calcul statistique unique pour les corpus de textes français. Ainsi permet-il, du côté de l'exploration d'un corpus donné, de rechercher non seulement des mots mais des formes, des lemmes, des codes grammaticaux ou des enchaînements syntaxiques, d'établir des concordances et fréquences lexicales, et de repérer toutes les occurrences d'un terme ou de ses dérivés. Du côté de l'analyse statistique, Hyperbase est particulièrement utile pour calculer les probabilités statistiques, que tel mot soit proche d'un autre à l'échelle de la phrase ou du paragraphe : il donne ainsi les co-occurrences mais aussi les « corrélats » entre les mots-clés les plus fréquents du corpus. En outre, il offre plusieurs types de visualisation de ces résultats : par « constellation sémantique » (graphiques 4 et 5 dans ce livre), par histogrammes représentant l'environnement lexical d'un mot (graphiques 6 et 7), par analyse factorielle, etc. Enfin, il permet de comparer les spécificités lexicales d'un corpus donné (néologismes, distribution des vocables, indice de richesse lexicale) à la base GoogleBooks (70 milliards de mots) et le *Trésor de la langue française*.

Voyant-tools.org

Voyant-tools est un logiciel en libre accès qui permet d'établir sur un corpus donné une concordance, des listes de fréquences, des graphes de l'évolution diachronique de l'utilisation d'un mot au fil du temps (par exemple « laïcité » dans ce livre, graphique 3), et des « nuages de mots ».

Comme on le voit, la richesse des outils informatiques contemporains est telle que plusieurs livres auraient pu être écrits, et illustrés, en les exploitant dans leurs moindres recoins. Nous livrerons d'autres résultats et graphiques sur le site dédié à la base de données compilée pour ce livre.

Bibliographie

I. Sources premières

La liste du corpus complet des textes de Jean-Marie et Marine Le Pen est disponible sur le site www.decodingmarinelepen.stanford.edu.

300 mesures pour la renaissance de la France : Front national, Programme de gouvernement, Paris, Éditions nationales, 1993.

BARRÈS Maurice, *La Terre et les Morts : sur quelles réalités fonder la conscience française*, Paris, Bureaux de la Patrie française, 1899.

—, *Les Déracinés,* Paris, 1897.

BLOT Yvan et LEROY Michel, *La Bataille des mots. Pour un nouveau langage politique de l'opposition*, Lettre d'information, quatrième trimestre, 1982.

COPÉ Jean-François, *Manifeste pour une droite décomplexée*, Paris, Fayard, 2012.

LE PEN Jean-Marie, *Pour un avenir français : le Programme de gouvernement du Front national*, Paris, Godefroy de Bouillon, 2001.

—, *Français d'abord!*, Saint-Cloud, Front national, 1995.

—, *La Lettre de Jean-Marie Le Pen : bimensuel d'informations politiques et économiques*, Paris, SERP, 1985.
—, *Pour la France,* Paris, Albatros, 1985.
LE PEN Marine, *Pour que vive la France*, Paris, Grancher, 2012.
—, *À contre-flots*, Paris, Grancher, 2006.
MÉGRET Bruno, *L'Alternative nationale : les priorités du Front national*, Saint-Cloud, Éditions nationales, 1997.
MÉLENCHON Jean-Luc, *Qu'ils s'en aillent tous, vite la révolution citoyenne*, Paris, Flammarion, 2010.
TOUSSENEL Alphonse, *Les Juifs, rois de l'époque. Histoire de la féodalité financière*, Paris, 1845 [rééd. avec une préface d'Édouard Drumont, Paris, 1886].

II. Sémiologie, rhétorique, analyse du discours politique

ALDUY Cécile, « Mots, mythes, médias : mutations et invariants du discours frontiste », dans *Le Front national : un parti en transition ?*, sous la dir. de Sylvain Crépon, Nonna Mayer et Alexandre Dézé, Presses de Sciences Po (à paraître en 2015).
AMOSSY Ruth, *Argumentation et prise de position : pratiques discursives*, Paris, Presses universitaires franc-comtoises, diffusé par Les Belles Lettres, 2004.
—, *L'Argumentation dans le discours,* Paris, Nathan, 2000.
—, « Israël et les juifs dans l'argumentation de l'extrême droite : *doxa* et implicite », *Mots*, mars 1999, n° 58, p. 79-100.
—, *Les Idées reçues : s*émiologie du stéréotype, Paris, Nathan, 1991.
AMOSSY Ruth et ADAM Jean-Michel, *Images de soi dans le discours : la construction de l'« ethos »*, Lausanne, Delachaux et Niestlé, 1999.

AMOSSY Ruth et BURGER Marcel, *Polémiques médiatiques et journalistiques : le discours polémique en question(s)*, Besançon, Presses universitaires de Franche-Comté, 2011.

ANGENOT Marc, *Ce que l'on dit des juifs en 1889 : antisémitisme et discours social*, Saint-Denis, Presses universitaires de Vincennes, 1989.

— *La Parole pamphlétaire : contribution à la typologie des discours modernes*, Paris, Payot, 1982.

Argumentations d'extrême droite, *Mots*, Numéro spécial, n° 58, 1999.

BENVENISTE Émile, *Problèmes de linguistique générale*, Paris, Gallimard, 1966.

BERTRAND Denis, DÉZÉ Alexandre et MISSIKA Jean-Louis, *Parler pour gagner : sémiotique des discours de la campagne présidentielle de 2007*, Paris, Presses de la Fondation nationale des sciences politiques, 2007.

BOURDIEU Pierre, *Ce que parler veut dire : l'*économie *des échanges linguistiques*, Paris, Fayard, 1982.

CHARAUDEAU Patrick *et al.*, *Dictionnaire d'analyse du discours*, Paris, éd. du Seuil, 2002.

DANBLON Emmanuelle, « La construction de l'autorité en rhétorique », *Semen*, n° 21, 2006, p. 141-153.

DESSONS Gérard, *Émile Benveniste,* l'*invention du discours,* Paris, In Press, 2006.

DOMENACH Jean-Marie, *La Propagande politique*, Presses universitaires de France, 1973.

DUCROT Oswald, *Dire et ne pas dire,* Paris, Hermann, 1972.

DUCROT Oswald *et al., Les Mots du discours*, Paris, Minuit, 1980.

FAYE Jean-Pierre, *Le Siècle des idéologies*, Paris, Armand Colin, 1996.

—, *Langages totalitaires : critique de la raison, l'économie narrative*, Paris, Hermann, 1972.

FAYE Jean-Pierre et DE VILAINE Anne-Marie, *La Déraison antisémite et son langage*, Arles, Actes Sud, 1993.

FIALA Pierre, « Dire la race en présuppose-t-il l'existence ? », *Mots*, n° 33, 1992.

—, « Les termes de la laïcité. Différenciations morphologiques et conflits sémantiques », *Mots*, n° 27, 1991, p. 41-45.

FONTANILLE Jacques, *Pratiques sémiotiques*, Paris, Presses universitaires de France, 2008.

GOYET Francis, *Rhétorique de la tribu, rhétorique de l'État*, Paris, PUF, 1994.

GREIMAS Algirdas Julien et COURTÉS Jacques, *Sémiotique. Dictionnaire raisonné de la théorie du langage*, Paris, Hachette, 1979.

KERBRAT-ORECCHIONI Catherine, *L'Implicite*, Paris, Armand Colin, 1998.

—, *Le Discours polémique*, Lyon, Presses universitaires de Lyon, 1980.

KERBRAT-ORECCHIONI Catherine et MOUILLAUD Maurice, *Le Discours politique*, Lyon, Presses universitaires de Lyon, 1984.

KLEMPERER Victor, *LTI, la langue du troisième Reich*, Paris, Albin Michel, 1996.

LE BART Christian, « Parler en politique », *Mots*, n° 94, 2010, p. 77-84.

LEMAIRE Axelle, « Front national et droits de l'homme : de la négation au maquillage discursif », *Revue socialiste*, 2013, n° 52, p. 69-75.

MAYAFFRE Damon, *Nicolas Sarkozy : mesure et démesure du discours (2007-2012)*, Paris, Presses de la Fondation nationale des sciences politiques, 2012.

PROUST Sarah, « Argumenter contre le Front national, c'est démonter la mécanique du discours frontiste », *Revue socialiste*, n° 52, 2013, p. 49-52.

SCHEPENS Philippe et FIALA Pierre, *Catégories pour l'analyse du discours politique*, Besançon, Presses universitaires de Franche-Comté, 2006.

SOUCHARD Maryse, WAHNICH Stéphane, CUMINAL Isabelle et WATHIER Virginie, *Le Pen, les mots, analyse d'un discours d'extrême droite*, Paris, Le Monde Éditions, 1997.

TAGUIEFF Pierre-André, « La nouvelle judéophobie : antisionisme, antisémitisme, anti-impérialisme », *Les Temps modernes*, n° 520, nov. 1989, p. 1-80.

— « L'identité nationale saisie par les logiques de racisation. Aspects, figures et problèmes du racisme différentialiste », *Mots*, n° 12, mars 1986, p. 91-128.

TAGUIEFF Pierre-André, KAUFFMANN Grégoire et LENOIRE Michaël, *L'Antisémitisme de plume, 1940-1944 : études et documents*, Paris, Berg, 1999.

TETTAMANZI Régis, *Esthétique de l'outrance : idéologie et stylistique dans les pamphlets de L.-F. Céline*, Charente, Du Lérot, 1999.

TROGNONG Alain et LARRUE Janine, *Pragmatique du discours politique*, Paris, Armand Colin, 1994.

III. Mythologies

BARTHES Roland, *Mythologies*, Paris, éd. du Seuil, 1957.

DELOYE Yves, « Commémorations et imaginaire national en France (1896-1996) », *in* Pierre Birnbaum, *Sociologie des nationalismes*, Paris, Presses universitaires de France, 1997.

DURAND Gilbert, *Introduction à la mythodologie. Mythes et sociétés*, Paris, Albin Michel, 1996.

ELIADE Mircea, *Aspects du mythe*, Paris, Gallimard, 1963.

—, *Mythes, rêves et mystères*, Paris, Gallimard, 1957.

GIRARDET Raoul, *Mythes et mythologies politiques,* Paris, éd. du Seuil, 1986.

LE BON Gustave, *Psychologie des foules* (1895), PUF, « Quadrige », 2013.

LÉVI-STRAUSS Claude, *La Pensée sauvage*, Paris, Plon, 1962.

NECTOUX François, « The Politics of Extreme Narcissism in the Discourse of the Front National », *Echoes of Narcissus*, New York, Berghahn, 2000, p. 205-219.

POTTIER Richard, *Essai d'anthropologie du mythe*, Paris, Kimé, 1994.

PROPP Vladimir, *Morphologie du conte*, Paris, éd. du Seuil, 1965.

SELLIER Philippe, « Qu'est-ce qu'un mythe littéraire ? », *Littérature*, n° 55, 1984, p. 112-126.

SIRONNEAU Jean-Pierre, *Sécularisation et religions politiques*, New York, Mouton Publishers, 1982.

TAGUIEFF Pierre-André, *L'Imaginaire du complot mondial : aspects d'un mythe moderne*, Paris, Mille et Une Nuits, 2006.

—, « Nationalisme et réactions fondamentalistes en France. Mythologies identitaires et ressentiment antimoderne », *Vingtième Siècle. Revue d'histoire*, n° 25, janvier-mars 1990, p. 49-74.

TURPIN Béatrice, « Pour une sémiotique du politique : schèmes mythiques du national-populisme », *Semiotica* : *Journal of The International Association for Semiotic Studies,* 159, n° 1-4, 2006, p. 285-304.

WINOCK Michel, « À qui appartient Jeanne d'Arc ? », *L'Histoire*, n° 210, mai 1997.

IV. Histoire de l'extrême droite et du Front national

AZÉMA Jean-Pierre et WINOCK Michel, *Histoire de l'extrême droite en France*, Paris, éd. du Seuil, 1993.

BALANT Magali, *Le Front national et le Monde. Le discours du Front national sur les relations internationales sous la présidence de Jean-Marie Le Pen*, Sarrebruck, Éditions universitaires européennes, 2011.

BIHR Alain, *L'Actualité d'un archaïsme : la pensée d'extrême droite et la crise de la modernité*, Lausanne, Page deux, 1998.

—, *Le Spectre de l'extrême droite : les Français dans le miroir du Front national*, Paris, éd. de l'Atelier/Éditions ouvrières, 1998.

BIRENBAUM Guy, *Le Front national en politique*, Paris, Balland, 1992.

BISSON David *et al.*, *Les Sciences sociales au prisme de l'extrême droite : enjeux et usages d'une récupération idéologique*, Paris, L'Harmattan, 2008.

BOLTANSKI Luc et ESQUERRE Arnaud, *Vers l'extrême extension des domaines de la droite*, Paris, Dehors, 2014.

BOUGON-SOUFFRIN Lucile, *Marine Le Pen et les médias*, mémoire de master du département Communication politique et publique de l'UPEC, juin 2014.

BOURSEILLER Christophe, *L'Extrémisme : une grande peur contemporaine*, Paris, CNRS, 2012.

BRUSTIER Gaël et HUELIN Jean-Philippe, *Voyage au bout de la droite*, Paris, Mille et Une Nuits, 2011.

CAMUS Jean-Yves, *L'Extrême Droite aujourd'hui*, Paris, Milan, 1997.

—, *Le Front national : histoire et analyses,* Paris, O. Laurens, 1997.

—, *Les Droites nationales et radicales en France : répertoire critique*, Lyon, Presses universitaires de Lyon, 1992.

CANETTI Elias, *Masse et puissance*, Paris, Gallimard, 1966.

CHARPIER Frédéric, *Génération Occident : de l'extrême droite à la droite,* Paris, éd. du Seuil, 2005.

CHOMBEAU Christiane, *Le Pen, fille & père,* Paris, Panama, 2007.

CRÉPON Sylvain, *Enquête au cœur du nouveau Front national*, Paris, Nouveau Monde Éditions, 2011.

—, *La Nouvelle Extrême Droite : enquête sur les jeunes militants du Front national*, Paris, L'Harmattan, 2006.

—, « Du racisme biologique au différentialisme culturel : les sources anthropologiques du GRECE », *in* David Bisson *et al.*, *Les Sciences sociales au prisme de l'extrême droite*, Paris, L'Harmattan, 2008, p. 159-189.

DAVIES Peter, *The Extreme Right in France, 1789 to the Present : From De Maistre to Le Pen*, Londres, Routledge, 2002.

DELWIT Pascal, *Le Front national : mutations de l'extrême droite française*, Bruxelles, Université de Bruxelles, 2012.

DÉLY Renaud, *La Droite brune* : *UMP-FN, les secrets d'une liaison fatale*, Paris, Flammarion, 2012.

DESCOLA Philippe, *Par-delà nature et culture*, Paris, NRF Gallimard, 2005.

DEVRESSE Jenifer, *Le Pen sous presse : la réception paradoxale d'un discours dénonciateur*, Paris, L'Harmattan, 2010.

DÉZÉ Alexandre, *Le Front national : à la conquête du pouvoir ?*, Paris, Colin, 2012.

DOUCET David et ALBERTINI Dominique, *Histoire du Front national*, Paris, Tallandier, 2013.

DUBET François, COUSIN Olivier, MACÉ Éric et RUI Sandrine, *Pourquoi moi ? L'expérience des discriminations*, Paris, éd. du Seuil, 2013.

DURANTON-CRABOL Anne-Marie, *Visages de la nouvelle droite : le GRECE et son histoire*, Paris, Presses de la Fondation nationale des sciences politiques, 1988.

ERNER Guillaume, *Expliquer l'antisémitisme : le bouc émissaire. Autopsie d'un modèle explicatif*, Paris, Presses universitaires de France, 2005.

ESPOSITO Marie-Claude, LAQUIÈZE Alain et MANIGAND Christine, *Populismes : l'envers de la démocratie*, Paris, Vendémiaire, 2012.

FIESCHI Catherine, *Fascism, Populism, and The French Fifth Republic : In The Shadow of Democracy*, Manchester, Manchester University Press, 2004.

FOUREST Caroline et VENNER Fiammetta, *Marine Le Pen*, Paris, Grasset, 2011.

FRANÇOIS Stéphane, *Les Néo-paganismes et la Nouvelle Droite*, Milan, Archè, 2008.

GERBER François, *Et la presse créa Le Pen*, Paris, R. Castells, 1998.

HAINSWORTH Paul, *The Politics of the Extreme Right : From the Margins to the Mainstream*, Londres, Pinter, 2000.

IGOUNET Valérie, *Le Front national de 1972 à nos jours. Le parti, les hommes, les idées*, Paris, éd. du Seuil, 2014.

JULLIARD Jacques, *Ce fascisme qui vient*, Paris, éd. du Seuil, 1994.

LE BOHEC Jacques, *L'Implication des journalistes dans le phénomène Le Pen*, Paris, L'Harmattan, 2004.

—, *Les Interactions entre les journalistes et Jean-Marie Le Pen*, Paris, L'Harmattan, 2004.

LEBOURG Nicolas, *François Duprat : l'homme qui inventa le Front national*, Paris, Denoël, 2012.

—, *Le Monde vu de la plus extrême droite : du fascisme au nationalisme-révolutionnaire*, Perpignan, Presses universitaires de Perpignan, 2010.

LEBOURG Nicolas et BEAUREGARD Joseph, *Dans l'ombre des Le Pen. Une histoire des numéros 2 du Front national*, Paris, Nouveau Monde, 2012.

LECŒUR Erwan, *Un néo-populisme à la française : trente ans de Front national*, Paris, La Découverte, 2003.

MAYER Nonna, « L'électorat Le Pen de père en fille », *in* Vincent Tiberj (dir.), *Des votes et des voix. De Mitterrand à Hollande*, Paris, Champ social, 2013.

—, « L'électorat Marine Le Pen 2012 : un air de famille », *TriÉlec* 2012, 28 avril 2012.

—, *Ces Français qui votent Le Pen,* Paris, Flammarion, 2002.

MAYER Nonna et CAUTRÈS Bruno, *Le Nouveau Désordre électoral : les leçons du 21 avril 2002*, Paris, Presses de Sciences Po, 2004.

MAYER Nonna et PERRINEAU Pascal, *Le Front national à découvert*, Paris, Presses de la Fondation nationale des sciences politiques, 1996.

MESTRE Abel et MONNOT Caroline, *Le Système Le Pen : enquête sur les réseaux du Front national*, Paris, Denoël, 2011.

MILZA Pierre, *Les Fascismes,* Paris, Seuil/Points, 1985.

MONDON Aurélien, *The Mainstreaming of the Extreme Right in France and Australia : A Populist Hegemony* ?, Farnham, Ashgate, 2013.

MUDDE Cas, *Populist Radical Right Parties in Europe*, Cambridge, Cambridge University Press, 2007.

PERRINEAU Pascal, *La France au Front,* Paris, Fayard, 2014.

—, *Le Symptôme Le Pen : radiographie des électeurs du Front national*, Paris, Fayard, 1997.

Plenel Edwy et Rollat Alain, *La République menacée : dix ans d'effet Le Pen. Dossier*, Paris, Le Monde Éditions, 1992.

Rosso Romain, *La Face cachée de Marine Le Pen*, Paris, Flammarion, 2011.

Samson Michel, *Le Front national aux affaires : deux ans d'enquête sur la vie municipale à Toulon*, Paris, Calmann-Lévy, 1997.

Shields James G., *The Extreme Right in France : From Pétain to Le Pen,* Londres, Routledge, 2007.

Sternhell Zeev, *Ni droite ni gauche : l'idéologie fasciste en France* [3e édition refondue et augmentée], Bruxelles, Complexe, 2000.

Taguieff Pierre-André, *Du diable en politique, réflexions sur l'antilepénisme ordinaire*, Paris, CNRS Éditions, 2014.

—, *Le Nouveau National-Populisme*, Paris, CNRS, 2012.

—, *La Nouvelle Propagande antijuive*, Paris, PUF, 2010.

—, *L'Illusion populiste : de l'archaïque au médiatique*, Paris, Berg, 2002.

—, *La Couleur et le Sang : doctrines racistes à la française*, Paris, Mille et Une Nuits, 2002.

—, *Sur la nouvelle droite : jalons d'une analyse critique,* Paris, Descartes & Cie, 1994.

—, « La nouvelle judéophobie : antisionisme, antisémitisme, anti-impérialisme », *Les Temps modernes*, n° 520, nov. 1989, p. 1-80.

—, *La Force du préjugé,* Paris, La Découverte, 1987.

Wieviorka Michel, *Le Front national, entre extrémisme, populisme et démocratie*, Paris, éd. de la Maison des sciences de l'homme, 2013.

—, *La France raciste*, Paris, éd. du Seuil, 1992.

WINOCK Michel, *La Droite : hier et aujourd'hui*, Paris, Perrin, 2012.

—, *Nationalisme, antisémitisme et fascisme en France*, Paris, Seuil/Points, 1990.

V. Sciences politiques, sociologie électorale, anthropologie politique

BADIOU Alain, *De quoi Sarkozy est-il le nom ?*, Paris, Nouvelles Éditions Lignes, 2007.

BALANDIER Georges, *Le Pouvoir sur scènes*, Paris, Balland, 1972.

BALIBAR Étienne et WALLERSTEIN Immanuel, *Race, nation, classe : les identités ambiguës*, Paris, La Découverte, 1988.

BECK Ulrich, *Qu'est-ce que le cosmopolitisme ?*, Paris, Alto Aubier, 2004.

—, *La Société du risque*, Paris, Alto Aubier, 2001.

BENDA Julien, *La Trahison des clercs*, Paris, Grasset, 2003.

BOUCHER Manuel, *Les Théories de l'intégration. Entre universalisme et différentialisme*, Paris, L'Harmattan, 2000.

BOUVET Laurent, *Le Sens du peuple : la gauche, la démocratie, le populisme*, Paris, Gallimard, 2012.

BROUARD Sylvain et TIBERJ Vincent, *Français comme les autres ? Enquête sur les citoyens d'origine maghrébine, africaine et turque*, Paris, Presses de la Fondation nationale des sciences politiques, 2005.

CASSIRER Ernst, *Le Mythe de l'État*, Paris, NRF Gallimard, 1993.

CASTELLS Manuel, *Communication et pouvoir*, Paris, Maison des sciences de l'homme, 2013.

Cultures & Conflits, «*Construire l'ennemi intérieur*», n° 43, L'Harmattan, septembre 2001.

Davezies Laurent, *La crise qui vient. La nouvelle fracture territoriale*, Paris, éd. du Seuil, 2012.

Dubet François et Martucelli Daniel, *Dans quelle société vivons-nous ?*, Paris, éd. du Seuil, 1998.

Fassin Éric, *Démocratie précaire : chroniques de la déraison d'État*, Paris, La Découverte, 2012.

Fassin Éric et Halperin Jean-Louis, *Discriminations : pratiques, savoirs, politiques,* Paris, Documentation française, 2008.

Finkielkraut Alain, *L'Identité malheureuse*, Paris, Stock, 2013.

Gardou Charles, *La Société inclusive, parlons-en !*, Toulouse, Érès, 2012.

Godelier Maurice, *Au fondement des sociétés humaines*, Paris, Albin Michel, 2007.

Godin Emmanuel, «The Porosity Between the Mainstream Right and Extreme Right in France: "Les Droites décomplexées" under Nicolas Sarkozy and Marine Le Pen's Leadership», *Journal of Contemporary European Studies*, mars 2013, vol. 21, 1, p. 53-67.

Grejebine Alain, *La Guerre du doute et de la certitude*, Paris, Berg International, 2008.

Guilluy Christophe, *La France périphérique : comment on a sacrifié les classes populaires*, Paris, Flammarion, 2014.

—, *Fractures françaises*, Paris, Bourin, 2010.

Hannequart Isabelle, *Science et conscience de la mondialisation*, Paris, L'Harmattan, 2006.

Héran François, *Le Temps des immigrés. Essai sur le destin de la population française*, Paris, éd. du Seuil, 2007.

Hermet Guy, *Le Peuple contre la démocratie*, Paris, Fayard, 1989.

HONNETH Axel, *La Société du mépris*, Paris, La Découverte, 2006.

JULLIARD Jacques, *Les Gauches françaises, 1762-2012 : histoire, politique et imaginaire*, Paris, Flammarion, 2012.

—, *La Reine du monde, essai sur la démocratie d'opinion*, Paris, Flammarion, 2008.

JULLIARD Jacques et MICHÉA Jean-Claude, *La Gauche et le Peuple, lettres croisées*, Paris, Flammarion, 2014.

KALTENBACH Jeanne-Hélène et TRIBALAT Michèle, *La République et l'Islam, entre crainte et aveuglement*, Paris, Gallimard, 2002.

LACLAU Ernesto, *La Raison populiste*, Paris, éd. du Seuil, 2008.

LAPEYRONNIE Didier, *Ghetto urbain : ségrégation, violence, pauvreté en France aujourd'hui*, Paris, Laffont, 2008.

LE BOHEC Jacques et LE DIGOL Christophe, *Gauche/Droite, genèse d'un clivage politique*, Paris, PUF, 2012.

LE BRAS Hervé, *Atlas des inégalités*, Paris, Autrement, 2014.

LE BRAS Hervé et TODD Emmanuel, *Le Mystère français*, Paris, éd. du Seuil, 2013.

LE GOFF Jean-Pierre, *La Fin du village*, Paris, Gallimard, 2012.

LEFORT Claude, *L'Invention démocratique*, Paris, Fayard, 1994.

LEW Roland, « L'ennemi intérieur et la violence extrême : l'URSS stalinienne et la Chine maoïste », *Cultures & Conflits*, n° 43, automne 2001.

LIOGIER Raphaël, *Le Mythe de l'islamisation*, Seuil, 2012.

—, *Une laïcité « légitime » : la France et ses religions d'État*, Paris, Entrelacs, 2006.

MAAREK Philippe J. (sous la dir. de), *La Communication politique de la présidentielle de 2007, participation ou représentation ?*, Paris, L'Harmattan, 2009.

MARGALIT Avichaï, *Une société décente*, Paris, Flammarion, 1996.

MAURIN Éric, *La Peur du déclassement, une sociologie des récessions*, Seuil, 2009.

MESURE Sylvie et RENAUT Alain, *Alter Ego*, Paris, Alto Aubier, 1999.

NOIRIEL Gérard, *Le Massacre des Italiens : Aigues-Mortes, 17 août 1893*, Paris, Fayard, 2010.

—, *Immigration, antisémitisme et racisme en France, XIXe-XXe siècle : discours publics, humiliations privées*, Paris, Fayard, 2007.

—, *Le Creuset français : histoire de l'immigration, XIXe-XXe siècle*, Paris, éd. du Seuil, 1988.

PERRINEAU Pascal, *Le Désenchantement démocratique*, Paris, Aube, 2003.

REICH Wilhelm, *La Psychologie de masse du fascisme*, Paris, Payot, 1972

RÉMOND René, *Les Droites aujourd'hui*, Paris, éd. du Seuil, 2005.

REYNIÉ Dominique, *Populismes : la pente fatale*, Paris, Plon, 2011.

ROSANVALLON Pierre, *La Légitimité démocratique*, Paris, éd. du Seuil, 2008.

—, *La Contre-Démocratie*, Paris, éd. du Seuil, 2006.

SADOUN Marc (sous la dir. de), *La Démocratie en France*, Paris, Gallimard, 2000.

SCHNAPPER Dominique, *La Démocratie providentielle, essai sur l'égalité contemporaine*, Paris, NRF Gallimard, 2002.

—, *La Relation à l'autre : au cœur de la pensée sociologique*, Paris, NRF Gallimard, 1998.

SIRINELLI Jean-François (sous la dir. de), *Les Droites françaises, de la Révolution à nos jours*, Paris, Gallimard, 1992.

TRIBALAT Michèle, *Assimilation : la fin du modèle francais*, Paris, éd. du Toucan, 2013.

WEIL Patrick, *Qu'est-ce qu'un Français ? Histoire de la nationalité française depuis la Révolution*, Paris, Grasset, 2002.
WESTEN Drew, *The Political Brain*, New York, Public Affairs, 2007.

Remerciements

Nous voudrions remercier chaleureusement Jean-Pierre Dupuy et Séverine Nikel, éditeurs au Seuil, pour leur confiance enthousiaste dès les premiers pas de ce projet, leur relecture minutieuse et leur soutien indéfectible. Anaïs Pournin et toute l'équipe éditoriale du Seuil ont mis tout leur savoir-faire et leur passion à la réalisation de ce livre : sans eux, il n'aurait pas vu le jour.

Nos remerciements vont aussi au groupe de spécialistes et de journalistes qui nous ont accueillis à bras ouverts sur le terrain épineux des recherches « ès » *Front national*. Ils nous ont généreusement prodigué sources, documents, théories, conseils et encouragements. Un salut amical à Sylvain Crépon, Nicolas Lebourg, Jean-Yves Camus, Joël Gombin, Stéphane François, Alexandre Dézé, Joseph Beauregard, Valérie Igounet, Abel Mestre, Caroline Monnot, Charlotte Rotman, David Doucet, Romain Rosso, Christiane Chombeau, Edwy Plenel et quelques autres.

Du côté de la technologie, une gratitude sans borne aux magiciens qui nous ont aidés : à l'université Stanford, Mike Widner nous a fait découvrir l'horizon infini des logiciels de visualisation et de datamining et a coordonné avec calme et efficacité l'organisation de la base de données et la réalisation du site internet. À Paris, Laurent Mérat pour son travail d'orfèvre avec Termino a produit un outil d'analyse inestimable. Enfin, Étienne Brunet nous a guidés avec patience dans les arcanes du logiciel Hyperbase.

L'infatigable Lucile Bougon à Paris, Mary Ann Toman-Miller, Sruti Sarathy, Devangi Vivrekar, Magali Duque, Fatoumata Seck, Michaela Hulstyn et Anja Young à Stanford ont été les petites mains qui ont rendu la compilation de cette immense base de données possible : merci pour leur aide souriante. Merci à Élodie Raulet et Charlotte qui nous ont épaulés amicalement dans les dernières relectures. Merci à SCP Communication de nous avoir permis d'utiliser son « plateau technique ». L'établissement de la base de données a été réalisé grâce au soutien du Vice-Provost Undergraduate Education Office de l'université Stanford.

Pour le temps qu'ils lui ont accordé avec courtoisie, Cécile Alduy remercie Marine Le Pen, Jean-Marie Le Pen, Louis Aliot et Franck Timmermans.

Enfin nous remercions nos familles et nos proches de leur continuel soutien.

Index

Index rerum

Index nominum

Liste des tableaux, figures et graphiques

Table

COMPOSITION : IGS-CP À L'ISLE D'ESPAGNAC
IMPRESSION : CORLET IMPRIMEUR S.A. À CONDÉ-SUR-NOIREAU
DÉPÔT LÉGAL : FÉVRIER 2015. N° 117210 (170264)
Imprimé en France